HER
Mein Mann, sei

Das Buch

Nie hätte Nadia Schäfer gedacht, dass sie für einen Mann ihre Freiheit aufgeben und eine Muslima werden würde. Doch Karim, der eines Tages wie ein Geschenk in ihr Leben tritt, verändert alles. Der kultivierte, gut aussehende Mann aus dem Irak verzaubert sie. Grenzenlos verliebt, glaubt Nadia ihm, dass er einzig sie liebt und seine erste Frau nur aus Anstand nicht verstößt. Als die Großfamilie in den Oman zieht, arbeitet Nadia an Karims Seite für einen Sheikh, natürlich verschleiert bei vierzig Grad im Schatten. Sie erlebt mit Karim traumhafte, leidenschaftliche Ehejahre, deshalb akzeptiert sie die strengen Regeln des Islam und fühlt sich als Königin des Orients. Doch dann ist er immer öfter in Dubai, ihren fünfzigsten Geburtstag verbringt sie allein. Eines Tages steht Karims dritte Frau vor der Tür, für Nadia bricht eine Welt zusammen. Nicht ahnend, dass der Albtraum erst begonnen hat.

Die Autorin

Hera Lind studierte Germanistik, Musik und Theologie und war Sängerin, bevor sie mit ihren zahlreichen Romanen sensationellen Erfolg hatte. Mit den Tatsachenromanen wie »Kuckucksnest«, »Die Frau, die zu sehr liebte«, »Mein Mann, seine Frauen und ich« und »Der Prinz aus dem Paradies« eroberte sie erneut die SPIEGEL-Bestsellerliste und machte dieses Genre zu ihrem Markenzeichen. Hera Lind lebt mit ihrer Familie in Salzburg.

HERA LIND

Mein Mann, seine Frauen und ich

Roman nach einer wahren Geschichte

DIANA

Vorbemerkung

Dieses Buch erhebt keinen Faktizitätsanspruch. Es basiert zwar zum Teil auf wahren Begebenheiten und behandelt typisierte Personen, die es so oder so ähnlich gegeben haben könnte. Diese Urbilder wurden jedoch durch künstlerische Gestaltung des Stoffs und dessen Ein- und Unterordnung in den Gesamtorganismus dieses Kunstwerks gegenüber den im Text beschriebenen Abbildern so stark verselbstständigt, dass das Individuelle, Persönlich-Intime zugunsten des Allgemeinen, Zeichenhaften der Figuren objektiviert ist.

Für alle Leser erkennbar erschöpft sich der Text nicht in einer reportagehaften Schilderung von realen Personen und Ereignissen, sondern besitzt eine zweite Ebene hinter der realistischen Ebene. Es findet ein Spiel der Autorin mit der Verschränkung von Wahrheit und Fiktion statt. Sie lässt bewusst Grenzen verschwimmen.

Sollte diese Publikation Links auf Webseiten Dritter enthalten, so übernehmen wir für deren Inhalte keine Haftung, da wir uns diese nicht zu eigen machen, sondern lediglich auf deren Stand zum Zeitpunkt der Erstveröffentlichung verweisen.

Von Hera Lind sind im Diana Verlag bisher erschienen:

Die Champagner-Diät – Schleuderprogramm – Herzgesteuert – Die Erfolgsmasche – Der Mann, der wirklich liebte – Himmel und Hölle – Der Überraschungsmann – Wenn nur dein Lächeln bleibt – Männer sind wie Schuhe – Gefangen in Afrika – Verwechseljahre – Drachenkinder – Verwandt in alle Ewigkeit – Tausendundein Tag – Eine Handvoll Heldinnen – Die Frau, die zu sehr liebte – Kuckucksnest – Die Sehnsuchtsfalle – Drei Männer und kein Halleluja – Mein Mann, seine Frauen und ich – Hinter den Türen

MIX
Papier aus verantwortungsvollen Quellen
FSC® C014496
www.fsc.org

Verlagsgruppe Random House FSC® N001967

2. Auflage
Taschenbucherstausgabe 09/2018
Copyright © 2017 und dieser Ausgabe © 2018 by Diana Verlag, München,
in der Verlagsgruppe Random House GmbH,
Neumarkter Straße 28, 81673 München
Umschlaggestaltung: t.mutzenbach design, München
Umschlagmotive: © Matthew Pugh/Arcangel; Sergey Kohl,mg1408,
Johannes Kornelius, Gina Smith, Pierre-Yves Babelon/Shutterstock
Satz: Leingärtner, Nabburg
Druck und Bindung: GGP Media GmbH, Pößneck
Printed in Germany
Alle Rechte vorbehalten
ISBN 978-3-453-35943-7

www.diana-verlag.de
Besuchen Sie uns auch auf www.herzenszeilen.de
Dieses Buch ist auch als E-Book lieferbar.

1

Fürth, Oktober 1995

Nebenan klingelte das Telefon.

»Jan?«, schrie ich über die Schulter. »Bist du da?«

Nein. Offensichtlich nicht.

Ich war gerade dabei, mir die Fußnägel zu lackieren, und rappelte mich nur ungern vom Bett auf. Jan war mein Mitbewohner in unserer etwas ungewöhnlichen WG – ein attraktiver Holländer und fünfzehn Jahre jünger als ich. Zwischen uns lief nichts. Aber wenn die Leute etwas anderes dachten, sollte es mir recht sein. Dann war es höchstens schmeichelhaft. Ich war vierundvierzig, geschieden, sportlich, attraktiv und lebensfroh. Meine weiblichen Rundungen saßen an den richtigen Stellen.

Mit Wattebäuschchen zwischen den Zehen stakste ich ins Wohnzimmer, wo das schnurlose Telefon zwischen Kissen und alten Zeitungen in der Sofaritze vor sich hin wimmerte.

Jan mal wieder. Wir hatten doch vereinbart, dass es im Ladegerät zu stecken hatte!

»Nadia Schäfer?«

»*Hello, I'm Karim*«, sagte eine tiefe, angenehme Stimme auf Englisch. »Du kennst mich noch nicht. Aber ich hoffe, wir werden uns bald kennenlernen!« Ein melodisches Lachen ertönte.

»Äh, woher haben Sie meine Nummer?«

»Abu Omar hat mir von dir erzählt. Ich würde mich gern mit dir verabreden.«

Der sanfte Bariton des gut gelaunten Anrufers umschmeichelte mein Ohr wie warmer Wind an einem lauen Sommerabend. »Abu Omar? Ich weiß jetzt gar nicht …«

»Der Vater eines gemeinsamen Bekannten!«

Ein Fremder begehrte mich zu sehen. Ein ausgesprochen sympathischer Fremder, wie es schien. Mein Herz machte einen nervösen Hopser.

»Warum?« Ratlos presste ich den Hörer ans Ohr. Nichts gegen nette neue Kontakte, dafür war ich gerade empfänglich. Aber dass ein wildfremder Araber mich einfach so kennenlernen wollte, ging mir jetzt irgendwie doch etwas zu weit.

Seit meiner traumhaften Türkeireise mit meinen beiden Freundinnen Conny und Siglinde letzten Sommer, in dem mein Mann Harald nach zwanzig Jahren Ehe ausgezogen war – er hatte längst heimlich eine Freundin und meinen Segen dazu –, hatte mich der Orient in seinen Bann gezogen. Istanbul! Die blaue Moschee! Die alten Sultanspaläste! Welche Geheimnisse sie wohl bargen? Aber auch das heutige Leben, das so unverfälscht und intensiv war: die exotischen Gewürze, das Gewimmel der Menschen auf den Basaren, der Lärm – und dagegen die stille Pracht der Moscheen, in denen so ein heiliger Friede herrschte.

Gemeinsam mit meinen Freundinnen hatte ich die Fremde genossen, den pulsierenden Orient. Harald, mein damaliger Noch-Ehemann, wäre sowieso nicht mitgefahren, er hegte keine Sympathien für die islamische Welt.

Musste er auch nicht, wir gingen nun getrennte Wege. Ich war frei und konnte tun und lassen, was ich wollte.

Und so besuchte ich nach der Reise aus Neugier arabische Kochkurse, interessierte mich für die faszinierende orientalische Welt, versuchte sogar, Arabisch zu lernen, was wirklich ein abenteuerliches Unterfangen war, und hatte mich mit Ali, meinem Volkshochschullehrer und dessen deutscher Frau

Moni angefreundet. Letztes Wochenende waren wir spontan zu irakischen Freunden von Ali nach Holland gefahren, um die Sprache zu üben und die sprichwörtliche orientalische Gastfreundschaft zu genießen. Omar hieß der Freund, und er und seine Familie überschlugen sich fast vor Freude, mich fröhliche Blondine aus Fürth kennenzulernen. Sie trugen die köstlichsten Speisen auf und fragten mich aus, als ob ich vorhätte, in ihre Familie einzuheiraten.

Alles in allem war es ein spannendes und interessantes Wochenende gewesen. Nicht mehr und nicht weniger. Außer einem Kilo Übergewicht nach all den Delikatessen hatte ich einfach nur das Gefühl zurückbehalten, nette Menschen getroffen zu haben. Zum ersten Mal seit Jahren hatte mich eine Ahnung von Glück angeflogen. Mir war leicht ums Herz gewesen, und diese Stimmung hielt immer noch an.

Und jetzt wollte mich also ein gewisser Karim kennenlernen. Karim mit der elektrisierenden Wahnsinnsstimme. Weil der Vater des Gastgebers ihm von mir erzählt hatte. Mein Herz klopfte ziemlich unrhythmisch in diesem Moment.

»Warum?« Diese Frage stand nach wie vor im Raum. Warum wollen Sie mich kennenlernen, Sie fremder arabischer Mann?

Doch der Anrufer schien darüber nicht mit mir diskutieren zu wollen.

Wieder ließ er sein bezauberndes, glucksendes Lachen hören, als wolle er mir klarmachen, dass ich ziemlich schwer von Begriff sei.

»Nadia. Hol mich bitte morgen Nachmittag um vier vom Nürnberger Bahnhof ab. Ich komme mit dem Intercity aus Amsterdam. Bis morgen, ich freu mich!«

»Entschuldigung, aber ich glaube, da liegt ein Missverständnis vor … Sind Sie noch dran?«

Ratlos starrte ich den Hörer an. Der hatte doch nicht aufgelegt?

Mein Herz klopfte lauter. Hallo? Der war doch nicht ganz dicht! Bestellte mich zum Bahnhof, um ihn abzuholen! Wir kannten uns doch gar nicht! Waren das deren Sitten? Dass man sich mal eben bei Fremden ankündigt? Wollte der womöglich bei mir übernachten? Verwirrt raufte ich mir die Haare und starrte auf meine gespreizten Zehen.

Im selben Moment hörte ich die Wohnungstür ins Schloss fallen.

»Jan?!«

»Hallo, Nadia. Ich war nur gerade beim Bäcker. Wie siehst du denn aus? Alles okay?«

»Mich hat gerade ein fremder Araber zum Bahnhof bestellt.« Ich versuchte zu lächeln.

»Verstehe.« Jan sah mich fragend an.

»Ich soll ihn abholen, und ich glaube, er will – mit zu mir nach Hause kommen.«

»Oh.« Jan kratzte sich am Kopf, Besorgnis stahl sich in seinen Blick. »Mit welchen Leuten hast du dich denn da eingelassen?«

»Keine Ahnung! Ich war doch nur bei Freunden von Ali in Amsterdam, letztes Wochenende, du weißt schon.«

Jan seufzte. »Nadia, Nadia. Und was gedenkst du zu tun?«

»Na ja – stehen lassen kann ich den ja schlecht. Oder?« Hilflos wackelte ich mit den Zehen.

»Was will der Typ denn von dir?« Jan ließ sich in einen Sessel fallen und biss in ein Croissant, das er aus der Tüte gezogen hatte. Ich musste mich zwingen, ihm keinen Teller unterzuschieben.

»Ich habe nicht die leiseste Ahnung.«

»Na, so, wie du von deren Gastfreundschaft geschwärmt hast …« Jan kaute hungrig auf seinem Gebäckstück herum. »Da erwarten die von dir bestimmt auch so einen Service.«

Nachdenklich sah ich ihn an. Er war ein bildhübscher junger

Kerl, blond, blauäugig, durchtrainiert. Leider waren wir kein Paar. Oder, besser gesagt, zum Glück. Ich hätte sofort angefangen, ihn zu bemuttern. Seine Freundin war vor einem Jahr mit nur einunddreißig Jahren an Krebs gestorben, wie ich von meinem Bruder erfahren hatte. Jan war mal sein Klarinetten- und Saxofonschüler gewesen, fast so eine Art Ziehsohn.

Wir waren beide gerade in einer Art Übergangsphase. Und da hatte sich das mit der gemeinsamen Wohnung einfach so ergeben.

»Meinst du?« Ich biss mir auf die Lippe. »Bestimmt braucht der nur für eine Nacht ein Zimmer oder so. Und wir haben ja bei denen auch gepennt. Die sehen das einfach nicht so eng wie wir.«

Jan grinste. »Ich bin morgen sowieso nicht da.«

»Auf Freiersfüßen?«

»Nichts Festes.«

»Also könnte der Ara… ähm … der Gast zur Not in deinem Zimmer schlafen?«

»Wenn du danach mein Bett wieder frisch beziehst …«

Ich lachte erleichtert. »Aber natürlich, Jan. Ist doch selbstverständlich.« Ich erledigte sowieso seine Wäsche und bügelte sie, dafür machte Jan sich handwerklich nützlich. Der blonde Hüne stand auf. Mit einem Blick auf meine nackten Beine und die frisch lackierten Zehen grinste er anzüglich.

»Na dann viel Spaß mit dem feurigen Araberhengst.«

»Jan!«, schrie ich entrüstet. »Was denkst du denn! Die sind alle voll religiös und anständig!«, wollte ich noch hinterherschicken, aber da war Jan schon wieder verschwunden.

2

»Auf Gleis drei fährt ein: der ICE aus Amsterdam. Bitte Vorsicht bei der Einfahrt!«

Der silbergraue Eisenbandwurm schob sich lärmend heran, und ich musste bestürzt feststellen, dass mein Herz schon wieder wummerte wie ein Presslufthammer. Was machte ich überhaupt hier? Was für eine aberwitzige Situation! Da ließ ich mich von einem wildfremden Menschen, der keineswegs akzentfreies Englisch mit mir gesprochen hatte, zum Bahnhof bestellen, um ihn abzuholen? Noch konnte ich einfach gehen. Der Zug hielt quietschend, und Schatten drängten zu den Ausgängen.

Die Türen öffneten sich zischend, und sofort quollen überall Leute mitsamt ihren Gepäckstücken heraus, um sich zu einem Strom gehetzt wirkender Reisender zu vereinen, der rasch dem Ausgang entgegenstrebte. Ich fühlte mich regelrecht davon überrollt, wich den lärmenden Menschentrauben aus und verharrte im Schutz einer mächtigen Säule.

Ach was, ich verzieh mich jetzt auch auf die Rolltreppe, dachte ich kurz entschlossen, und lass mich aus der Gefahrenzone tragen. Ich spinn doch nicht! Wenn der Typ irgendwo schlafen muss, kann er sich ein Hotel nehmen. Andererseits – die viel gepriesene Gastfreundschaft … Ich wollte nicht unhöflich sein. Und dann war da noch dieses aufgeregte Kribbeln im Bauch.

Zögernd überflog ich die nun schon spärlicher fließende Menge. Überall Menschen, die grüßten, begrüßt wurden, auf Schultern klopften, umarmt wurden, riefen, winkten oder zu Anschlusszügen hetzten. Türen schlossen sich. Nur noch ein paar vereinzelte Gestalten liefen in Richtung Ausgang.

Oh. Da! Da war einer, der sich wie ich suchend umsah. Langsam kam er auf mich zu. Groß, muskulös, korrekt gekleidet, Typ Geschäftsmann mit Aktenkoffer: hellblaues Hemd, Krawatte, Tweedsakko, Bügelfaltenhose und blank geputzte Schuhe. Mein Blick glitt wohlwollend an ihm hinunter. Und wieder hinauf.

Ein dichter, gepflegter Vollbart, schwarz-grau meliert.

Beim Barte des Propheten! Er war ein gläubiger Moslem. Natürlich. Was hatte ich auch anderes erwartet? Sein Gesicht war von orientalisch geprägter Intensität, und mir wurde ganz anders. Reiß dich zusammen, ermahnte ich mich und trippelte nervös auf ihn zu.

Der Mund in der Mitte des Bartes lächelte gewinnend, und schöne ebenmäßige Zähne kamen zum Vorschein.

»Nadia?« Seine samtene Stimme zog mich sofort wieder in ihren Bann.

»Ja?« Jetzt gab es kein Entkommen mehr.

Als sich unsere Blicke trafen, machte es klick! Sofort wusste ich, dass dieser ungewöhnliche Mann noch eine wichtige Rolle in meinem Leben spielen sollte. Eine Hauptrolle.

»*I'm Karim. Thanks for picking me up.*« Ein fester Händedruck, warme weiche Hände.

Das war derselbe melodiöse Bariton wie gestern am Telefon.

Warum zitterten meine Beine nur so? Wie sollte ich jetzt von hier wegkommen?

»*You are welcome*«, hörte ich mich artig sagen. »*How was your trip?*«

Oje, jetzt würde ich die ganze Zeit Englisch mit ihm reden

müssen. Nicht dass das ein Problem für mich war, aber mein Schulenglisch war durchaus ein wenig verstaubt.

Ich schenkte ihm einen freundlichen, aber auf keinen Fall allzu vertraulichen Blick. Eher so wie eine Reiseleiterin: neutral, aber stets zu Diensten.

Seine braunen Augen wiesen karamellfarbene Sprenkel auf, und ich drohte förmlich dahinzuschmelzen. Ich wandte den Blick ab und schritt tapfer voran.

Der geheimnisvolle Fremde stand hinter mir auf der Rolltreppe, und ich spürte seinen warmen Blick im Nacken. Hastig strich ich mir über den Hinterkopf. Nichts ist peinlicher, als wenn die Haare dort platt gedrückt sind oder der Haaransatz dunkel hervorblitzt.

Natürlich hatte ich mich vorhin zu Hause mit Rundbürste und Seidenglanzhaarspray noch ein bisschen zurechtgemacht: Wie du kommst gegangen, so wirst du auch empfangen, pflegte meine Mutter stets zu sagen.

Ach. Umgekehrt. Ich empfing ja ihn! Warum eigentlich? Weil er einfach umwerfend war?

»My car is parking in the garage.« Angestrengt wies ich ihm den Weg durch die Menge. Hoffentlich merkte er nicht, wie zittrig mir zumute war. Ich wollte seine Gesellschaft. Aber ich wollte mich nicht überrumpeln lassen. Gleichzeitig wollte ich nichts falsch machen.

Es war kurz nach vier, Berufsverkehr hatte eingesetzt. Grau und bleiern hing die regenschwere Luft über der Innenstadt.

Der geheimnisvolle Fremde stieg bei mir ein. Während ich den Wagen aus der Parklücke manövrierte, riskierte ich einen Blick auf seine Hände. Sie gefielen mir. Kräftige gepflegte Männerhände, die kurzen Nägel waren rund und glatt wie orientalische Halbmonde. Mein Blick fiel bei Männern immer sofort auf die Hände. Nägelkauer hatten bei mir keine Chance. Auch die Ohren wurden gleich kontrolliert. Wären Haarbüschel daraus hervorgequollen, hätte ich ihn schon an der nächsten Ampel rausgesetzt. Aber er sah tadellos aus. Und er roch gut. Dezent, aber sehr orientalisch. Männlich süß. Eine seltsame Mischung, die ich noch nie zuvor gerochen hatte. Anziehend. Ich spürte, dass ich mich mit ihm in meiner kleinen Schüssel sehr wohlfühlte. Kein bisschen bedrängt oder so.

Es war eine Vertrautheit, die mich ruhiger werden ließ. Ich nahm die Autobahn und fuhr nach Fürth. Wir machten etwas Small Talk, und er ließ mehrmals sein warmes Lachen hören. Er platzte nur so vor Lebensfreude. Oder war er auch ein bisschen nervös?

Nach zwanzig Minuten hielt ich schwungvoll in unserer Einfahrt. Mit einem unauffälligen Seitenblick stellte ich fest, dass Jans Auto tatsächlich nicht da war. Sturmfreie Bude!

»Hier wohne ich.«

Wir stiegen aus. Karim holte seinen Aktenkoffer aus dem Kofferraum. Da passt unmöglich Kleidung für mehrere Tage hinein, beruhigte ich mich. Der wird sich schon nicht bei dir einquartieren! Hoffentlich stand keine Nachbarin am Fenster und beobachtete uns.

Der glutäugige Araber betrachtete mit freundlichem Interesse das weiße Mietshaus mit den blumenbewachsenen Balkonen und dem gepflegten Vorgarten. Ein Dreirad und ein Kinderwagen standen im Treppenhaus. Deutsche Spießigkeit.

»Erster Stock links, bitte.«

»Nach dir.« Höflich bedeutete er mir vorzugehen. Wie immer roch es sauber und frisch. Wir hielten alle unsere Kehrwoche ein. Wir waren ein ehrenwertes Haus. Schon wieder musste ich vor ihm hergehen, diesmal hatte er sicher ausreichend Gelegenheit, mir auf den Hintern zu schauen.

Es war nichts geschehen, dennoch fühlte ich mich jetzt schon unter Druck. Ich wollte doch meine Freiheit! Aber er war so männlich, anziehend und charmant! Ich spürte seinen Atem in meinem Nacken, während meine Hand zitternd den Schlüssel ins Schloss steckte. Gott!

»So bitte. Hier geht's lang.«

Ich machte Licht im Flur. Als ich mich zu ihm umdrehte, sah ich so etwas wie Entsetzen in seinem Blick. Die Sprenkel in seinen Augen schienen zu explodieren.

»Ist alles in Ordnung?«

»Wohnst du nicht allein, Nadia?«

»Wie? Ach so, du glaubst … Nein, ich wohne mit einem Freund zusammen.«

Seine Lippen wurden zu einem schmalen Strich. Jetzt, nachdem die Wohnungstür hinter uns geschlossen war, setzte Unbehagen bei mir ein.

»Jan ist nur ein guter Freund, eigentlich der Freund meines Bruders, es hat sich so ergeben. Er ist Holländer und kommt zufällig auch aus Amsterdam! Wir sind kein Paar, wir sind nur eine Art Zweck-WG. Vorübergehend«, schob ich hinterher. Als wenn ich ihm eine Erklärung über meine Wohnverhältnisse schuldig wäre! Er zog die buschigen Augenbrauen hoch und runzelte die Stirn. Ich merkte, dass er mir kein Wort glaubte. Sein Blick glitt unwillig über Jans Klamotten an der Garderobe, seine Turnschuhe, den Hockeyschläger und die Sporttasche, auf der ein Männerdeodorant lag.

Warum legte ich hier überhaupt Rechenschaft ab? Ich konnte doch wohnen, mit wem ich wollte! Ich konnte auch schlafen, mit wem ich wollte, das ging den doch gar nichts an! Schwungvoll öffnete ich die Tür zu Jans Zimmer.

»Hier kannst du schlafen, Karim. Fühl dich bitte wie zu Hause.«

Zögernd trat er ein. Sein Blick glitt über die Fotos auf Jans Nachttisch: Jan mit seiner Freundin, Jan beim Bergsteigen, Jan beim Skifahren, Jan beim Fallschirmspringen, Jan beim Saufen mit seinen Kumpels.

»Und wo schläfst du?«

»Am anderen Ende des Flurs. Und in der Mitte ist das Wohnzimmer.« Ich bemühte mich um ein Lächeln.

»Hm, das riecht aber gut.«

Endlich glätteten sich die Züge meines Besuchers wieder. Ich öffnete die Küchentür. »Möchtest du eine Tasse Tee?«

Er nahm meine Hand. »Gern«, sagte er, und ich spürte seine Wärme, spürte, wie mein Körper ihm fast sehnsüchtig entgegenstrebte. Spinnst du, schlug eine innere Stimme Alarm. Hastig entzog ich ihm meine Hand und hielt sie in der Küchenspüle unter kaltes Wasser.

»Du kannst gerne hier auf der Küchenbank sitzen. Ich bereite nur noch schnell den Salat vor.«

Das ließ sich mein faszinierender Besucher nicht zweimal sagen. Nach einem kurzen Abstecher ins Bad zum Händewaschen ließ er sich wohlig seufzend auf der Eckbank nieder. Sein Blick glitt interessiert durch mein akkurates Hausfrauenreich.

Ich hatte Arabisch gekocht, so, wie ich es mir bei unseren gemeinsamen Bekannten in Holland abgeschaut hatte.

»Magst du Bamia?« Stolz nahm ich den Deckel von der Pfanne, in der Okraschoten mit Lamm und Knoblauch in Olivenöl brutzelten. Ein betörender Duft breitete sich in der Küche aus, und ich sah, wie meinem Gast das Wasser im Munde zusammenlief. Er strahlte mich dermaßen entwaffnend an, dass ich mich verlegen an meinen Töpfen zu schaffen machte. Geschäftig warf ich meine schulterlangen Locken nach hinten. Ich musste das Ganze nur noch mit Brühe aufgießen, Tomatenmark unterrühren, etwas köcheln lassen und mit Zitrone abschmecken.

»Du kannst arabisch kochen, Nadia!«

Lachend sah ich ihn an. »Na ja, ich versuche es.« Verdammt, ich wurde doch nicht rot?

»Bist du verheiratet, Nadia?«

»Nein. Das heißt, ich war es mal. Ich habe eine erwachsene Tochter, Diana. Sie lebt mit ihrem Freund Tobias in Nürnberg. Und du?«

»Ich habe eine Frau und drei Kinder. Sechzehn, zehn und sechs.« Das kam zögernd, entschuldigend, fast traurig. So als wollte er zum Ausdruck bringen: Ich Armer! Ich möchte dich nicht damit belasten, aber ich kann mich leider nicht trennen – wegen der Kinder und weil meine Frau von mir abhängig ist.

Erleichterung durchflutete mich. Das wäre also schon mal geklärt.

»Hier, probier mal!« Auf einmal war ich dermaßen entspannt, dass ich gar nicht merkte, welche Vertraulichkeit ich mir herausnahm: Im Nu hatte ich ihm den hölzernen Kochlöffel zwischen die Barthaare gesteckt.

Hallo, Nadia? Geht's noch? Füttere ihn doch gleich, leg ihn trocken und bring ihn ins Bett!

»Absolut köstlich!« Karim strahlte mich begeistert an, und ich stellte fest, dass die Sprenkel in seinen dunkelbraunen Augen rehbraun waren. Nicht karamellfarben. Wie elektrisiert werkelte ich an meinem Salat herum, der aus gewürfelten kleinen Gurken, Tomaten und viel Petersilie bestand.

Dann zauberte ich noch ein weiteres Gericht aus dem Backofen hervor, das ich, falls Plan A nicht munden sollte, als Plan B warm gehalten hatte: Safranreis mit gebratenem Huhn und gerösteten Mandeln. Seine Begeisterung wuchs ins Unermessliche.

»Oh, Nadia, du bist eine begnadete Köchin.« Selig kostete er von allen Speisen, die ich appetitlich auf flachen Tellern angerichtet hatte, und kaute schließlich mit vollen Backen.

»Ja, kriegst du denn zu Hause nichts zu essen?« Lachend goss ich ihm einen Fruchtsaft ein und setzte mich zu ihm. Mit einem Glas Wein konnte ich dem nicht kommen. Er war schließlich gläubiger Moslem.

»Doch, aber – nicht mit so viel Liebe gekocht.«

Im weiteren Verlauf der Mahlzeit hüllte Karim sich in Schweigen. Beziehungsweise in andächtiges Genießen. Zwischen zwei Bissen sagte er immer wieder: »Das hätte ich nicht gedacht, dass du so wunderbar kochen kannst, Nadia.«

Er war einfach selig, und ich freute mich, dass er sich so freute. Natürlich erfüllte es mich auch mit Stolz, so ins Schwarze getroffen zu haben. Die Kochkurse waren also ihr Geld wert gewesen. Ich grinste. Ich wäre sicherlich genauso begeistert gewesen, wenn mir jemand in Kairo aus lauter Gastfreundschaft ein perfektes Wiener Schnitzel mit Preiselbeeren vorgesetzt und als Alternative noch eine Martinsgans mit Rotkohl und Kartoffelklößen aus dem Ofen gezaubert hätte. Wobei, bei den dortigen Temperaturen …

Irgendwann schob mein Gast zufrieden seinen Teller von sich.

»Das war vorzüglich Nadia. Vielen Dank für das großartige Essen.« Dezent betupfte er sich mit der Serviette die Mundwinkel, damit nichts in seinem gepflegten Bart zurückblieb.

»Wollen wir uns rübersetzen?« Ich nahm das Tablett mit der Teekanne und wies ihm den Weg ins Wohnzimmer.

Karim setzte sich etwas verlegen aufs Ledersofa, die Hände unruhig in seinem Schoß.

Ich musterte ihn abwartend. Was jetzt?

»Darf ich mir die Schuhe ausziehen?«

»Aber natürlich!«

Mit Wohlwollen betrachtete ich seine frisch gewaschenen schwarzen Socken.

»Hast du etwas dagegen, wenn wir uns auf den Teppich setzen, Nadia? Du hast gesagt, ich darf mich wie zu Hause fühlen!« Er sah mich entwaffnend an, und wieder erklang diese gütige Stimme voller Herzenswärme, in der diesmal auch ein bisschen Schalk mitschwang.

Oh, wie gut, dass ich vorher Staub gesaugt hatte! Natürlich hatte ich die von Jan vollgekrümelte Bude ordentlich auf Hochglanz gebracht.

Also machten wir es uns auf dem Fußboden bequem und lehnten uns mit dem Rücken gegen das Sofa. Wie ziemlich beste Freunde, das Teetablett zwischen uns.

»Darf ich?« Ich nahm seine Tasse und schenkte ein.

»Oh, Nadia, hast du Kardamom dazugegeben?« Schon wieder dieses dankbare Strahlen, nachdem er davon gekostet hatte. Na, den Mann konnte ich wirklich leicht glücklich machen!

»Ja, ich habe die Kapseln darin ziehen lassen.« Oje, jetzt musste ich aber woandershin gucken, so verlegen machte mich sein intensiver Blick. »Ich liebe diesen Geschmack!«

»Ich liebe diesen Geschmack auch.«

Gedehnt, singend. Gott, war der Mann sexy! Warum sagt er mir nicht auch, dass er mich liebt, dachte ich sehnsüchtig.

Zu meinem grenzenlosen Erstaunen sagte er prompt so was in der Richtung. Er sah mir in die Augen und fragte geradeheraus: »Nadia, könntest du dir vorstellen, in einem arabischen Land zu leben? Ich würde dich gern heiraten.«

Ich verschluckte mich fast an meinem Tee. Mein Herz setzte einen Schlag aus. Dann prustete ich vor Lachen. So ein köstlicher Scherz!

»Wie meinen?«

»Ich meine es so, wie ich es sage. Könntest du dir mittelfristig vorstellen, mit mir in einem arabischen Land zu leben und meine Frau zu werden?«

»Also, grundsätzlich bin ich für alles Neue offen, aber …« Klirrend stellte ich meine Tasse ab und knetete verlegen die Hände. »Heiraten kommt für mich natürlich nicht infrage. Was soll der Quatsch, Karim?«

Da nahm er wieder meine Hände. Einem netten kleinen Flirt war ich nicht abgeneigt, aber dass er gleich so in die Vollen ging, das hätte ich nicht erwartet. Seine Augen schienen mich nie wieder loslassen zu wollen. Diese Araber! Wollte er ernsthaft bei einer Tasse Tee eine Ehe aushandeln?

»Nadia, du hast dich bestimmt schon gefragt, warum ich dich besuche und was ich von dir will.«

»Na, jetzt hast du's ja gesagt.« Ich grinste ihn belustigt an. Dass mir dabei die Röte ins Gesicht schoss, fand er wahrscheinlich besonders liebreizend.

»Schau, Nadia. Ich suche eine Frau. Und die könntest du sein.«

Peng! Mitten zwischen die Augen. Er meinte das tatsächlich ernst!

So. Jetzt ging ich aber zum Gegenangriff über. Ich war doch hier nicht auf dem Kamelmarkt!

»Aber du bist doch verheiratet, hast du eben gesagt!«

»Ja, Nadia. Ich bin mit Suleika verheiratet. Allerdings nur der Kinder wegen.«

»Ach, das sagen doch alle.« Enttäuscht wehrte ich ab.

»Nadia, bitte hör mir gut zu.« Er nahm erneut meine Hand, mit der ich gerade heftig abgewinkt hatte, und hielt sie mit einer Zärtlichkeit, dass aller Widerstand zwecklos war. »Eine Scheidung kommt für mich als gläubigen Muslim nicht infrage. Eine Scheidung ist *haram*, weißt du? Sünde, verboten. Auch für die Frau ist das eine schreckliche Schande, so etwas kann ich Suleika unmöglich antun. Sie würde von der Gemeinschaft verstoßen und dürfte die Kinder nicht mehr sehen.«

Grauenvoll. Aber was hatte ich denn damit zu tun? Ich wollte ihm die Hand entziehen, aufstehen, Land gewinnen, doch sein Blick wurde weich. Meine Güte, Nadia, dachte ich halb wütend, halb hingerissen. Auf diese Masche fällst du jetzt aber nicht rein! Nicht in deinem Alter. Aber abgefahren ist das hier schon. Wenn ich das in meinem Tennisklub erzähle …

Karim schien Gedanken lesen zu können. »Bitte, Nadia. Meine Ehe besteht nur noch auf dem Papier. Wir sorgen für die Kinder, aber Liebe und Wärme bekomme ich von meiner Frau nicht mehr. Wir leben wie Bruder und Schwester nebeneinanderher.« Er machte eine kleine Pause und sagte schelmisch:

»So wie du mit deinem Jan.«

Ich lächelte.

»Ich sehne mich nach einer Frau, die so ist wie du: fröhlich, patent, lebensfroh und selbstständig.«

»Woher willst du das überhaupt wissen?«

»Du wurdest mir beschrieben, und ich glaube, es ist Allahs Wille, dass wir zusammenkommen.«

Ich verzog das Gesicht. »Allahs Wille.«

»Allah bestimmt mein Leben, und er hat noch eine Frau für mich vorgesehen, Nadia. Ich bin mit meinen einundvierzig Jahren deutlich zu jung, um auf ein erfülltes Eheleben zu verzichten. Ich habe das Bedürfnis nach Zärtlichkeit und Hingabe. Schon als ich dich heute Nachmittag am Bahnhof sah, wusste ich, dass du mir das geben kannst. Und ich kann es dir auch geben! Du bist wie eine reife Frucht, die nur noch gepflückt werden will.«

Reife Frucht? Also bitte, was für eine Unverschämtheit! Andererseits: Das war bestimmt als blumiges Kompliment gemeint. Reife Früchte sind ja im Prinzip was sehr Appetitliches.

»Warum nimmst du dir nicht eine Junge?«, kokettierte ich.

»Junge Frauen möchten Kinder haben, und das ist nicht mehr mein Wunsch. Ich brauche eine Lebensgefährtin auf Augenhöhe, mit der ich alles besprechen kann. Mit der ich verreisen kann. Die meine Lebensfreude teilt. Und meine Bedürfnisse.«

Wie gern wollte ich mich von seiner Lebensfreude anstecken lassen! Und irgendwie auch seine Bedürfnisse kennenlernen.

Wer so reden, gucken und Händchen halten konnte, der konnte auch …

»Ähm, was machst du eigentlich genau …?«

»Wie meinst du das, Nadia?« Wieder so ein Blick aus dunkelbraunen Sprenkelaugen.

»Ich meine beruflich.« Ich räusperte mich nervös.

Karim beugte sich vor, kramte in seiner hinteren Hosentasche und reichte mir beflissen seine Visitenkarte. *Consultant* stand darauf. Aha, das war ja schon mal nicht schlecht.

»Berater also. Und wen berätst du so?«

… außer mir gerade, dachte ich keck. In mir vibrierte ein unterdrücktes Kichern.

»Nadia, ich bin im Import-Export-Geschäft und darin sehr erfolgreich. Dir wird es an nichts fehlen!«

Ich starrte ihn zweifelnd an. Was das wohl für Geschäfte sind, dachte ich bang. Vielleicht hat er den Dolch im Gewande.

»Mit welchen Gütern handelst du denn?« Hoffentlich nicht mit tonnenweise gekidnappten Jungfrauen für den Sultan oder so.

»Schau, Nadia. Wenn jemand einen Container Zement braucht oder Zucker, Holzwaren, Glas oder was immer, vermittle ich das in riesigen Mengen weltweit«, erklärte er mir gestenreich.

»Aha«, sagte ich. Wie hypnotisiert starrte ich auf seine Hände.

Karim lachte, als er mich mit offenem Mund staunen sah. »Zurzeit handle ich gerade mit Holzkohletabs für einen Geschäftspartner im Nahen Osten. Es geht dabei um Tonnen!« Er strahlte mich stolz mit seinen blitzweißen Zähnen an.

Das hörte sich wahrlich weltmännisch an. Ich sah ihn schon in weißer Landestracht und mit Turban auf dem Kopf in einer Runde von steinreichen Sheiks auf dem Wüstenboden sitzen und um Millionen verhandeln, während im Hintergrund

Kamele an einer Oase grasten. Eine ziemlich märchenhafte Vorstellung.

Auf einmal sah ich den Mann mit ganz anderen Augen.

»Wir würden in jeder Hinsicht zusammenpassen, Nadia.« Dieser zärtlich verlangende Blick bescherte mir ganz weiche Knie.

Karim bemerkte meine hochgezogenen Brauen und setzte glucksend nach: »Glaub mir, Nadia, es sind alles legale Geschäfte!« Er schmunzelte amüsiert. »Ich habe zufriedene Kunden rund um den Globus! Sie vertrauen mir alle, und das mit Recht! Nie würde ich mich auf faule Geschäfte einlassen. Ich bin ein gläubiger Moslem, Nadia.«

Allein wie er immer meinen Namen sagte! Er sang ihn regelrecht.

Versonnen starrte ich ihn an. War das denn die Möglichkeit, dass ich hier mit einem schwarz besockten fremden Araber in meinem Wohnzimmer auf dem Fußboden saß und mich nach gerade mal vier Stunden seit unserem Kennenlernen in seine Welt entführen ließ?

Ich riss mich zusammen. Hallo, Jan, schickte ich einen Hilferuf ans Universum. Kannst du bitte ganz überraschend auftauchen und diese seltsame Situation hier beenden?

Ein Heiratsantrag! Gut, ich hatte mich aufgebrezelt und parfümiert, gekocht und gebraten, den Tee mit Behaglichkeitsaroma angereichert, weil ich mich von meiner besten Seite zeigen wollte, weiblich verführerisch. Vielleicht hatte ich auch auf eine Romanze spekuliert, denn meine blöde Bluse hätte durchaus etwas hochgeschlossener sein können. Aber mich gleich wieder fest binden oder gar versklaven lassen? Energisch schüttelte ich den Kopf.

»Nadia, bitte denk jetzt nichts Schlechtes über mich. Ich komme mit anständigen Absichten.« Seine Stimme vibrierte wie ein Cello bei einem Solo. »Meine Ehe ist vertrocknet wie die Wadis in der arabischen Wüste. Ich habe vieles versucht, und bin jetzt an einem Punkt, an dem ich nicht mehr kann. Es gibt immer öfter Streit, und meine Nerven sind am Ende.«

»Und da besuchst du eine völlig fremde Frau in Fürth bei Nürnberg, nur weil dir Bekannte von ihr erzählt haben?«

Ich runzelte die Stirn und setzte meinen Lehrerinnenblick auf. Endlich hatte ich wieder Oberwasser.

»Genau so ist es, Nadia. Dein Arabischlehrer Ali hat meinem Freund Omar von dir erzählt. Der wollte dich kennenlernen, und ihr seid hingefahren. Sein Vater war auch sehr angetan, und jetzt habe ich dich endlich ebenfalls kennengelernt und bin begeistert.« Er strahlte mich wieder so verliebt an, dass jeder Widerstand zwecklos war.

»Aber wir sind hier doch nicht auf dem Basar ...« Mir entfuhr ein verlegenes Lachen.

Er schüttelte ernst den Kopf.

»Nadia, bei uns macht man das so. Das ist der korrekte Weg.«

Ich schluckte. Mir fehlten die Worte. Diese abgekartete Männerbande. Was sollte ich darauf erwidern?

Ich musste erst mal verdauen, dass unser Ausflug nach Holland nicht der spontane Zufallstrip gewesen war, als den Ali ihn ausgegeben hatte. Nein, ich war ganz gezielt dorthin gelockt worden. Um begutachtet zu werden wie ein Stück Vieh.

Aber ich wollte auf keinen Fall einen Streit vom Zaun brechen. Karim gefiel mir ja. Sehr sogar. Ich fand ihn hochattraktiv. Aber heiraten wollte ich ihn ganz bestimmt nicht. So ein Schwachsinn!

»Aber, Karim, ich bin drei Jahre älter als du«, sagte ich tapfer. Welcher Mann läuft nach so einer Offenbarung nicht schreiend davon?

»Das ist mir völlig egal. Du bist die Richtige, ich weiß es einfach, Nadia!« Die Sprenkel tanzten.

Er achtete nicht auf Äußerlichkeiten wie Traummaße, jugendlich straffe Haut und Abwesenheit von Dellen in den Oberschenkeln! Verbittert dachte ich an Harald, der sich schon während unserer Ehe mit einer fünfzehn Jahre Jüngeren vergnügt hatte, während ich Beruf, Haushalt und Kind unter einen Hut zu bringen versuchte und darüber vermutlich etwas an jugendlicher Elastizität eingebüßt hatte. Der Klassiker! Wie erniedrigt ich mich gefühlt hatte! Fast hatte ich geglaubt, nichts mehr wert zu sein, nicht begehrenswert, nicht attraktiv genug. Sex war schon lange ein Fremdwort für mich. Und jetzt? Durchwallte mich eine Woge des heißen Verlangens nach der anderen! Ich wusste gar nicht mehr, wo ich hinschauen sollte. Wir konnten doch jetzt nicht …

Aber das war auch gar nicht Karims Plan. Er ließ sich mitnichten aus dem Konzept bringen. Für ihn war die Sache offensichtlich bereits entschieden, er musste nur noch mich überzeugen.

»Nadia, du bist eine reife Frau in der Blüte ihres Lebens. Ein praller, verheißungsvoller Granatapfel. Ich möchte ihn pflücken, kosten, schmecken …« Aus lauter Verlegenheit entfuhr mir ein hysterisches Kichern.

Karim schien mein Lachen als begeisterte Zustimmung zu interpretieren.

»Du kannst noch so viel Liebe und Zärtlichkeit geben! Und im Gegenzug werde ich dich verwöhnen. Niemals könnte ich das Ehebett mit einer Frau teilen, die meine Tochter sein könnte!«

Mir blieb das Lachen im Halse stecken. Der meinte das ernst. Seine Worte trafen mich direkt ins Herz, und es verschlug mir die Sprache. Mit zitternden Fingern schenkte ich ihm Tee nach.

»Okay, Karim. Lassen wir das. Können wir bitte das Thema wechseln?«

Gelassen ließ Karim fünf Zuckerwürfel in seinen Tee fallen

und rührte bedächtig um. Mein Gott, das würde zu einem Insulinschock führen!

»Gut«, sagte er. »Ich will dich nicht überfordern, Nadia. Wechseln wir also das Thema.«

»Ja. Prima.« Erleichtert atmete ich durch.

Karim sah mich prüfend an.

»Wie stehst du eigentlich zum Islam?!«

Wie? Das sollte ein Themenwechsel sein? Ich kam mir vor wie beim Zahnarzt, der gerade den Bohrer weggelegt hat, um übergangslos zur Zange zu greifen!

»Äh, wie stehe ich zum Islam …« Ich nahm zwei Schluck Tee und verbrannte mir fast die Zunge. »Ich hab tatsächlich seit meiner Türkeireise in ein paar Broschüren geblättert, und ein paar Koranverse hab ich auch schon auf Deutsch gelesen. Aber letztlich war das einfach nur Neugier. Freundliches Interesse, wie ich es zurzeit für viele neue Dinge und Weltanschauungen habe.« Etwas zu heftig stellte ich die Tasse wieder auf die Untertasse. Was sollte ich denn mit dem Islam?

»Wie du sicher aus deinen ›zuverlässigen Quellen‹ weißt« – ich malte Anführungszeichen in die Luft –, »bin ich seit Kurzem ein freier Mensch. Und möchte es auch bleiben.« Ich schenkte ihm ein warmherziges Lächeln. »Meine Tochter Diana, mein Bruder Martin und meine liebe, alte Mutter bedeuten mir viel. Wir haben ein ganz inniges Verhältnis. Aber ansonsten ist in meinem Leben zum ersten Mal Platz für – Neues. Für mich selbst vielleicht.« Ich grinste spitzbübisch. Karim lächelte absolut verständnisvoll zurück.

»Ich weiß nicht, ob du das verstehst, aber ich war jahrelang immer nur für andere da, voll in der Alltagsmühle, jede Stunde voll durchgetaktet, der Job, das Kind, der Haushalt … Aber als ich die Reise machen und endlich so sein durfte, wie ich bin, tun und lassen konnte, was ich wollte, da hab ich mich plötzlich so frei gefühlt. Und so glücklich. Vielleicht ist es Zufall, dass mich dieses einmalige Glücksgefühl ausgerechnet in einem islamischen Land überwältigt hat. Fest steht, dass ich es nach der Reise frisch halten, speichern, immer wieder neu abrufen wollte, und deshalb diese Kochkurse und einen Sprachkurs bei Ali, dem Schuft, belegt habe.« An dieser Stelle musste ich selbst lachen, denn wirklich wütend war ich eigentlich nicht auf ihn. Denn sonst säße der faszinierende Karim jetzt ganz bestimmt nicht neben mir. Das Leben war doch wirklich für noch viele Überraschungen gut! »Und wenn du es genau wissen willst, sogar einen Bauchtanzkurs.«

Oh, das war ja ein Statement! So als würde ich die Tür sperrangelweit aufreißen, die ich gerade freundlich, aber bestimmt geschlossen hatte! Jetzt hatte ich das Thema selbst wieder auf Sinnliches gebracht! Dabei waren wir doch gerade beim züchtigen Islam!

»So, und jetzt du.« Wie bei einem Tennismatch warf ich ihm den Ball erneut zu. »Du bist also ein strenggläubiger Moslem.« Prüfend schaute ich ihn an. War er es wirklich, würde er mir niemals zu nahe treten.

»Ja, Nadia, ich fungiere sogar gelegentlich als Imam in unserer Moschee in Amsterdam. Das darf im Grunde jeder gläubige Muslim, der im Koran gut bewandert ist.«

»Sag bloß, du warst Prediger in der Moschee, in die Alis Freunde gegangen sind! Sie haben begeistert von dir erzählt! Von deiner Ausstrahlung, deinem Charisma, deiner Überzeugungskraft …«

Karims Gesicht überzog ein freudiges Lächeln. »So schließt sich der Kreis, Nadia!«

Ich schlang die Arme um meine angezogenen Knie und sagte schelmisch: »Was ihr Männer da auf eurem Gebetsteppich alles zu besprechen habt …«

»Ihr Frauen besprecht doch in der Küche dasselbe.« Wieder mischte sich eine Portion leiser Spott in sein Baritonlachen.

»Stimmt. Wir sind auch die allerschlimmsten Kupplerinnen, wenn wir unseren Freundinnen helfen wollen.«

Damit war das Eis endgültig gebrochen. Jetzt wollte ich ihn wirklich kennenlernen.

»Erzähl mir von dir«, bat ich. »Wie kommt es, dass du mit deiner Familie in Amsterdam lebst?«

»Meine Eltern sind nach wie vor in Bagdad.« Ein dunkler Schatten huschte über Karims Gesicht, und seine braunen Augen wurden feucht. »Unter dem Regime Saddam Husseins ist es unerträglich. Meine Brüder und ich sind mit unseren Familien über Kuwait nach Europa ausgewandert, weil es nicht mehr auszuhalten war. Jetzt schicken wir unseren Eltern und Verwandten regelmäßig Geld.« Ich musste zugeben, dass ich überhaupt keine Ahnung hatte, was sich dort abspielte.

»Ich weiß viel zu wenig über den Irak, höchstens das, was in den Nachrichten kam ...«

»Du kannst dir nicht vorstellen, Nadia, wie schrecklich die Umstände dort sind. Durch das Embargo der Vereinten Nationen sind Lebensmittel und andere Waren unerschwinglich geworden.« Karim fuhr sich übers Gesicht. Er wirkte auf einmal unendlich müde. »Die Preise sind in astronomische Höhen geschossen und für die normale Bevölkerung unbezahlbar. Nur damit du dir ein Bild machen kannst, Nadia: Eine Dose Cola kostet fast ein Monatsgehalt.«

Ich staunte. Nicht dass ich eine Dose Cola für lebenswichtig hielt, aber das waren schon wahnwitzige Dimensionen.

»Die Welt – speziell Amerika – will Saddam Hussein mit allen Mitteln schwächen. Doch wie immer bei solchen Aktionen trifft es die Zivilbevölkerung besonders hart. Kinder sterben, es gibt kaum Medikamente. Viele Familien verkaufen ihr Hab und Gut, nur um das Allernotwendigste für die Kinder besorgen zu können. Die Menschen verarmen, und wer kann, flieht aus dem Land. Sie haben keine andere Wahl, es herrscht Chaos, Gewalt und Korruption, Nadia.«

Ich zuckte zusammen, als er in diesem Zusammenhang meinen Namen sagte. Es ging mich auf einmal etwas an. Mich überkam ein heftiges Mitgefühl.

»Wir Iraker haben schon immer unter unserem Diktator gelitten«, fuhr er fort. »Groß zelebriert er seine Geburtstagsfeste im Staatsfernsehen – mit üppigen Torten, strahlenden Kindern und der Elite des Landes. Alles nur Propaganda, Nadia. So nach dem Motto: Seht her, wir brauchen den Westen nicht, wir leben im Überfluss. Was für ein Hohn!« Karim fuhr sich mit dem Handrücken über die Augen. »Er regiert das Land mit eiserner Hand, und seine Verwandten sitzen an allen wichtigen Schaltstellen der Macht. Wer etwas gegen ihn sagt oder auch nur das Gesicht verzieht, wird nachts abgeholt. Und taucht nie wieder auf. In den Gefängnissen finden grausame Folterungen statt.«

»O Gott!«, entfuhr es mir. Mein Herz raste, und meine Zunge klebte am Gaumen. »Aber hat denn niemand versucht, ihn zu stürzen? Gab es keinen Widerstand?«

»Doch, Nadia. Aber nachdem im Februar 91 die Operation ›Wüstensturm‹ der USA durch General Schwarzkopf nicht den gewünschten Erfolg, nämlich den Sturz des Diktators, gebracht hat, ist der Irak wieder vom Radar der Weltöffentlichkeit verschwunden.«

Karims Blick war wie versteinert.

»Stimmt«, presste ich hervor. »Ich erinnere mich jetzt wieder. Saddam Hussein hat kapituliert, als die Amerikaner nach der Befreiung Kuwaits in den Südirak einmarschiert sind. Somit blieb er an der Macht, und die Amerikaner verpassten ihre einzige Chance, Saddam mit Unterstützung der gesamten Welt zu entmachten.«

Karim nickte.

»Ich hab mir, ehrlich gesagt, viel zu wenig Gedanken über das Elend der Menschen im Zweistromland gemacht«, gab ich kleinlaut zu. »Euphrat und Tigris ... Das letzte Mal hab ich in der Schule davon gehört.«

Karim sah mich liebevoll von der Seite an. »Mit dir könnte ich all diese Sorgen teilen, und sie würden erträglicher werden.«

Ganz sanft strich er mir mit einem Finger über die Wange. Diese Geste ging mir sofort unter die Haut. Das hier war weit mehr als ein Flirt. Plötzlich fühlte ich mich ihm ganz nahe. Kannten wir uns wirklich erst fünf oder sechs Stunden?

Karim erzählte mir, wie auch er aus Kuwait geflohen war, als Saddam Hussein dort eingedrungen war. Seine Familie, also seine Frau und die Kinder, waren zu diesem Zeitpunkt glücklicherweise gerade in Jordanien bei den Großeltern, Suleikas Eltern.

»Ich hatte damals gute geschäftliche Kontakte in die Niederlande«, beendete er seine traurige Geschichte. »Ich war nicht mittellos, Nadia. Zum Glück konnte ich dort sofort Fuß fassen und meine Familie später nachholen.«

»Aha.« Ich hatte Mühe, diese ganzen Informationen zu verdauen.

»Wie heißen deine Kinder?«

»Hassan ist der Älteste, er ist sechzehn, dann kommt Hamid, zehn, und die kleine Leila ist erst sechs.«

Auch das musste ich erst mal sacken lassen. Ich würde doch keine Familie zerstören?!

»Habt ihr Bleiberecht?«

»Ja, wir leben seit vier Jahren in der Nähe von Amsterdam. Nächstes Jahr können wir die holländische Staatsangehörigkeit beantragen. Und das werden wir auch tun, denn es ist mühsam, immer erst auf ein Visum zu warten, wenn ich reisen will, Nadia.«

Ich nickte. »Das stell ich mir schwierig vor, auf diese Weise für eine Familie zu sorgen. Wie schaffst du das nur?«

Karim nahm meine Hände und drückte sie an seine Brust.

»Du bist die erste Frau auf der Welt, die mich das fragt!« Er freute sich sichtlich.

»Na ja, weil es mich interessiert.« Ich räusperte mich.

»Ich habe einen wichtigen muslimischen Geschäftspartner dort, der mir hilft.«

Karim verschränkte die Arme vor der Brust. Ich sah eine teure goldene Uhr an seinem Handgelenk.

»Amsterdam ist für uns nur eine Übergangslösung, Nadia. Ich träume davon, wieder in einem arabischen Land zu leben. Wenn Gott will, *Inshallah* … Der Oman öffnet sich westlichen Einflüssen, ich könnte dort gute Geschäfte machen. Und dazu wünsche ich mir die passende Frau. Eine starke Partnerin an meiner Seite.«

Ich schluckte und tat so, als hätte ich das nicht gehört.

»Es ist eine so friedliche Welt, dort gibt es kaum Kriminalität, und ich hätte so viele Ideen …«

»Erzähl mir von deinen Kindern!«, lenkte ich ab.

»Hassan und Hamid gehen in Amsterdam zur Schule und Leila in den Kindergarten. Sie sprechen draußen Holländisch und zu Hause Arabisch. Es ist ein schwieriger Spagat für sie – einerseits die traditionelle muslimische Erziehung und andererseits die westlichen Einflüsse in der Schule, übers Fernsehen und Kino. Leila will jetzt schwimmen lernen … Wir tun uns immer schwerer. Suleika ist sehr streng …«

Oje. Was sollte ich dazu sagen? Ganz dünnes Eis.

»Spricht Suleika auch Holländisch?«

Er seufzte und warf die Arme in die Luft. »Kein Wort, Nadia! Suleika ist völlig überfordert mit allem. Meine Frau lebt sehr zurückgezogen in unserem Haus das traditionelle Leben einer gläubigen Muslima. Sie wartet auf mich und tut, was ich ihr sage. Sie hat keinerlei Eigeninitiative.«

Ich legte den Kopf schräg und sah ihn abwartend an. »Ist so ein Leben als Frau nicht furchtbar langweilig?«

»Sie kennt es nicht anders, Nadia. Sie geht niemals ohne männliche Begleitung aus dem Haus, also entweder muss ich sie zum Einkaufen begleiten oder Hassan. Sie geht auch tief verschleiert. Sie wartet, bis ich mit dem Geld nach Hause komme. Tja, das macht unsere Ehe aus, leider nicht mehr.«

Meine Güte. Das war ja tiefstes Mittelalter. Fast bekam ich Mitleid mit Karim. »Habt ihr euch denn nie geliebt?«, wagte ich zu fragen.

»Wir haben damals geheiratet, weil unsere Eltern die Hochzeit arrangiert haben. Aber es war nie eine Beziehung auf Augenhöhe. Wir reden nicht, wir lachen nicht, wir haben keinen Sex, und das vermisse ich alles schmerzlich.« Er sah mich sehnsüchtig an. »Zu Hause habe ich das Sagen, aber ich wünsche mir …«

Da war sie wieder, die Hand an meiner Wange – wie gern hätte ich mich hineingeschmiegt! Auf einmal tanzten tausend Schmetterlinge in meinem Bauch.

»Ich wünsche mir Zärtlichkeit, ich wünsche mir, als Mensch wahrgenommen zu werden, nicht nur als Geldverdiener. Ich habe doch auch Gefühle und möchte so viel geben, eine Frau verwöhnen, beschützen, auf Händen tragen und lieb haben dürfen.«

O Gott, er wirkte so verletzlich, so einsam, so bedürftig – und gleichzeitig so stark und männlich.

»Ich kann jetzt verstehen, was dir fehlt«, murmelte ich und schmiegte tatsächlich mein Gesicht in seine warme Hand. Auf einmal fühlte ich unendlich geborgen und angekommen. Bei einem Menschen, den ich erst ein paar Stunden kannte.

3

In dem Moment hörte ich den Schlüssel in der Wohnungstür. O nein, schoss es mir durch den Kopf. Bitte nicht jetzt.

»Jan?!«

Schon stand der blonde Hüne auf der Matte. Karim und ich schossen auseinander wie zwei ertappte Schüler.

»Alles in Ordnung?«, fragte Jan misstrauisch.

Ob er meinen heimlichen Hilferuf gespürt hatte? Aber das war ja schon Stunden her! Jetzt brauchte ich ihn eigentlich gar nicht mehr …

»Was machst du denn hier?«, fragte ich einigermaßen verwundert. »Wolltest du nicht bei deiner Freundin übernachten?«

»Mein Auto ist kaputt«, kam es ebenso sachlich wie ungerührt zurück. »Kannst du mich morgen früh um sieben nach Nürnberg in die Werkstatt fahren? Ich muss danach sofort weiter zu einem geschäftlichen Termin!«

Hastig rappelte ich mich hoch und zog Rock und Bluse glatt. »Ja, klar. Ähm. Natürlich. Dann … Wie machen wir das jetzt mit dem Übernachtungsbesuch?« Verwirrt drehte ich mich einmal um die eigene Achse und fuhr mir durchs Haar.

»Sofa?«, fragte Jan, dem nicht entgangen war, wie vertraut ich mit einem bis vor Kurzem völlig Fremden auf dem Fußboden gesessen hatte. Er zwinkerte mir verschwörerisch zu.

Hatte er mich tatsächlich retten wollen? Oder war sein Auto wirklich kaputt? Vielleicht auch die Beziehung zu seiner neuen

Freundin? Jedenfalls war Jan jetzt hier und wollte in sein Bett. Unter dem schon die irakischen Pantoffeln standen. Und neben dem der Gebetsteppich lag.

Karim war ebenfalls aufgesprungen. »Ich will keine Umstände machen ...«

Freundlich winkte ich ab. »Jan, darf ich vorstellen – das ist Karim, mein Besuch aus Amsterdam. Karim – mein Mitbewohner Jan.«

Unauffällig musterten die beiden Männer einander. Bestimmt witterte Karim doch einen heimlichen Liebhaber in Jan, der meinen orientalischen Fremden erst mal unter die Lupe nehmen wollte.

Hastig machte ich mich daran, das Sofa, an dem wir eben noch gelehnt hatten, auszuziehen und in ein Gästebett zu verwandeln. Geschäftig wie Frau Holle schüttelte ich Kissen auf und überzog Decken mit frischer Bettwäsche. »Es ist sowieso schon nach Mitternacht ...«

Damit war unser inniges Tête-à-Tête endgültig vorbei. Halb war ich enttäuscht, halb erleichtert. Ich brauchte dringend eine kalte Dusche! Also ließ ich zu, dass sich die beiden Testosteronbomben beschnupperten, und verschwand fürs Erste im Bad. Während ich mein rotfleckiges Gesicht im Spiegel betrachtete, bekam ich mit, wie der ahnungslose Jan unserem muslimischen Gast vergeblich ein Bier anbot.

»Nein danke«, wehrte Karim höflich ab. »Als gläubiger Moslem trinke ich keinen Alkohol.«

»Na, das kann ja heiter werden!«, hörte ich Jan noch murmeln, der sich kurz darauf mit einer kalten Flasche Bier in sein Zimmer verzog.

»Karim?« Auf Samtpfoten schlich ich ins Wohnzimmer. Und witterte seinen männlichen Geruch, den ich später so lieben sollte. Draußen war alles noch dunkel. Es war zwar erst Oktober, aber ungewöhnlich kalt für die Jahreszeit. Es hatte doch tatsächlich über Nacht geschneit!

»Karim?« Behutsam rüttelte ich ihn an der Schulter. Verwirrt schlug er die Augen auf und sah mich an wie eine Erscheinung.

»Möchtest du gleich in die Stadt mitfahren? Dann würdest du den Frühzug bekommen.« Während meiner schlaflosen Nacht hatte ich beschlossen, der Sache erst mal ein Ende zu bereiten. Ich brauchte Zeit.

Mit einem Schlag saß Karim senkrecht auf dem Sofa. »Wie spät ist es?«

»Halb fünf«, flüsterte ich schuldbewusst. »Es tut mir leid, dich so früh zu wecken, aber ich muss Jan zur Werkstatt fahren, und da komme ich auch am Bahnhof vorbei.«

Eine innere Stimme hatte mir gesagt, dass ich besser etwas Distanz zwischen uns bringen sollte. Ein Fremder war in mein Leben getreten, der mich gleich heiraten, zu einem anderen Glauben bekehren und mich in ein anderes Land entführen wollte. So ging das nicht! Natürlich gefiel er mir. Natürlich fand ich ihn anziehend, außergewöhnlich spannend und sympathisch. Das Ganze klang nach einem riesigen Abenteuer, nach *Tausendundeine Nacht*. Es prickelte in mir, ohne Frage. Aber ich brauchte sofort Abstand, sonst würde ich mich noch zu hormongesteuerten Verrücktheiten hinreißen lassen.

»Also? Stehst du auf, oder möchtest du weiterschlafen?«

Ich verkniff mir das Wörtchen »etwa«.

»Nein, nein, das passt schon. Mir ist es auch lieber, den Frühzug zu nehmen. Dann kann ich in Amsterdam nach dem Rechten sehen.« Geschäftlich? Oder sprach er von seiner Familie? Jedenfalls war er pflichtbewusst. Er stand auf. »Kann ich ins Bad?«

»Ja. Ich bin schon fertig, und Jan rührt sich noch nicht.«

Während ich in der Küche Tee und Eier zubereitete, spähte ich heimlich durch den offen stehenden Spalt der Badezimmertür und sah, wie Karim sich mit heiligem Ernst Hände, Füße, Arme und Gesicht wusch. Das sah mir sehr nach rituellen Waschungen aus. Kaum war Karim fertig, schlurfte Jan splitternackt unter die Dusche und seifte sich laut singend ein. Wie unterschiedlich die beiden Männer doch waren!

»Kommst du zum Frühstück?«

»Nein, Nadia, ich brauche noch Zeit für mein Gebet.«

Karim hatte sich tatsächlich neben das Sofa gekniet und verneigte sich gen Osten. Wieder dieses Händeheben, Murmeln, Arme-vor-der-Brust-Verschränken und Stirn-auf-den-Boden-Drücken, das ich schon am Vorabend beobachtet hatte.

Mit gemischten Gefühlen schlich ich zurück in die Küche und machte einen Obstsalat. Dabei schnitt ich mir fast in den Finger. Nadia, hast du sie noch alle? Lass ihn aus deinem Leben gehen! Wohin soll das führen?

Wir frühstückten schweigend. Jan las den Sportteil der Zeitung, und Karim hing seinen Gedanken nach. Dabei sah er mich unverwandt an.

»Oder wolltest du lieber noch bleiben?« Fast erschien mir mein Rauswurf jetzt zu brutal.

Jan hob hinter seiner Zeitung eine Augenbraue.

»Nein, Nadia. Mach dir keine Sorgen. Ich verstehe deine Situation. Es passt mir gut, den früheren Zug zu nehmen.« Karim lächelte mich absolut lieb und verständnisvoll an, während er noch einmal beherzt in den Brotkorb griff. »Das Brot hier ist köstlich. Und die Marmelade, selbst gemacht?«

Also eines musste man ihm lassen. Beleidigt war er nicht. Im Gegenteil! Er wirkte absolut gelassen, ruhte richtig in sich.

Was natürlich ein nicht zu verachtender Pluspunkt ist bei einem Mann.

Nadia? Du wägst doch nicht ernsthaft ab, was dieser Mann für Pluspunkte hat? Er kommt auf keinen Fall für dich infrage!

Er ist verheiratet! Schlag ihn dir aus dem Kopf!

Energisch räumte ich den Tisch ab und stellte Butter, Käse und Milch in den Kühlschrank.

Auf dem Weg zum Bahnhof unterhielten sich die beiden Männer auf Englisch über irgendwelche Fußballvereine, mit denen ich mich nicht auskannte. Ich konzentrierte mich aufs Fahren, denn es lag tatsächlich eine dünne Schneedecke auf der noch unberührten Straße. In einer Stunde würde der Berufsverkehr losgehen, aber noch gehörte die ganze Stadt uns. Wie passend, dachte ich. So unberührt diese Stadt im Morgengrauen daliegt, so unberührt liegt mein weiteres Leben vor mir.

Karim, dachte ich seltsam berührt. Wirst du in Zukunft eine Rolle in meinem Leben spielen? Oder war das hier nur ein prickelnder Überraschungsbesuch, um mein Selbstbewusstsein zu heben?

Ein einsamer Schneepflug tuckerte mit organgefarbenem Blinklicht vor uns her. Die Bäume am Straßenrand hatten noch nicht ihr Laub verloren, waren aber wie von Zuckerguss überzogen. Märchenhaft schön.

Das gibt's doch nicht, dachte ich und meinte damit nicht nur das seltene Naturschauspiel, sondern alles, was sich in den letzten vierzehn Stunden meines Lebens ereignet hatte.

Verstohlen schielte ich zu meinem wohlriechenden Beifahrer hinüber.

Er hatte den Kopf nach hinten gedreht, weil er mit Jan sprach. Sein Profil war atemberaubend.

»Lasst mich hier schon raus, ich sprinte durch den Park zur Werkstatt.« Jan war so taktvoll, uns für unseren Abschied allein zu lassen. Er verabschiedete sich und sprang an einer roten Ampel aus dem Wagen.

Die Straßenlaternen gingen gerade aus, als wir vor dem Nürnberger Bahnhof standen. Mit einem Mal war die märchenhafte Beleuchtung einem fahlen Grau gewichen.

»Lass uns noch einen Kaffee trinken, Nadia.«

Karim legte den Arm um mich und schob mich in ein kleines Stehcafé, das soeben seine Rollgitter hochgefahren hatte.

»Ich danke dir noch mal von Herzen für deine Gastfreundschaft.«

»Gern geschehen, Karim. Es war schön mit dir.«

»Wirst du über meine Worte nachdenken?«

»Natürlich«, versprach ich.

»Ich bin nicht zum Spaß hergekommen. Ich meine es ernst.«

Uff. Da hielt ich mich an meinem Kaffee fest und begann zu träumen: Er hatte dieses unglaubliche Etwas. Er war kein Spinner. Er war ein bekennender Moslem.

»Ich denke ernsthaft darüber nach.« Hatte ich das gerade gesagt?

»Gut so, Nadia. Ich weiß, dass wir eine gemeinsame Zukunft haben können.« Er lächelte zuversichtlich.

Schweigend pustete ich in meine Tasse. Du spinnst doch, Mann! Aber warum jetzt den Abschied zerstören. Ich sehe ihn nie wieder, redete ich mir ein.

Es wurde Zeit zu gehen. Er zahlte, nahm seinen Aktenkoffer und führte mich auf die Rolltreppe. Wir glitten zum Bahnsteig hinauf. Weiß stand der Atem vor unseren Mündern. Der Zeiger der großen Uhr sprang auf sechs.

Wir lächelten uns an, er drückte meinen Arm.

»Auf Gleis fünf fährt der ICE nach Amsterdam ein. Vorsicht bei der Einfahrt!«

Wieder kam der Zug, der Karim gestern ausgespuckt hatte. Jetzt würde er ihn wieder verschlucken.

»Nadia, darf ich dich anrufen?« Verstohlen gab mir Karim drei kleine Wangenküsschen.

»Jederzeit.« Er roch so gut, so vertraut und warm! Ich hätte seinen Duft in einer kleinen Flasche konservieren sollen, um sie dann zu Hause dann und wann zu öffnen und ihn herauszulassen wie den Flaschengeist aus *Tausendundeiner Nacht.*

»Ich will dich nicht mehr aus meinem Leben lassen, Nadia.«

O Gott, wie wunderbar das klang!

Er schwang sich aufs Trittbrett und drehte sich noch einmal winkend zu mir um.

»Ich dich auch nicht«, hörte ich mich das Quietschen der Lok übertönen.

Dann piepten die Türen, bevor sie sich automatisch schlossen. Klappernd setzte sich der Zug in Bewegung. Ich winkte lahm. Wenigstens war es keine vergeudete Zeit, dachte ich mir. Jede Minute ist kostbar gewesen.

Energisch drehte ich mich um und rannte die Treppe hinunter.

4

Fürth, Oktober 1995

»Der hat dir was?!« Jan schlug sich auf die Oberschenkel vor Lachen, als ich ihn nachmittags zu Hause antraf. »Einen Heiratsantrag gemacht?«

»Na ja, so was Ähnliches. Er ist ja schon verheiratet, aber anscheinend nur noch auf dem Papier.«

Jan kugelte sich trotzdem. »Der alte Araber! Auf Freiersfüßen!«

»Ja, jetzt lach mich nicht aus, so alt und hässlich bin ich auch wieder nicht!« Ein bisschen fühlte ich mich gekränkt, dass Jan die Vorstellung so absurd fand. Er lümmelte auf dem Sofa, auf dem Karim geschlafen hatte, und schaute sich eine Sportsendung im Fernsehen an.

Die Decken und Kissen lagen noch darauf und dufteten nach Karim. Jan hatte seine Quadratlatschen darauf geparkt. Natürlich aß er wieder direkt aus der Verpackung, ohne Teller und Besteck. Alles war mit fettiger Pizza vollgekrümelt.

»Weißt du, Nadia, irgendwie hab ich gestern gedacht, die verrückte Frau ist mit einem Araber allein in der Wohnung, ich schau mal lieber nach ihr.«

»Das war doch nicht nötig! Ich bin selten einem so anständigen Mann begegnet.« Vorwurfsvoll starrte ich auf die Krümel.

»Die Nadia ist dabei, sich in ihr Unglück zu stürzen«, fuhr Jan unbeeindruckt fort. »Da hab ich meiner Freundin einen Korb gegeben und bin gleich zu dir.«

»Und dabei ist dir auch noch das Auto kaputtgegangen.«

»Bisschen zu knapp ausgeparkt. Ist schon repariert.«

»Aber jetzt sag doch mal, wie findest du ihn?« Ich schob seine Quadratlatschen zur Seite und setzte mich auf die Sofakante. Währenddessen nahm ich ihm die Fernbedienung aus der Hand und sorgte dafür, dass sich zweiundzwanzig Jungs im Trikot samt Ball in Luft auflösten.

»Wie findest DU ihn? Das ist doch wohl hier die Frage.« Jan sah mich prüfend an.

Ich seufzte tief. »Ich finde ihn hinreißend.«

»Warum?«

»Er ist klug, gebildet, einfühlsam, sanft, respektvoll, humorvoll. Er bringt mir Wertschätzung entgegen, was mein Ex nie getan hat, ja, er vergöttert mich!«

»Aber?«

»Eigentlich kein Aber. Höchstens, dass er verheiratet ist, Moslem ist und in den Oman auswandern will.« Ich grinste.

»Warum heiratest du nicht gleich den Sultan von Saudi-Arabien?«

»Jan, kannst du nicht eine Minute sachlich bleiben?!«

»Okay. Sachlich. Bist du nicht gerade erst geschieden?«

»Fast! Ich warte noch auf die Scheidungspapiere. Morgen hab ich einen Termin beim Anwalt. Und zum Arbeitsamt muss ich auch. Du weißt ja, mein Job wurde wegrationalisiert, und ich muss schauen, dass ich noch was in der Modebranche kriege.«

»Okay, immer noch sachlich: Hast du nicht ohne Ende von deiner neuen Freiheit geschwärmt?« Jan tupfte einige Pizzakrümel von der Glastischplatte und steckte sie sich in den Mund. »Du hast bisher in einem superangesagten Modeladen gearbeitet, warst dort Abteilungsleiterin und hast den Damen der Gesellschaft überteuerte Designerfummel an den Leib gehängt. Du läufst in Markenklamotten rum und hast für dein Alter den knackigsten Arsch, den ich kenne. Du wirst dich doch in Zukunft nicht verschleiern wollen, oder?«

»Ich bin bescheuert, oder?« Unauffällig wischte ich mit einem Stück Küchenpapier über die von ihm hinterlassenen Fettschlieren.

»Och. Das hast jetzt aber du gesagt.« Jan trank einen Schluck Bier aus der Flasche und stellte sie auf die Glasplatte, bevor ich einen Untersetzer drunterschieben konnte.

Männer! Das ganze Theater hatte ich doch gerade erst zwanzig Jahre lang mit Harald gehabt!

»Jan, kannst du mir mal ganz fest eine runterhauen?«

»Nee. Das musst du schon selber tun.« Jan nahm meine Hand und knallte mir spielerisch eine.

»Besser jetzt?«

»Ich weiß nicht, ich bin total durcheinander …«

Jan zog ein Augenlid nach unten und guckte mich schelmisch an. »Ich meine, habt ihr …?«

»Jan! Natürlich NICHT! Er ist ein gläubiger Moslem!« Jetzt schoss mir auch noch die Röte ins Gesicht.

»Dann verstehe ich das ganze Theater nicht. Der ist doch aus einer völlig anderen Welt! Du hast lackierte Fingernägel, trägst enge Jeans und spielst Tennis im kurzen Röckchen! Du trinkst auch mal ein Glas Prosecco oder Wein. Du ziehst nachts gern mit deinen Freundinnen um die Häuser nach eurem Tennis. Meinst du, das erlaubt er dir alles noch?«

»Quatsch, Blödsinn, das steht doch gar nicht zur Debatte …«

»Und er ist verheiratet.«

»Ja. Das volle Programm.« Ich senkte verlegen den Kopf und spielte mit meiner Halskette. »Sie heißt Suleika und geht nur verschleiert und in Begleitung von ihm oder dem Sohn aus dem Haus.«

Jan lachte wieder sein schallendes Lausbubenlachen und schlug sich mit der Hand aufs Bein. »Köstlich, Nadia, ganz köstlich! Mit dir muss man sich nie langweilen! Kinder hat er also auch.«

»Drei.«

»Nadia, ich liebe deine Flausen, ehrlich! Meine Freundin ist schon richtig eifersüchtig auf dich.« Plötzlich wurde er ernst. »Aber du heiratest auf keinen Fall einen Araber.«

»Nein, ich …«

»Sprich mir nach: Ich heirate keinen Moslem.«

»Ich. Heirate. Keinen. Moslem.«

»Versprich mir das!«

»Jahaaaaa!«

»Gut. Dann hätten wir das auch besprochen.« Er griff zur Fernbedienung und holte die Bundesligakerle zurück. »Bist du so nett und bringst mir ein neues Bier, wenn du in die Küche gehst?«

Ich trollte mich. Für Jan war das Thema erledigt. Ich hörte ihn im Wohnzimmer noch ein paarmal wiehernd lachen und zwischendurch »Tor!« schreien, während ich Karims Bettzeug ein bisschen zu innig an mich drückte, bevor ich es in die Waschmaschine steckte.

Mein Blick fiel auf den Spiegel, und ich stand da wie ertappt. So hatte er heute Morgen gerochen, als ich ihn zu unchristlicher Zeit aus dem Schlaf geholt hatte.

Unchristlich! Hatte ich das gerade tatsächlich gedacht? War er ja auch. Trotzdem: Einem so außergewöhnlichen Mann war ich bisher noch nie begegnet. Der ruhte so in sich und hatte Werte. Richtig tiefe religiöse Werte, an die er sich hielt. Wie charmant!

Und wie er mich angesehen hatte: so respektvoll. Als sei ich etwas ganz Kostbares. Er war weit gereist, um mich kennenzulernen, ich war ihm wichtig. Er hatte die schönsten Augen, in die ich je geblickt hatte, mit rehbraunen Sprenkeln darin und …

Nadia, reiß dich zusammen, befahl ich mir und drückte die Taste für den Kochwaschgang.

5

Fürth, November 1995

»Herzlichen Glückwunsch, Frau Schäfer. Sie sind jetzt frei.«
Ich saß meinem Scheidungsanwalt Dr. Jürgen Bielefeld gegenüber. Seine Frau Christiane, eine elegante sportliche Dame, war eine meiner besten Kundinnen gewesen.

Mir entfuhr ein erleichterter Seufzer. Zwei Jahre hatte ich nun auf die verdammten Scheidungspapiere gewartet!

Jürgen Bielefeld lächelte. »Ich weiß, Sie wären schon längst wieder Single, wenn Ihr Herr Exgemahl sich nicht so viel Zeit gelassen hätte. Aber wir mussten noch ewig und drei Tage mit ihm verhandeln. Gut, dass sein Anwalt und ich im selben Golfklub sind. Jetzt haben wir es auf dem kleinen Dienstweg geschafft.« Er händigte mir mit zufriedener Miene die Scheidungspapiere aus. »Sie sind ihm nichts mehr schuldig.«

Na, das hätte noch gefehlt!

»Ja, vielen Dank. Ich werde mein Leben genießen.« Ich strich mir den Kostümrock glatt.

»Leider zahlt Ihnen Ihr Exmann aber keinen Unterhalt.« Dr. Bielefeld schenkte mir ein bedauerndes Lächeln. »Und die Studienkosten für die Tochter bleiben auch an Ihnen hängen.«

»Ich weiß.« Ich zog eine Grimasse. »Aber ich konnte mein Elternhaus gut verkaufen, sodass es für meine Mutter und mich für je eine nette Wohnung gereicht hat. Dianas Studium werde ich auch noch stemmen.« Ich straffte mich. »Ich bemühe mich um einen neuen Job.«

Dr. Bielefeld sah mich aufmunternd an und legte die Fingerspitzen zusammen.

»Nicht leicht zurzeit, die Lage auf dem Arbeitsmarkt, nicht wahr? Besonders in der Modebranche. Meine Frau vermisst Sie schmerzlich.«

Ich nickte tapfer. »In meinem Alter gelte ich schon als scheintot. Es wird nicht einfach werden!«

»Ich drücke Ihnen die Daumen.« Dr. Bielefeld stand auf und gab mir die Hand.

»Sie sind eine starke, selbstständige Frau. Sie schaffen das, Frau Schäfer!«

»Ja, vielen Dank. Ich gebe alles.«

Er lachte. »Christiane hat sich immer liebend gern von Ihnen beraten lassen!«

Mit den besten Grüßen an sie verabschiedete ich mich von meinem Anwalt.

Dann hetzte ich auf direktem Weg zum Arbeitsamt. Hier lagen all meine Papiere und Zeugnisse seit Monaten vor. Durch die sich hinziehende Scheidung, den Hausverkauf und den Umzug kam ich erst jetzt dazu, mich wieder richtig um eine neue Stelle zu kümmern.

Doch die nette Dame dort hatte überhaupt keine guten Nachrichten für mich.

»Mit einem Aushilfsjob bei *H&M* wollen Sie sich bestimmt nicht zufriedengeben, Frau Schäfer?«

»Nicht wirklich«, gab ich seufzend zu. »Ich war doch schon Abteilungsleiterin mit zig Angestellten unter mir. Da werde ich wohl kaum billige Pullover falten und auf den Boden geworfene Klamotten zurück auf Bügel hängen – und das für acht Mark fünfzig die Stunde!«

»Das verstehe ich, Frau Schäfer. Wir halten Sie auf dem Laufenden.«

Puh.

Das war wirklich nicht erfreulich. Nun regnete es auch noch aus einem trostlosen Novemberhimmel. Ich beschloss, meiner Mutter einen Besuch abzustatten.

»Nadia, mein Liebling!«, begrüßte sie mich freudestrahlend, als ich mit einem Blumenstrauß vor ihrer Wohnungstür stand. »Du bist so verändert! Warst du beim Friseur?«

»Nein, Mama! Alles beim Alten!« Lachend drückte ich sie an mich und gab ihr ein Küsschen auf die Wange. Merkte man mir etwa an, dass ich bis über beide Ohren verknallt war?

»Lass dich anschauen.« Sie drehte mich hin und her. »Gut siehst du aus.«

Mutter zog mich in ihre helle Küche mit Blick auf den Park.

»Wenn ich es nicht besser wüsste, würde ich sagen, du bist verliebt.«

»Aber Mama! In wen denn?« Ich unterdrückte ein hysterisches Kichern. »Ich bin verliebt in das Leben!«

»Das freut mich, Nadia, Liebes.« Sie machte sich an der Kaffeemaschine zu schaffen. »Mir geht es auch gut, Kind. Meine neuen Nachbarinnen sind alle nett. Ich bin froh, das große Haus und den großen Garten los zu sein. Es war schrecklich viel Arbeit, und das meiste blieb doch an mir hängen.«

»Mama, ich dachte, der Garten wäre dein Ein und Alles gewesen.« Verdutzt ließ ich mich auf einen Küchenstuhl fallen und zog die Lederhandschuhe aus. Die Kaffeemaschine gluckste vielversprechend, und Mutter schnitt den kleinen Kuchen auf, den ich vom Konditor um die Ecke mitgebracht hatte.

»Ach, Liebes.« Sie lächelte mich durch ihre dicke Brille an, in deren Gläsern sich die behagliche Küchenlampe spiegelte. »Du warst ja immer so beschäftigt: jeden Tag dein Modeladen, nachmittags Hausaufgaben und Sport mit Diana, abends Elternabend, und am Wochenende warst du im Tennisverein.« Sie seufzte und ließ die Schultern sinken. »Und Harald ging seiner Wege. Ich möchte nicht wissen, mit wem.«

»Es ist vorbei, Mama. Ich bin geschieden.« Stolz breitete ich die Scheidungspapiere vor ihr aus. »Schau, ich bin frei! Das Leben liegt wieder vor mir wie ein unbeschriebenes Blatt!«

Sie legte ihre liebe faltige Hand auf meinen Arm.

»Du hast einfach viel zu früh geheiratet. Den Erstbesten. Ich hätte es dir so gegönnt, in deiner Ehe genauso glücklich zu werden, wie ich es mit deinem Vater war! Er war so ein wunderbarer Musiker. Ich seh ihn immer noch in der Stadtkapelle das Saxofon spielen, als ich damals nach dem Krieg zum Tanztee ging.« Jetzt wurden ihre Äuglein wässrig, und sie war wieder bei ihrem Lieblingsthema. »Wir sahen uns an und wussten sofort, das ist die große Liebe …« Ihre Züge wurden wieder härter, und sie winkte energisch ab. »Aber so was gibt es heute gar nicht mehr. Die guten alten Zeiten sind vorbei.«

Ich nahm sie noch einmal fest in den Arm. »Lass uns von etwas anderem reden, Mama. Wie geht es meinem großen Bruder, dem Auswanderer?«

»Oh, Martin hat es genau richtig gemacht, Nadia. Hier!« Sie nahm eine Ansichtskarte von der Fensterbank und hielt sie mir hin. »Er hat auf La Palma ein Tonstudio eingerichtet und nimmt dort Platten auf!«

»CDs heißt das heute, Mama.«

»Er hat seine hässliche Scheidung schon vergessen und geht jetzt ganz in seiner neuen Tätigkeit auf. Er komponiert, orchestriert und produziert … Das geht ja heute alles am Computer. Euer Vater hat noch sämtliche Noten mit der Hand geschrieben.«

Sie schenkte mir Kaffee ein, und ich nahm erschrocken wahr, dass ihre Hände zitterten. »Mit ganz tollen Schlagerstars und Musikern arbeitet der Martin da unten! Neulich war sogar die Mischäll bei ihm, um ein neues Album aufzunehmen. Ich hab sie mit ihrem neuen Hit im Fernsehen gesehen!«

»Das freut mich! Das gönne ich Martin! Er ist ein toller Komponist!« Auf meinen heiß geliebten Bruder Martin ließ ich nichts kommen. Aber jetzt, wo er so weit weggezogen ist, kannst du deine Mutter unmöglich auch noch allein lassen, schoss es mir durch den Kopf: Das nur so nebenbei, fürs Protokoll.

»Nun erzähl von dir, Kind!« Mutter legte mir ein Stück Marmorkuchen auf den Teller und schob es mir unter den Busen. »Wie geht es bei dir weiter?«

»Ich habe keine Ahnung, wenn ich ehrlich bin. Beim Arbeitsamt gibt es nichts Neues. Aber mit Jan klappt alles bestens, er ist ein liebenswerter Kindskopf.«

»Aber doch kein Mann für dich, Nadia!«

»Aber nein!« Ich musste lachen. »Wie du weißt, ist Jan ein ehemaliger Saxofonschüler von Martin, wir teilen uns die Miete und die Waschmaschine, mehr nicht!«

»Aber irgendwas ist anders an dir. Du kannst mir nichts vormachen.«

»Mama, ich …«

»Du hast einen Mann kennengelernt.«

»Aber nein! Ich meine, ja, aber der kommt überhaupt nicht infrage!«

»Ist er verheiratet?« Mutters Blick ruhte besorgt auf mir. Leider war ich schon wieder rot geworden.

Ich versuchte, mich nicht an meinem Kaffee zu verschlucken.

»Er ist verheiratet, hat drei Kinder, ist gläubiger Moslem, lebt in Amsterdam und will in ein arabisches Land auswandern.«

»Ach so«, sagte Mutter. »Nein, natürlich kommt der nicht infrage.«

»Sag ich ja.«

»Warum erwähnst du ihn überhaupt?« Sie schüttelte lächelnd den Kopf und sagte: »Trotzdem siehst du so hübsch aus wie schon lange nicht mehr.«

Dann griff sie zur Fernsehzeitung und schlug das Kreuzworträtsel auf.

6

»*Salam aleikum,* Nadia. Ich bin's, Karim. Wie geht es dir?«
Diese Stimme! Diese tiefe, warme, singende Stimme, die solche
Freude ausstrahlte!

Ich war noch nicht aus dem Mantel, da hatte bereits das
Telefon geklingelt.

Jetzt stand ich da, mit tropfendem Schirm in der Hand, und
mir wurde heiß und kalt.

Hatte ich nicht Jan und meiner Mutter versprochen, mir diesen Mann aus dem Kopf zu schlagen?

»Oh, welche Überraschung! Danke, mir geht es gut«, flötete
ich zurück. Mein Herz raste schneller als der Intercity nach
Amsterdam. »Bist du gut in Holland angekommen?«

»*Alhamdulillah,* ja ich bin gut angekommen.« Das hörte sich
an wie ein fröhlicher Jodler.

»Was heißt *Alhamdulillah?*«

»Gott sei Dank. Allah sei Dank!« Er lachte fröhlich.

Mann, war dieser Mann gut gelaunt!

»Was machen die Geschäfte?«

»Die gehen wunderbar, Nadia. Warum fragst du?«

»Nun ja, weil meine Geschäfte schlecht gehen.« Ich lachte
auch. Bitter.

»Dann komm zu mir, Nadia, und heirate mich, meine Her-
zenskönigin!«, kam es aus dem Hörer. »Ich sorge für dich! Ich
kann dich ernähren bis an dein Lebensende!«

49

Zu süß. Aber nicht von dieser Welt.

»Ach, Karim, ich bin schon groß und kann für mich selbst sorgen!« Kess, ein bisschen provokant.

»Ich meine es ernst, Nadia. Du gehst mir nicht mehr aus dem Sinn! Wann darf ich dich abholen?« Aufrichtig, nachdrücklich.

»Was erwartest du von mir? Dass ich mich zu dir auf den Gebetsteppich setze und mit dir in den Sonnenaufgang fliege?« Gespielt verzweifelt.

»Zum Beispiel. Oder ich schicke dir ein Kamel.« Glucksendes Lachen.

Wider Willen musste ich grinsen.

»Du bist Frauen gewohnt, die alles stehen und liegen lassen, wenn du rufst, hab ich recht? In euren Ländern kuschen die Frauen.«

»Ich würde eher sagen, wir tragen sie auf Händen.«

Wir plänkelten ein wenig hin und her, und ich wärmte mich an seiner melodiösen Stimme. Er sparte nicht mit arabischen Formulierungen, und alles, was er sagte, klang wie ein romantisches Liebeslied:

»Die Welt kann sich glücklich schätzen, dass du auf ihr herumläufst«, schmeichelte es aus dem Hörer.

Ich seufzte. »Ich komm gerade vom Arbeitsamt, Karim. Die Welt schert sich einen Dreck um mich.«

»Warum willst du überhaupt arbeiten, Königin meines Herzens? Mach mich glücklich und sag Ja, dann mach ich dich auch glücklich, Nadia. Ich weiß, dass ich das kann. *Habibi,* vertrau mir!«

Habibi. Liebling. Ich hielt die Luft an und zählte bis zehn.

»Nee, Karim, schlag dir das mal aus dem Kopf. Ich habe hier eine Mutter und eine Tochter – und alles andere wird sich auch finden.«

»Du hast es schon gefunden, Nadia: Mich! Mutter und Tochter kannst du immer besuchen. Zusammen mit mir. Ich würde mich freuen, deine Familie kennenzulernen. Ich werde auch deine Mutter und deine Tochter auf Händen tragen, darauf kannst du dich verlassen! Wir ehren die Frauen und sorgen für sie!«

»Karim … «

»Ich werde dir eine wunderschöne Wohnung einrichten, hier in Amsterdam, ganz in meiner Nähe. Wär das nicht wundervoll? Wir könnten uns jeden zweiten Tag sehen und jede zweite Nacht lieben …«

Verdammt, warum wurden meine Knie nur so weich? Seine Stimme liebkoste mich bereits, als läge ich nackt vor ihm.

»Ich werde dich tausendundeinmal küssen und nie mehr aufhören, dich zärtlich zu verwöhnen …«

Ich ertappte mich beim Träumen: Natürlich war das verlockend! Ein Liebesnest in Amsterdam, auf Kosten von Karim. Besser als bei Karstadt Sonderangebote einzuräumen war es allemal. Karims warmes Lachen perlte an mein Ohr. Vor meinem inneren Auge sah ich Karim glutäugig herangaloppieren und mich aus dieser grauen, kalten Welt der Arbeitslosigkeit und Einsamkeit retten, mich in die geheimnisvolle Welt des Orients entführen und auf seidenen Tüchern im warmen Wüstensand … Uff, aufhören, sofort! Aus, Klappe, Szenenwechsel.

»Du bist ein verheirateter Familienvater, und ich will keine heimliche Geliebte sein.«

»Was sagst du denn da, Nadia. Wir heiraten! Vor Allah! Das ist alles ganz legitim und korrekt!«

Meine Halsschlagader wummerte. Der meinte das ernst! Der meinte das absolut ernst!

»Karim, ich … Das geht mir jetzt alles viel zu schnell. Wir kennen uns ja kaum.«

»Genau das will ich ändern! Darf ich dich wiedersehen, Nadia?«

»Ja, meinetwegen, aber …« Luft. Ich brauchte Luft. Mit der freien Hand riss ich das Fenster auf.

»Gut. Dann buch ich dir ein Zugticket. Aber vorher muss ich wissen, Nadia: Willst du mich heiraten? Ohne den Segen Allahs geht das nicht.«

Ich schluckte. Okay, er wollte mit mir schlafen und musste mich nach seinen Spielregeln vorher heiraten. Das konnte ich verstehen. Ich wollte auch mit ihm schlafen. Natürlich wollte ich das. Was hatte ich denn zu verlieren? Ich sah sein Profil vor mir, seine schönen Hände, seinen männlichen Bart und die blitzweißen Zähne, wenn er lachte … Ich schloss die Augen und roch plötzlich wieder seinen Duft. Eine unstillbare Sehnsucht erfüllte mich, und plötzlich hörte ich mich sagen:

»Ja, Karim, meinetwegen heirate ich dich, wenn es für dich so wichtig ist.«

Eine Sekunde herrschte Schweigen, absolute Stille. Fasziniert betrachtete ich die Härchen, die sich auf meinen Armen aufgerichtet hatten.

Und dann kam ein lautes Jubeln aus dem Hörer: *»Lululululuhhh, lilililililihhh!«*

Ich kicherte vor lauter Verlegenheit.

Hatte ich gerade Ja gesagt?

Hatte ich seinen Heiratsantrag angenommen? Am Telefon?

War ich denn vollkommen wahnsinnig geworden?

»Nadia, meine geliebte Frau! Ich liebe dich! Ich bin der glücklichste Mann unter der Sonne! Allah sei mit dir! Ich melde mich, sobald ich die Tickets habe.«

Karim legte auf. Mit zitternden Händen hob ich den Mantel vom Boden auf, als Jan in die Wohnung polterte.

»Na, Schäfer?«, fragte er mit seinem drolligen holländischen Akzent, der sich immer anhörte wie eine charmante Käsewerbung. »Was gibt's Neues an der Orientfront?«

»Ich … ähm … Ich …« Ich wusste nicht, ob ich lachen oder weinen sollte. Schutz suchend presste ich den Mantel an mich.

»Du hast Scheiß gebaut.« Jan starrte mich an.

»Nein. Quatsch. Blödmann.«

»Was dann, Nadia? Spuck's aus!«

»Hast du einen Moment Zeit? Ich brühe uns einen Kaffee auf, okay?« Meine Finger zitterten so, dass ich das Filterpapier nicht auseinanderziehen konnte. Jan musste mir helfen.

»Gibt es auch was zu naschen? Ich muss meinen Kohlenhydratspeicher auffüllen.«

»Natürlich. Bedien dich! Es ist schließlich Lebkuchenzeit.«

Jan biss beherzt in ein klebriges Herz mit der Aufschrift *Mein Liebling.*

Habibi, dachte ich und bekam kaum noch Luft.

»Spuck's aus«, wiederholte Jan kauend. »Irgendwas ist doch passiert. Du bist knallrot, zitterst wie Espenlaub, und deine Augen strahlen wie ein Weihnachtsbaum. Außerdem hattest du gerade das Telefon in der Hand. Ich kann eins und eins zusammenzählen.« Er kaute mit vollen Backen. Natürlich krümelte er Zuckerguss auf den Fußboden.

»Tja, also es war …«

»Der Prinz aus dem Orient.«

»Ähm, ja. Er will mich heiraten.«

»Das hatten wir doch schon.«

»Ja, aber diesmal hab ich Ja gesagt.«

Hinter mir hörte ich Jan nach Luft ringen und dann heftig husten. Er hatte sich an seinem Lebkuchen verschluckt.

»Jan?« Ich schlug ihm mehrmals beherzt auf den Rücken. »Geht's wieder?«

Jan röchelte, dass ihm die Augen tränten.

»Du hast nicht ernsthaft Ja gesagt! Weißt du eigentlich, was du da tust, Nadia?!«

»Doch, Jan. Ich denke schon. Und ob du es glaubst oder nicht: Es fühlt sich richtig an.«

Trotzig verschränkte ich die Arme vor der Brust.

»Nadia, du bist verrückt, du bist total durchgeknallt.«

Auf einmal war er todernst. Wie benommen schüttelte er den Kopf. »Man kann dich keine fünf Minuten allein lassen. Du kennst ihn doch gar nicht! Mensch, Nadia!« Er schlug so fest mit der Hand auf den Tisch, dass der Kaffee überschwappte.

»Er sagt, er wird alles Nötige veranlassen. Ich soll nach Holland ziehen, und er richtet mir eine Wohnung ein.« Ich hörte selbst, wie piepsig meine Stimme klang. »Ach, Jan, ich weiß auch nicht, was ich will. Einerseits macht er mich total an, und ich will ihn haben. Andererseits mach ich mir vor Angst in die Hose, und es tut mir auch leid, unsere WG aufzukündigen …« Hilflos sah ich ihn an. Los. Schüttel du doch eine Lösung aus dem Ärmel! Sag, dass es okay ist, was ich da mache!

Jan sah mich nachdenklich an. »Nadia, hör mal! Ich besuche nächste Woche meine Eltern in Holland. Fahr doch mit! Dann kannst du dir deinen heißblütigen Araber noch mal unverbindlich ansehen. Ihn von mir aus auch anfassen. Aber heirate ihn nicht, okay?! Ich bin in der Nähe, und wenn es dir zu viel wird, hol ich dich sofort ab. Dann kannst du bei meinen Eltern pennen, und die Sache ist nie passiert.«

»Jan, das wäre ein Traum!« Aufatmend ließ ich mich zu ihm auf die Küchenbank fallen.

»Ich heirate ihn nicht. Großes Indianerehrenwort.« Hastig wischte ich mir eine Erleichterungsträne aus dem Augenwinkel. »Bin halt ziemlich bedürftig zurzeit …«

Jan lächelte, aber diesmal ganz ohne jeden Spott.

»Ich muss einfach auf dich aufpassen. Hab ich Martin doch versprochen!«

7

Amsterdam, November 1995

»Da ist es. *Hotel van der Valk.*« Ich reckte den Hals, als Jan mit zweihundert Sachen auf die Autobahnausfahrt zuraste. »Geh doch vom Gas, Mann!«

Mir war total schlecht. Jan fuhr absolut testosterongesteuert, und ich wollte nur noch aus diesem Flitzer raus.

»Also, noch mal zum Mitschreiben.« Jan bremste und brachte seinen Wagen mit quietschenden Reifen zum Stehen. »Du triffst dich mit ihm jetzt da drin.«

»Ja.«

»Und sobald dir die Sache unheimlich wird, rufst du mich an. Meine Eltern haben das Gästezimmer für dich vorbereitet.«

»Ja.«

»Du überstürzt nichts und lässt dich in nichts reinziehen, was du nicht willst.«

»Nein.«

»Okay. Dann komm ich jetzt mit in die Lobby. Ich werd dem schon zeigen, wo der Hammer hängt.«

Entschlossen schälte sich Jan aus seinem Sitz. Ich liebte ihn dafür, dass er mich in diesem Moment nicht allein ließ.

Aufgeregt trippelte ich hinter ihm her. Am liebsten wäre ich noch mal für kleine Mädchen gegangen, bevor ich meinen zukünftigen Ehemann traf, aber für solche Kinkerlitzchen hatte Jan keine Zeit.

»So. Meine Nummer hast du?«

»Ja. Als Kurzwahl eingespeichert.«

»Okay, da ist er.«

Auf einer beigefarbenen Sitzgruppe saß Karim und las Zeitung. Er sah wieder umwerfend aus: hellbrauner Anzug, hellblaues Hemd, passende Krawatte. Sofort zog sich mein Herz sehnsüchtig zusammen. Genau so hatte ich ihn in Erinnerung! Hatte seine Suleika ihm das Hemd so akkurat gebügelt? Hatte sie ihm die Krawatte rausgelegt und die Schuhe so blitzblank geputzt? Wusste sie überhaupt von den Freiersfüßen, auf denen ihr Gatte wandelte? Fragen über Fragen.

»Hallo, Karim.«

»Oh! Die Sonne geht auf! Nadia! Hallo, Jan!«

Die beiden Männer gaben einander freundlich, aber reserviert die Hand. Dann sagte Jan etwas auf Englisch zu ihm, das ich in der Aufregung nicht verstand. Karim nickte und klopfte ihm beruhigend auf die Schulter.

»Dann kann ich euch jetzt allein lassen?« Jan trat nervös von einem Bein aufs andere.

»Ja. Bis später. Wie verabredet.« Ich sah ihn vielsagend an.

»Ruf mich an, wenn ich dich abholen soll.«

»Klar. Grüß deine Eltern.«

Jan stob mit langen Schritten davon. Die Glastür schloss sich hinter ihm, und ich hörte seinen Angeberschlitten aufheulen. Männer!

»Nadia!« Karims Augen leuchteten. Wir umarmten uns. Sofort sog ich begierig seinen Duft ein.

»Ich freue mich so, dich wiederzusehen, *Habibi!*«

Wie zärtlich das aus seinem Munde klang! Ich bekam weiche Knie.

Sofort führte Karim mich zu der Sofalandschaft, und wir ließen uns hineinfallen. Ein Kellner eilte dienstfrig herbei und fragte, ob die Dame einen Aperitif zu trinken wünsche. Einen kleinen Prosecco vielleicht oder ein Gläschen Champagner.

Dabei fiel sein Blick irritiert auf meinen bärtigen Herrn Begleiter, der an einem Fruchtsaft nippte.

»Dasselbe wie mein … ähm … Bekannter, bitte.«

»Nadia, ich bin doch nicht dein Bekannter!«

Karim war sichtlich vor den Kopf gestoßen. Er hielt meine
Hände fest umschlossen und sah mir ernst in die Augen.

»Wie geht es dir, mein Liebling?«

»Gut. Es geht mir super.« Ich räusperte dieses mädchenhafte
Piepsen weg. »Bevor ich es vergesse, Karim, kannst du mich
nachher zu Jans Eltern fahren? Es ist nicht weit von hier. Sie
warten mit dem Essen auf mich.« Grenzen setzen. Jetzt. Oder
nie!

»Aber, Liebling, wir haben uns doch gerade erst wiederge-
sehen! Wir haben doch so viel zu besprechen! Du kannst unmöglich gleich wieder fahren!«

»Ein Multivitaminsaft, die Dame. Prost!« Der Kellner schenkte
mit großer Geste ein. »Auf Ihr Wohl, die Herrschaften!«

Wir prosteten uns schüchtern zu. Schnell trank ich einen
Schluck von dem Saft, weil mein Mund so trocken war.

»*Habibi,* bleib bitte wenigstens bis nach dem Dinner! Ich
habe einen Tisch für uns bestellt!«

»Ja, okay. Entschuldige, ich bin wahnsinnig nervös …« Ich
knetete meine Hände wie eine Schülerin bei der Prüfung.

»*Habibi.* Vertrau mir. Es wird alles gut. Wir tun nichts, was
du nicht möchtest. Das habe ich Jan in die Hand versprochen.«

Ich versuchte, seine Gedankengänge nachzuvollziehen. Es
fiel mir schwer. Seine Moralvorstellungen schienen aus einer
lange zurückliegenden Zeit zu stammen.

Karim reichte mir wieder die Hand, und gemeinsam gingen
wir ins geschmackvoll eingerichtete Restaurant, in dem nur
einige Durchreisende saßen. Dies hier war ein Autobahnhotel.
Jan hatte es vorgeschlagen, weil seine Eltern in der Nähe wohnten. Und Karim war gentlemanlike darauf eingegangen.

Der Kellner führte uns zu unserem Tisch in einer verschwiegenen Nische. Zum Glück ging der Blick auf eine Wiese hinaus und nicht nach vorn zur Autobahn. Ein bisschen Romantik sollte schon sein!

Ich riskierte einen Blick in die Karte. Gehobene Hausmannskost mit zweistelligen Preisen.

»Nadia, *Habibi,* wir müssen aufpassen, was wir bestellen. Ich kann kein Schweinefleisch essen und nichts, was mit Alkohol verfeinert ist.«

»Natürlich. Kein Problem.«

»Rindfleisch und Huhn sind hier auch nicht *halal,* also nach islamischer Art geschächtet.«

»Ach so?«

»Also bleibt uns nur Fisch, Nadia. Magst du Fisch?«

Ich hatte sowieso keinen Hunger. Ich hätte auch für den Rest des Abends an meinem Säftchen saugen können. Hauptsache, Karim war da.

»Natürlich. Fisch. Ich liebe Fisch.«

»Bitte bestell keinen Wein – oder Bier«, sagte Karim mit Nachdruck.

»Natürlich nicht. Ich trinke sowieso nur ganz selten mal ein Glas Sekt. Silvester oder so. Also eigentlich nie.«

»Das ist gut.« Eine zentnerschwere Last schien ihm vom Herzen zu fallen. Fast spielte ich mit dem Gedanken, doch ein Glas Wein zu bestellen, nur um seine Reaktion zu testen. So, wie ich ihn kennengelernt hatte, würde er dann unser Verlöbnis lösen. Er würde bestimmt keine Frau ehelichen, die seine Glaubensgrundsätze erschütterte. Kein Wein. Egal. Tatsache war, dass ich für den Rest meines Lebens Lebertran getrunken hätte, so verknallt war ich in ihn.

»Die Herrschaften haben gewählt?« Der Oberkellner knallte die Hacken zusammen und hatte seine leinene Serviette korrekt über dem Unterarm gefaltet. »Darf ich die Weinkarte bringen?«

»Nein!«, parierte ich eine Spur zu laut.

Karim legte beschwichtigend die Hand auf meinen Arm. »Wir nehmen den Lachs. Und was möchtest du trinken, *Habibi?*«

»Wasser«, sagte ich mit Bestimmtheit. »Stilles Wasser.«

So. Das wäre schon mal geklärt. Unsere Blicke trafen sich. Karim nahm meine Hände und strich zärtlich mit seinen Daumen über meine Finger. Ein ungeheuer erotisches Kribbeln überzog mich. Wir aßen den Lachs. Bei Kerzenschein und dezenter Musik schmeckte er einfach nur köstlich.

Vorsicht, Nadia, versuchte ich mich zur Vernunft zu rufen. Spiel nicht nach seinen Spielregeln. Bleib du selbst!

Doch er hatte mich bereits in seinen Bann gezogen. Die Begeisterung, mit der er von unserer gemeinsamen Zukunft sprach! Seine Bewunderung für meine Schönheit. Ich trug ein dunkelblaues Kleid mit schlichtem Rundhalsausschnitt, nicht zu gewagt, aber doch sehr weiblich. Dazu Stiefeletten und einen taillierten schwarzen Blazer mit Samtapplikationen. Nichts Außergewöhnliches, dafür schlicht und elegant. Karim war ganz aus dem Häuschen vor Glück.

Na ja, wenn seine Suleika zu Hause immer verschleiert rumläuft, dachte ich, ist es auch keine Kunst, sie auszustechen. Ach nein, zu Hause verschleiert die sich ja nicht. Aber ungeschminkt ist sie bestimmt, mit zusammengewachsenen Augenbrauen. Vielleicht ist sie dick? Keine Ahnung, was bei denen als Schönheitssymbol galt. Henna an den Händen?

»*Habibi,* möchtest du noch einen Tee?«

»Ja, gern! Das ist so gemütlich!« Verzückt strahlte ich ihn an. Dieser Mann tat mir einfach nur gut. Ich war schon verliebt in die Tatsache, dass er in mich verliebt war. Aber natürlich nicht nur.

Wir tranken still lächelnd unseren heißen Tee und konnten keine Sekunde die Augen voneinander lassen.

Bis der Kellner die Rechnung brachte.

»Ich würde dann jetzt Jan anrufen.« Mit gespielter Lässigkeit schaute ich auf die Uhr. Kurz nach zehn. Noch früh genug, um die Holländer aufscheuchen und in ihr Gästezimmer Einzug halten zu dürfen. Doch wollte ich das überhaupt?

»*Habibi*, warum übernachten wir nicht hier, und ich bringe dich morgen früh zu Jans Eltern?«

»Aber, Karim, das ist nicht dein Ernst«, versuchte ich, den Anstand zu wahren. »Erst keinen Alkohol trinken und dann unverheiratet mit einer fremden Frau übernachten?« Eigentlich wollte ich ihn nur ein bisschen aufziehen, mich an seiner Verlegenheit weiden.

Aber da sagte er: »Nadia, wir werden heiraten, da ist es egal, was wir gleich tun. Du hast mein Ehrenwort.«

Mir schwirrte der Kopf. Aber ich hatte Jan doch versprochen … Nur, wieso eigentlich? ICH traf doch hier die Entscheidungen, oder etwa nicht? Wollte ich nicht genau das? Was sollte ich denn bei Jans Eltern im Gästezimmer?

Karim hatte diesen unglaublich tiefgründigen Blick, der alle Seligkeiten dieser Welt verhieß. Und im Grunde wollte ich einfach nur in seine Arme sinken und mich fallen lassen. Das mit dem Heiraten war mir eigentlich völlig egal. Es waren seine Spielregeln, nicht meine. Wenn sein Allah dann ein Auge zudrückte: An mir sollte es nicht scheitern.

»Bitte, willige ein!«, schnurrte Karims Stimme.

Ja los, Mensch, worauf wartest du denn noch, hätte ich am liebsten geschrien. Aber die gut erzogene Dame in mir zierte sich immer noch. Und Jan, mein treuer Freund, wartete auf meinen Anruf.

»Ich müsste nur mal eben – telefonieren.«

So gefasst wie möglich schob ich mich aus der Sitzecke und schritt in die Hotelhalle, wo ich die entsprechende Kurzwahltaste drückte.

»Jan? Ich komm heute nicht mehr. Mach dir keine Sorgen, ich bin schon groß. Gute Nacht!«

8

Wir verbrachten eine wunderschöne Liebesnacht, voller Leidenschaft und Hingabe. Zum ersten Mal in meinem Leben konnte ich mich völlig fallen lassen. Danach nahm er mein Gesicht zwischen die Hände, küsste mich und sah mir tief in die Augen. Ich musste weinen, weil ich so etwas noch nie erlebt hatte. Noch nie hatte ein Mann so kunstvoll auf dem Instrument meines Körpers gespielt, ihn so zum Schwingen und Klingen gebracht. Dicht aneinandergekuschelt lagen wir im Bett, und ich wusste einfach, dass ich für immer ihm gehören wollte. Nichts im Leben konnte mich glücklicher machen.

Karims gleichmäßige Atemzüge waren zu hören, doch ich fand einfach keinen Schlaf, wollte jede Sekunde bewusst genießen. Doch gerade als ich mir gestattete, in seinen Armen wegzudämmern, klingelte schrill sein Wecker. Es war noch stockdunkel, gerade mal halb fünf. Hatte er so früh schon wieder einen geschäftlichen Termin? Zu Jans Eltern konnte ich um diese Zeit jedenfalls noch nicht! Die Vorstellung, er könnte jetzt aufstehen und gehen, war mir unerträglich. Wohin? Zu seiner Frau?! Wollte er mich hier etwa liegen lassen wie eine – Prostituierte?

Karim löste sich sanft aus meiner Umarmung und schlich ins Bad. Ich riskierte einen Blick auf seinen knackigen Männerhintern, kurz darauf hörte ich die Dusche rauschen. Er wollte wirklich schon aufbrechen. Wie schade! Es war doch Sonntag! Wir hätten doch noch …

Doch da kam Karim mit einem sauberen Handtuch zurück, breitete es neben seinem Bett auf dem Fußboden aus und kniete sich darauf. Leise murmelnd begann er zu beten.

Neugierig setzte ich mich auf. Er berührte mit der Stirn den Boden, kam mit dem Oberkörper wieder hoch, stand dann behände auf, verschränkte die Arme vor der Brust, sank wieder auf die Knie und wiederholte dieses Ritual, das für mich aussah wie eine lockere Morgengymnastik.

Als er fertig war, sah er mich an.

»Bist du wach, Nadia?«

»Ja. Ich hab dich beobachtet.«

»Möchtest du, dass ich dir die Gebetsstellungen erkläre?«

»Ja.« Ein paar andere Stellungen hätte er mir vielleicht lieber erklären sollen, aber Hauptsache, er blieb.

Das tat er. Während er mir auf Arabisch Koranverse vorsagte, spürte ich seine tiefe Frömmigkeit. Das hier war sein Halt, eine feste Struktur, die er seinem Leben gab. Deshalb konnte er auch so in sich ruhen. Er hatte es von klein auf gelernt und so tief verinnerlicht, dass es zu seinem Leben gehörte wie Essen, Trinken und Schlafen. Es stand mir nicht zu, das infrage zu stellen oder gar zu belächeln. Wenn ich Karim liebte, würde ich auch seine Frömmigkeit an ihm lieben.

Karim sah mich ernst an: »Nadia, wenn wir in der Moschee heiraten, möchte ich, dass du dabei ein Kopftuch trägst und mit mir betest. Ist das ein Problem für dich?«

»Aber nein. Ich möchte zu dir gehören und respektiere deinen Glauben.«

»Du wirst durch die Heirat mit mir dann automatisch zur Muslima.«

»Okay. Kein Problem.«

Ich dachte in diesem Moment nicht an die Tragweite dieser Worte, sondern nur daran, meinem Liebsten eine Freude zu machen. Hätte er vorgeschlagen, in Taucherausrüstung unter Wasser zu heiraten oder währenddessen per Fallschirm aus einem Flugzeug zu springen, hätte ich auch zugestimmt. Ich wollte ihm meine bedingungslose Liebe zeigen, meine Wertschätzung für ihn und alles, was ihm wichtig war. Dieselbe Wertschätzung, die er auch mir entgegenbrachte.

Karim kuschelte sich hocherfreut wieder zu mir ins Bett. »Du bist ein Volltreffer, Nadia, in jeder Hinsicht!« Er lachte glucksend und freute sich wie ein kleiner Junge. »Ich hab es immer gewusst! Mit dieser Frau kannst du Pferde stehlen!«

Ich strahlte geschmeichelt. »Das ist alles interessant und neu für mich, ich lass mich drauf ein!« Mein Herz schlug heftig in seiner Umarmung.

»Deinen Namen musst du gar nicht ändern, Nadia. Nadia ist ein ganz gängiger arabischer Name und bedeutet ›Morgentau‹. Und du bist genauso frisch und erquickend – Allah sei Dank!« Er küsste mich auf den Mund.

Na super, dachte ich halb belustigt, halb erleichtert. Ich hätte nie vorgehabt, meinen Namen zu ändern. Ich trat doch nicht ins Kloster ein! Aber wenn es so einfach war, diesen Mann glücklich zu machen, dann wollte ich das gern tun! Er machte mich ja auch glücklich! Und wie!

In seiner Freude fing er gleich wieder damit an. Frisch geduscht, wohlgemerkt. Nachdem mich mein Märchenprinz erneut beglückt hatte, fragte er:

»Weißt du, was mein Name bedeutet?«

»Karim?«

»›Der Gute‹.«

Lächelnd küsste ich ihn auf die Nasenspitze. Und sagte dann nachdenklich: »Aber wie empfindet das deine Frau? Ich meine, findet sie auch, dass du ›der Gute‹ bist?«

»Natürlich, ich bin immer gut zu ihr. Sie ist nur nicht mehr gut zu mir!«

Es schmeichelte mir, dass er mich ihr vorzog. Im Bett jedenfalls. Andere Vergleiche konnte Karim ja noch nicht ziehen. Doch, meine Kochkünste kannte er auch schon. Und meinen Verstand, meinen Liebreiz, meine Anpassungsfähigkeit … All das hatte Karim in mir wachgeküsst!

In diesem Moment wurde mir klar, dass sie mich hassen musste! Arme Suleika!

»Und was sagt sie dazu, wenn du jetzt eine Zweitfrau anschleppst? Weiß sie überhaupt von mir?« Ich setzte mich auf, und sofort schob mir Karim liebevoll ein Kissen in den Rücken. »Für uns Muslime ist das kein Problem. Es gibt Konflikte mit meiner Frau, die bei anderen Ehepaaren zur Scheidung führen würden. Aber da ich ein guter Muslim bin, erspare ich ihr diese Schande. Sie wird mir sogar noch dankbar sein.«

Fragend zog ich die Brauen hoch.

»Sie wird dir dankbar dafür sein, dass du mich als Zweitfrau anschleppst?«

»Du wirst dein eigenes Reich haben, Nadia! Du hast mit ihr überhaupt nichts zu tun.«

»Aber du …«

»Der heilige Koran sagt in Sure vier, Vers vier, dass ein Mann mehrere Frauen heiraten darf, wenn er für alle sorgen kann! Und das kann ich, Nadia. Ich werde Suleika und die Kinder nie im Stich lassen, aber trotzdem viel Zeit für dich und unsere Liebe haben! Ganz gerecht! *Fifty-fifty!*«

Verliebt bis über beide Ohren, wie ich war, ließ ich seine Beteuerungen unkommentiert im Raum stehen.

Die schräg stehende Herbstsonne fiel zwischen den Lamellen hindurch und blendete uns. Kleine Staubkörnchen tanzten durchs Zimmer. Wir hatten ja auch ganz schön Staub aufgewirbelt in den letzten Stunden!

Ich sprang ebenfalls unter die Dusche, und als ich fertig war, war Karim schon vollständig angezogen.

»Gehen wir frühstücken?«

Das taten wir. Erst jetzt merkte ich, was für einen Bärenhunger ich hatte! Verliebt und glücklich strahlten wir uns über frischen Brötchen, Rührei mit frischen Kräutern und duftendem Kaffee an. Wir lachten und turtelten, kicherten und plauderten und fütterten uns gegenseitig mit Leckerbissen.

»So, jetzt bist du wieder dran: Mund auf, Augen zu ...«

Die Frühstückskellner verkniffen sich ein Grinsen. So etwas sahen sie bestimmt nicht oft in ihrem eher nüchternen Businesshotel.

Nach dem Frühstück fuhren wir noch mal rauf ins Zimmer, um unsere Sachen zu packen. Ich stopfte mein weißes Seidennegligé und meine schwarze Spitzenunterwäsche in die Reisetasche und musste grinsen. Für Jans Eltern hatte ich die tatsächlich nicht eingepackt ...

Karim schloss gerade bedächtig seine Aktentasche. Dann wühlte er in seinen Hosentaschen nach Geld. Bestimmt wollte er dem Zimmermädchen einen Schein dalassen. Das fand ich sehr nett von ihm.

»Können wir?«, fragte ich.

Karim war damit beschäftigt, ein Geldbündel durchzuzählen.

»Das ist viel zu viel!« Ich wollte ihn gerade daran hindern, dem Zimmermädchen so viel Geld hinzublättern, als ich erstarrte.

Mit einer verlegenen Geste legte er zweihundert Gulden neben meine Handtasche.

Das war gar nicht für das Zimmermädchen. Das war für mich.

»Soll das ein Witz sein, Karim?«

»Ich weiß nicht ...«

»Wie billig komme ich mir denn jetzt vor! Ist das bei euch Moslems so üblich? Ich dachte, wir haben die Nacht aus Liebe miteinander verbracht?!«

Plötzlich fiel meine ganze Seligkeit in sich zusammen.

»Bin ich für dich jetzt etwa ein Hure, oder was?«

Heftiger Zorn wallte in mir auf, gepaart mit einer unglaublichen Demütigung.

»Was, wenn ich viel teurer bin, als du denkst?« Ich wollte schon aus dem Zimmer stürmen und ihn mir für immer aus dem Herzen reißen, als er mich am Arm festhielt.

»Nadia, bitte verzeih! Ich wollte dich nicht verletzen. Ich dachte, du kannst vielleicht ein bisschen Geld brauchen, jetzt, wo du keine Arbeit hast.«

Ich machte mich steif. Das hatte ich nicht nötig!

»Nein! Brauch ich nicht!« Mit spitzen Fingern stopfte ich ihm das Geld wieder in die Hosentasche. »Mach das nie wieder, Karim. Hörst du? Nie wieder!«

Wenn ich nur mehr Abstand gehabt hätte, gefühlsmäßig. Dann hätte ich ihn schallend auslachen können.

Tränen der Enttäuschung und Scham brannten mir in den Augen. Ich warf den Kopf zurück und schritt so würdevoll wie möglich aus dem Zimmer, dessen Tür mir Karim mit formvollendeter Höflichkeit aufhielt.

»Sorry, Liebes«, flüsterte er in mein Ohr, als wir im Fahrstuhl standen. »*Habibi,* ich bin ein Riesentrottel! Ich wollte nur für dich sorgen, ich hab es nicht böse gemeint!«

Seine Augen schimmerten feucht.

Da konnte ich nicht anders, als mich erleichtert zu ihm umzudrehen und zu sagen: »Sprechen wir nicht mehr davon!«

9

Als ich ein paar Stunden später wieder mit Jan im Auto saß, schwirrte mir der Kopf. Beim Abschied hatte Karim mich noch mit Verschwörermiene angefleht, keinem Menschen etwas von unserer Liebesnacht zu erzählen. »Wir sind nicht verheiratet, Nadia, das ist *haram!*«

Hatte er mir deshalb Geld zugesteckt? Weil es für ihn doch Sünde gewesen war? Weil ich ihn mit meiner Leidenschaft so überrumpelt hatte, dass ich jetzt nicht mehr als Ehefrau infrage kam? Sah er sich jetzt nach einer anderen um, die nicht gleich mit ihm in die Kiste stieg? Nach einer Züchtigen, die es wert war, umworben zu werden?

Und wenn schon! Bestimmt war es besser so. Trotzig zog ich ein paarmal die Nase hoch. Aber was sollte ich denn jetzt denken? Dass es ein für alle Mal vorbei war? Oder der Anfang eines neuen, aufregenden Lebens an der Seite eines gläubigen Moslems?

Jan sah mich ein paarmal fragend von der Seite an, doch ich lehnte nur den Kopf gegen die Scheibe und schloss die Augen. Zu Hause ließ ich mich in einen Sessel plumpsen und starrte eine gefühlte Ewigkeit ins Leere. Ich wollte diese Gefühle nicht. Das Gefühl, versagt zu haben, ausgenutzt worden zu sein. Ausrangiert.

Trotzdem: Wenn ich jetzt Nachrichten sah, interessierte ich mich verstärkt für alles, was im Nahen Osten passierte. Zum ersten Mal nahm ich die Begriffe »Sunniten« und »Schiiten« bewusst wahr. Ich hatte so eine vage Ahnung, dass es sich um zwei verschiedene Glaubensrichtungen innerhalb des Islam handelte, ähnlich den Katholiken und Protestanten im Christentum. Auch die Christen hatten sich schon gegenseitig die Köpfe eingeschlagen, man denke nur an die Glaubenskriege zur Zeit der Inquisition. Oder an Nordirland in den Siebzigerjahren. So lange war das gar nicht her.

Ich informierte mich über die politische Lage im Irak und las einige interessante Artikel von Peter Scholl-Latour – dem einzigen Nahostexperten, der in meinen Augen deutlich machen konnte, worin der eigentliche Konflikt in der explosiven Region rund um Palästina bestand.

Karim hatte mir erzählt, dass seine Vorfahren aus Palästina stammten und bei der Errichtung des Staates Israel brutal vertrieben worden seien. Er selbst war Sunnit, hatte aber mit Schiiten keinerlei Probleme und machte gern Geschäfte mit ihnen.

Doch sehr viel tiefer drang ich in diese Problematik nicht vor. Vielmehr interessierte mich, ob Karim sich wieder melden würde oder ob er mich nach der Liebesnacht endgültig abgeschrieben hatte. Schlaflos wälzte ich mich hin und her. Sollte es das wirklich schon gewesen sein? Ich horchte in mich hinein. Hatte ich mich falsch verhalten? Hätte ich widerstehen sollen? War das alles nur ein Test gewesen? Würde ich demnächst bei Karstadt Blusen falten? Oder mit dem Mann meiner Träume in ein arabisches Land ziehen? Ich gab ihm eine Woche. Wenn ich bis dahin nichts mehr von ihm hörte, würde ich ihn zu den Akten legen und nie wieder einen Gedanken an ihn verschwenden.

Tagelang starrte ich das Telefon an und nahm es nachts mit ins Bett. Ruf an, ruf an, ruf an!

Nach vier qualvollen Tagen meldete er sich schließlich. Mein

Herz machte einen Purzelbaum vor Freude, als ich seinen singenden Bariton am Telefon hörte! Sofort war sie wieder da, diese zärtliche Vertrautheit.

»*Habibi*, wie geht es dir?« Wie sehr hatte ich mich nach dieser Frage gesehnt.

»Gut – es geht mir wunderbar!« Seit fünf Sekunden, hätte ich fast hinzugefügt, biss mir aber gerade noch rechtzeitig auf die Zunge. Dass ich vorher gelitten hatte wie ein Hund, wollte ich ihm nicht offenbaren. Dabei war zwischen uns offensichtlich alles noch beim Alten. Nur für mich sollte sich alles ändern, denn Karim war immer für Überraschungen gut.

»*Habibi,* halt dich fest und schnall dich an, ich habe alles in die Wege geleitet: Wenn du immer noch willst, werden wir am 29. November heiraten!«

Der Verstand ohrfeigte mich, aber der Körper jubelte. Ich würde wieder bei ihm sein! Wir würden wieder zusammen sein, diesmal für immer! Er würde mich wieder in den Armen halten, ich würde wieder in seine rehbraunen Augen sehen – jeden zweiten Tag und jede zweite Nacht! Und mit Suleika schlief er ja nicht. Mit der lebte er wie Bruder und Schwester zusammen. Der Kinder wegen. Damit konnte ich leben.

Andere Gedanken ließen meine Glücksgefühle gar nicht zu. »Nadia, bist du noch dran?«

»*Lululululululuhhh, lilililililihhh!*«, kreischte ich ins Telefon.

Karim lachte. »Fast wie eine richtige Muslima! Mein bester Freund und ein guter Bekannter werden die Trauzeugen sein. Ich schicke dir ein Zugticket und hol dich in Amsterdam am Bahnhof ab!«

Meiner Mutter und meiner Tochter Diana sagte ich nichts von meinen Heiratsplänen. Sie hätten das ohnehin nicht verstanden. Obwohl sie beide keine Vorurteile gegen Ausländer im Allgemeinen und Moslems im Besonderen hatten, wären sie von meiner plötzlichen Heirat in einer Moschee überfordert.

Ich wollte erst mal selbst in Ruhe in meinem neuen Leben ankommen und sie dann mit Karim überraschen.

Nur Jan wusste davon und musste mir hoch und heilig versprechen, Martin nichts davon zu sagen. Begeistert war er nicht. Aber nachdem ich ihm stundenlang von Karim vorgeschwärmt hatte, sagte er: »Du musst wissen, was du tust, Nadia. Es ist dein Leben.«

»Ja. Wünsch mir Glück!«

Jan brachte mich netterweise zum Bahnhof und drückte mir ein Geschenk in die Hand: ein Buch von Peter Scholl-Latour, das ich auf der Fahrt lesen sollte!

»Ich komme nach der Hochzeit sowieso erst mal wieder zurück«, beruhigte ich ihn. »Freu dich nicht zu früh. So schnell wirst du mich nicht los!«

Jan hob nur schweigend die Hand, als der Zug den Nürnberger Bahnhof verließ.

Seufzend sank ich in den Sitz. Ich war froh, dass ich ihn hatte.

Mein Blick huschte über die Mitreisenden im Abteil. In meiner Handtasche steckte ein Kopftuch. Wie sie wohl reagieren würden, wenn ich es hervorzog und ihnen meine Situation erklärte? »Hallo erst mal, ich heiße Nadia, und ich weiß nicht, ob ihr es schon wisst, aber ich fahre jetzt nach Amsterdam, um einen gläubigen Moslem zu heiraten. In einer Moschee. Ein Imam wird uns trauen. Und was habt ihr heute noch so vor?«

Grinsend schaute ich aus dem Fenster. Sie würden mich alle für bekloppt halten, genau wie Jan am Anfang.

Aber es ging sie ja auch nichts an. Es ging nur mich etwas an. Mich und Karim. Und meinetwegen Allah. Aber der wollte das ja so, wie Karim mir immer wieder versicherte. Es war Allahs Wille. Alles war Allahs Wille. Und für uns beide fühlte sich das richtig an.

10

»Nadia! *Habibi,* da bist du ja! Hattest du eine gute Fahrt?«

Karim stand strahlend und glücklich am Gleis. Wie gern wäre ich ihm um den Hals geflogen und hätte ihn in aller Öffentlichkeit abgeküsst, aber er wehrte verlegen ab: »Das schickt sich nicht, Nadia.«

»Auch nicht, wenn wir nachher verheiratet sind?«

»Das tun wir Moslems nicht. Aber dafür in unseren vier Wänden umso mehr!«

Er zwinkerte mir zu und drückte verstohlen meine Hand.

»Ich habe eine Überraschung für dich!«

Na, rote Rosen waren es jedenfalls nicht. Vielleicht lagen sie im Auto? Beschwingt tänzelte ich hinter ihm her.

»Ich habe für unsere Hochzeitsnacht das gleiche Hotel gebucht, in dem wir unsere erste Nacht verbracht haben!«

»Das *van der Valk* an der Autobahn?«

»Ja«, gluckste mein zukünftiger Gatte begeistert. »Freust du dich?!«

Hauptsache, du legst mir nicht wieder zweihundert Gulden neben die Handtasche, dachte ich, während ich mich neben ihn ins Auto setzte und mich anschnallte.

Mit einem Seitenblick auf ihn verkniff ich mir jedoch jede Bemerkung darüber. Das Autobahnhotel war jetzt nicht der romantischste Ort für eine Hochzeitsnacht. Aber er wollte mir eine Freude machen. Er wollte, dass ich mich heimisch fühlte, wo heute so viel Neues auf mich einstürzen würde. Er wollte, dass es mir gut ging.

Ich beobachtete ihn heimlich. Er wirkte unheimlich männlich, hatte das Fenster runtergelassen und den Arm lässig aufgestützt, als steuerte er ein Segelboot in den weiten Ozean hinaus. Elegant und präzise. Dieser Mann wusste, was er tat.

Wir kurvten durch ein erstaunlich warmes Amsterdam, und ich genoss den Blick auf die vielen kleinen und großen Grachten, auf denen Hausboote vertäut an den Ufern lagen und verträumt vor sich hin schaukelten. Hier würde ich also in Zukunft wohnen. Die Stadt war zum Verlieben schön. Massenhaft Fahrräder sausten über breite, rot geziegelte Radwege, und das muntere Klingeln war wie Musik in meinen Ohren.

Karim parkte vor einem kleinen schlichten Lokal mit der Aufschrift *Halal Grill*.

»Hier treffen wir uns mit meinen Freunden, Nadia. Möchtest du Tee?«

Wir setzten uns auf schmucklose graue Plastikstühle und warteten. Hier war es alles andere als behaglich.

Noch kannst du zurück, Nadia, flüsterte eine warnende Stimme. Das hier wird sonst dein Leben sein. Diese sehr reduzierte, arabische Gastronomie.

Merkwürdig. Wenn man bei einer arabischen Familie zu Gast war, bogen sich die Tische unter üppigen Speisen, und an den Wänden hingen kunstvolle Kalligrafien. Die öffentlichen Restaurants und Cafés hingegen waren durchweg ungemütlich. An der Wand lief ein kleiner Fernseher, und die Leute kamen wirklich nur zur Nahrungsaufnahme. Ich sah, wie eine Frau in der Ecke jedes Mal ihren Schleier ein wenig zur Seite schob, um sich fast verstohlen einen Bissen in den Mund zu schieben. Die Frauen saßen von den Männern getrennt.

Das alles kannte ich allerdings schon von meiner Türkeireise mit Conny und Siglinde, und durch Alis Freunde wusste ich bereits, dass es zu Hause viel gemütlicher war.

»Alles gut, Nadia?« Nervös rutschte Karim auf seinem Stuhl hin und her.

»Ja, wirklich. Alles bestens.« Ich lächelte verbindlich und nippte an meinem Tee.

Ein bisschen fühlte ich mich wie beim Zahnarzt im Wartezimmer.

»Oh. Da sind sie.« Karim sprang auf, und bevor seine beiden Freunde, ebenfalls bärtig und in schwarzen Lederjacken, überhaupt hereinkommen konnten, hatte er mich schon am Ärmel gezupft. »Wir müssen gleich gehen, die Moschee ist nicht weit!« Er warf ein paar Münzen auf den Tresen und eilte davon.

Ich trippelte artig hinter den drei Männern her, die sich überschwänglich begrüßt hatten. Wir liefen zu Fuß über zwei Grachtenbrücken, und nach einer Biegung war auch schon die kleine, schlichte Moschee zu sehen.

Daneben war ein Supermarkt und gegenüber eine Autowerkstatt.

»Pass auf, Nadia, du musst jetzt die Schuhe ausziehen. Hast du dein Kopftuch dabei?«

Jetzt wurde mir doch ein bisschen mulmig. Aber die Neugierde und das Verlangen, Karims Frau zu sein, überwogen. Es war Allahs Wille. Und meiner inzwischen auch.

»Du musst die Moschee mit dem rechten Fuß zuerst betreten!«

Auf Strümpfen und mit umgebundenem Kopftuch betrat ich etwas befangen das dunkle Gebäude. Nur wenig Licht drang durch die schmalen Fenster. Meine Augen mussten sich erst an die Umgebung gewöhnen. Jetzt bist du nicht mehr als Touristin hier, schoss es mir durch den Kopf. Gleich wirst du eine von ihnen. Es fühlte sich gut an.

Ein riesiger Kronleuchter hing in der Mitte des Gebetsraums, er spendete milchiges Licht. Der Boden war mit einem weichen, mit wunderschönen Ornamenten verzierten Teppich ausgelegt. Mein Blick glitt an den grau getünchten Wänden entlang: nur einige Kalligrafien mit Koransprüchen. Weiter hinten befand sich ein dunkelbraungrüner Vorhang, und darauf zeigte Karim nun.

»Zieh dich bitte in den Frauenbereich zurück, Nadia. Wenn alles bereit ist, hole ich dich ab.«

Wie? Ich sollte abgeschoben werden? Etwas irritiert sah ich meinen Liebsten an.

»Willst du mich loswerden?«, scherzte ich vorsichtig.

»Frauen und Männer beten in der Moschee getrennt. Bitte geh.«

Ich zog mich hinter den Vorhang zurück und merkte erst jetzt, wie sehr mein Herz raste.

In was für eine andere Welt ließ ich mich hier ziehen? Worauf lässt du dich da ein, Nadia?

Überwältigt von meinem eigenen Tun, sank ich auf den weichen Teppich. Einige wenige verschleierte Frauen saßen an der Wand und beteten, lasen leise aus dem Koran. Jetzt starrten sie mich an.

Wie gern hätte ich sie gefragt, was ich tun sollte! Wie alles vor sich ging und was es bedeutete! Aber sie hätten mich weder verstanden noch beraten, das war mir klar.

Ich musterte den Frauenbereich. Nichts, kein Prunk, keine Pracht wie in den arabischen Moscheen, die ich besichtigt hatte. Nichts als spartanische Andacht. Lange, sorgfältig zugeknöpfte Mäntel. Kopftücher. Schleier. Aber keine Brautschleier.

Leider würde ich auch nicht unter brausenden Orgelklängen im weißen Kleid zum Altar geführt werden. Keine Angehörigen würden ihre Taschentücher zücken, und niemand würde das Ave-Maria singen. Aber war das wichtig? War der ganze kirchliche Pomp nicht eine einzige Augenwischerei, die letztlich nur die persönliche Eitelkeit bediente? Einmal im Leben im Mittelpunkt stehen! Der schönste Tag im Leben einer Frau.

Darum ging es mir doch gar nicht! Ich wollte bloß mit Karim zusammen sein, auf legitimem Weg, weil es für ihn wichtig war.

Eine innere Ruhe überkam mich. Alles würde gut werden. Ich tat das Richtige. Ich liebte diesen Mann. Und er mich.

Der Vorhang bewegte sich. »Nadia, der Imam ist jetzt da, wir können beginnen, bist du bereit?« Feierlicher Bariton.

Hastig rappelte ich mich hoch. »Ja, ich bin bereit.« Jubel wallte in mir auf, und ich musste mich extrem beherrschen, ihm nicht um den Hals zu fallen. Stattdessen nickte ich nur stumm und sah ihn fragend an.

Die Regie in diesem Stück musste schon er übernehmen. Ich hatte nur eine stumme Statistenrolle, oder?

Nein, ich musste was sagen.

»Nadia, der Imam spricht dir das islamische Glaubensbekenntnis vor, und du sprichst ihm nach.«

»Okay.« Der Imam trug ein weißes bodenlanges Gewand und eine weiße bestickte Kappe zu seinem langen grauen Bart. Er hatte einen Koran in der Hand und schaute mich gütig an.

»La-ilaha-ill-allah …«

»La-ilaha-ill-allah.«

»Wa Muhammad Rasul Allah.«

»Wa Muhammad Rasul Allah.«

Was das heißt, musste ich nicht fragen, denn ich wusste, es bedeutet: *Es gibt keinen Gott außer Allah, und Muhammad ist sein Prophet.*

Der Imam war so weit zufrieden und nickte mir begütigend zu. Jedoch vermied er es, mir in die Augen zu sehen. Er guckte immer knapp an mir vorbei. Dabei hatte ich mir doch das Kopftuch züchtig in die Stirn gezogen! War ich tatsächlich als

Weib so eine Versuchung? Ich fühlte mich wie bei einem Draht-seilakt ohne Netz.

Der heilige Mann schlug seinen Koran auf und las etwas daraus, das ich nicht verstand. Wie im Traum folgte ich der Ze-remonie. Eine eigentümliche Ruhe breitete sich in mir aus. Un-ter seinen buschigen Augenbrauen sah der Imam Karim prü-fend an und nuschelte einige Sätze. Karim nickte würdevoll und bedeutete mir durch ernstes Kopfnicken und ein Handzei-chen, es ihm gleichzutun. Okay, ich nickte also auch. War ich jetzt verheiratet? Ich schenkte Karim ein Strahlen, aber er mied meinen Blick, und so schaute ich auch lieber auf den Teppich.

»Dann dürfen Sie jetzt der Braut die Brautgabe geben.« Das kam in gebrochenem Englisch. Wie nett, dass sie mich wieder einbezogen auf meiner eigenen Hochzeit.

Wie, kein Kuss? Von wegen, Sie dürfen die Braut jetzt küssen?

Nein, das war im Programm nicht vorgesehen. Etwas um-ständlich, aber mit heiligem Ernst, kramte Karim eine in sich verschlungene, mit winzig kleinen Perlen besetzte Kette aus seiner Hosentasche und legte sie mir in die Hand. Umhängen durfte er sie mir wahrscheinlich nicht. Zu meinem Entsetzen legte er schon wieder ein Bündel Geldscheine dazu. Hundert Gulden.

»Karim …?«

»Das ist meine Pflicht als muslimischer Ehemann und außer-dem Tradition.«

»Musst du deine Frau kaufen?« Kleiner Scherz zur Auflocke-rung.

Ich wollte ein kleines bisschen witzig sein, aber Karim fand das gar nicht lustig.

»Das ist nur pro forma. Andere Ehemänner zahlen ganz an-dere Summen. Der Brautvater handelt im Vorfeld den Brautpreis aus, und so glimpflich wie ich kommt man da nicht davon!«

Ich lächelte versöhnlich. »Ist ja in Ordnung.«

Der Imam hatte sich über unserer kleinen Debatte mitsamt den Trauzeugen in ein Hinterstübchen verzogen, und als er wiederkam, waren einige frisch abgestempelte Dokumente zum Unterschreiben vorbereitet. Das Einzige, was ich lesen konnte, war das Datum: 29.11.1995. Fragend sah ich Karim an. Der nickte ernst und zeigte mir, wo ich unterschreiben sollte. Wie ferngesteuert setzte ich meine Unterschrift dorthin, wo das Kreuzchen war. Meine Finger zitterten. Ich hatte keine Ahnung, welche Folgen das haben sollte. Ich war einfach nur grenzenlos verliebt und vertraute Karim blind.

Karim kontrollierte noch im Schein des Kronleuchters, ob unsere Namen richtig geschrieben und auch sonst alles korrekt war. Zufrieden unterschrieb auch er.

Damit war die Zeremonie beendet. Der Imam nickte uns nur noch mal knapp zu und verschwand, Gratulieren oder ein Händedruck waren nicht üblich. Keiner streute Reis oder warf Bonbons. Das hatte ich allerdings auch nicht erwartet.

Die Trauzeugen verschwanden genauso schnell, wie sie gekommen waren, und Karim und ich gingen zum Auto, als hätten wir gerade einen normalen Behördengang gemacht.

Bisschen schade war das schon! Leider schritten wir nicht mal händchenhaltend oder Arm in Arm, und neben ihm herhüpfen war auch nicht angesagt. Das wollte in meinen Kopf nicht rein. Es war alles so – schmucklos!

Im Auto sagte Karim zu mir: »Jetzt sind wir vor Allah verheiratet, und wenn wir hoffentlich bald in ein arabisches Land ziehen, werden wir noch nach dem Gesetz der Scharia heiraten.«

Ich hatte das Wort noch nie gehört.

»Was bedeutet Scharia, Karim?«

»Das, Nadia, ist die islamische Rechtsprechung.«

»Aha, so wie bei uns wohl das Amtsgericht.«

»Nicht ganz, *Habibi*.« Karim grinste übers ganze Gesicht und fuhr rechts ran.

Aus seinem Handschuhfach zog er einen Minikoran – ich genoss schon wieder verliebt den Anblick seiner wunderschönen Hände mit den halbmondartigen Fingernägeln –, und ich sah, es war derselbe, den er schon im Hotel in der Aktentasche bei sich gehabt hatte. »Sieh mal hier, Nadia.«

»Frag mal Allah, ob ich dich jetzt küssen darf. Du gehörst jetzt schließlich mir.«

»Bitte behalte den nötigen Ernst. Ich lese vor.«

Okay. Natürlich. Für ihn war das gerade ein heiliger Akt gewesen, für mich ein verrücktes Abenteuer.

Ich beugte mich lernwillig über die verspielten arabischen Schriftzeichen und ergötzte mich an der Stimme meines Mannes, als er feierlich rezitierte.

»Sure vier AL NISA, Vers vier: Und wenn ihr fürchtet, ihr würdet nicht gerecht gegen die Waisen handeln, dann heiratet Frauen, die euch genehm dünken, zwei, drei oder vier, und wenn ihr fürchtet, ihr könntet nicht billig handeln, dann heiratet nur eine oder was eure Rechte besitzt. Also könnt ihr das Unrecht eher vermeiden.«

Verdutzt lächelnd schaute ich ihn an.

»Heißt das, du könntest theoretisch vier Frauen heiraten?«

Karim lachte übermütig. »Theoretisch, Nadia, theoretisch ja! Aber ich bin so glücklich mit dir, dass ich den Rest meines Lebens damit verbringen werde, dich glücklich zu machen! Du reichst mir vollkommen, Nadia.«

Ich grinste in mich hinein. Welche Frau meines Alters erlebte denn so etwas Abgefahrenes?

Mein Überraschungsmann ließ den Motor wieder an und fuhr lächelnd weiter zu unserem Autobahnhotel. Dabei legte er zärtlich meine Hand auf sein Bein. Eine Geste, die ich noch oft mit ihm erleben sollte.

»Da muss ich mich schon genug anstrengen, wenn ich dich jeden zweiten Tag so glücklich machen soll, wie du es erwartest!«

»Wie, jeden zweiten Tag? Was erwarte ich denn?« Amüsiert sah ich ihn von der Seite an. Ich liebte sein Profil.

»Jeden zweiten Tag muss ich ein potenter Mann sein, Nadia.«

»Und den anderen zweiten Tag?«

»Da spare ich meine Kräfte, das kannst du mir glauben!«

Lachend und herumalbernd erreichten wir das Hotel.

»Und? Hast du deine Kräfte gespart?«, neckte ich ihn keck.

»Das werde ich dir gleich beweisen.«

Gesagt, getan.

11

»Nadia, *Habibi,* pack deinen Koffer, wir fliegen nach Dubai!«

Mein Überraschungsmann gurrte verliebt ins Telefon. »Wir haben ja noch gar keine richtigen Flitterwochen gehabt! Und außerdem müssen wir dort noch mal standesamtlich heiraten, damit alles seine Ordnung hat.«

»Oh, Liebster, ich fass es nicht! Dubai! Ist das nicht eine Stadt mitten in der Wüste?«

Es war Ende 1995, und von Pauschalreisen für jedermann war noch lange nicht die Rede. Die Vereinigten Arabischen Emirate waren noch nicht in aller Munde, und kein Fernsehsender zeigte die prunkvollen Hotels und Shoppingmeilen. Es war noch der sagenumwobene Orient.

»Ja, *Habibi,* ich war auch noch nicht dort, aber mein Bruder ist in ein benachbartes Emirat gezogen. Wir könnten uns also ein paar schöne Tage in Dubai machen und dann noch schnell nach Ajman rüberdüsen, das ist nur eine halbe Stunde durch die Wüste. Ich möchte dich Amir und seiner Frau Saida vorstellen. Sie sind so neugierig auf dich, ich habe in den höchsten Tönen von dir geschwärmt!«

Das klang so unglaublich paradiesisch, traumhaft und abenteuerlich, dass ich wieder in lautes Jubeln ausbrach.

»Oh, Karim, ich kann es kaum erwarten. Ich liebe dich so!«

»Wir verbringen den Jahreswechsel dort und beginnen das neue Jahr unterm Sternenhimmel am Arabischen Golf.«

»Was muss ich einpacken, Karim? Ist es dort heiß?«

Schallendes Lachen war die Antwort. »Ja, Nadia, dort ist es sehr heiß. So heiß wie unsere Nächte in dem Luxushotel, das ich für uns gebucht habe. Aber es gibt eine Klimaanlage!«

»Luxushotel? Klimaanlage? Ich dachte, da stehen so ein paar Lehmhütten im Wüstensand, und im schmalen Schatten eines Kaktus parken Kamele?«

Karim amüsierte sich köstlich.

»Wart's ab, Nadia, und lass dich überraschen! Bitte nimm leichte, aber langärmlige und hochgeschlossene Oberteile mit, lange, weite Hosen und ein Kopftuch.«

Natürlich würde ich nicht im Bikini mit ihm am Pool liegen. Aber das wollte ich auch gar nicht. Ich wollte nicht als Touristin dorthin fliegen, sondern als muslimische Ehefrau. Das war ungleich kostbarer!

Die KLM, unser moderner fliegender Teppich, brachte uns Ende Dezember in nur sechs Stunden von Amsterdam nach Dubai, doch bei der Landung krallte ich mich regelrecht geschockt in die Armlehnen.

»Da unten sind Wolkenkratzer, Karim! Riesige gläserne Hochhäuser, in denen sich die aufgehende Sonne spiegelt! Kneif mich mal!«

»Ich bin auch überrascht, *Habibi*. Ich hätte nicht gedacht, dass es hier so modern und riesig ist. Tja, das Öl!« Galant half mir Karim beim Aussteigen.

Im Taxi starrten wir beide verblüfft aus dem Fenster. Saubere sechsspurige Straßen, Grünstreifen mit meterhohen Dattelpalmen, gepflegt von indischen und pakistanischen Arbeitern, sogar das Gras war hier saftig grün!

»Ich hatte es mir auch weit dürrer und vertrockneter vorgestellt«, gab Karim zu.

»Und diese riesigen Plakatwände mit den Scheichs drauf … Wer sind die alle?« Ich musste trotz Sonnenbrille blinzeln.

»Das sind die Herrscher und deren Familien.« Karim nannte einige unaussprechliche Namen.

»Hier kann man bestimmt genial Geschäfte machen«, schwärmte Karim.

»Sieh nur, sie haben alle einen Raubvogel auf der Hand!«

»Der Falke ist ihr lebendiges Wappen.«

»Und schau nur die vielen Geschäfte! Dieser unglaubliche Luxus ist einfach der Wahnsinn.«

Das verspiegelte Hotel empfing uns mit angenehm kühlen Temperaturen. Draußen herrschte eine solch sengende Hitze, dass es uns den Atem verschlug. Ehrfürchtig betraten wir die Lobby. Dort erwarteten uns riesige Blumenarrangements in Lila, Orange, Gelb und Rot. Sie verströmten einen betörenden Duft, dazu überall Marmor und plätschernde Springbrunnen. Staunend drehte ich mich um die eigene Achse, während Karim das Einchecken übernahm. Mir wollten schier die Augen aus dem Kopf fallen, als ich die Scheichs in ihren weißen Gewändern und rot-weißen Tüchern sah. Ich hatte schon mal welche im Karneval gesehen, aber die hier waren echt! Wenige voll verschleierte Frauen saßen auch da. Ich starrte sie an und fragte mich, wer sie wohl waren und aus welcher Familiendynastie sie stammten.

»Nadia, *Habibi*. Können wir?«

Wir nahmen den Fahrstuhl und sausten geräuschlos in den achtunddreißigsten Stock. Ein indischer Liftboy führte uns zu unserem Zimmer. Kaum war er weg, fiel ich Karim quietschend um den Hals und küsste ihn dermaßen ab, dass er sich kaum erwehren konnte. Lachend befreite er sich aus meinen Armen, küsste mir die Hände und trug mich zum Bett.

Dort liebten wir uns ebenso innig und leidenschaftlich wie in unseren ersten beiden Nächten – nur dass es diesmal nicht in einem tristen Autobahnhotel war. Stattdessen umfing uns der unbeschreibliche Luxus von *Tausendundeiner Nacht*: Marmor im Bad – selbstverständlich mit Bidet, Dusche und Wanne. Flauschige Badetücher und duftende Seifen. Wir verwöhnten uns gegenseitig und konnten nicht genug voneinander bekommen.

»Du machst mich so glücklich, *Habibi,* ich kann dir gar nicht sagen, wie dankbar ich Allah bin, dass ich dich getroffen habe! Es war sein Wille!«

Na ja, du hast mich ja nicht zufällig getroffen, dachte ich selig lächelnd. Unsere Bekanntschaft ist von wohlmeinenden Freunden arrangiert worden. Und weißt du was? Guter Job!

»Wer hätte bei meiner Scheidung vor wenigen Wochen gedacht, dass ich heute glücklich in den Armen eines arabischen Prinzen liege – mit so einer Aussicht! Unten das Meer und in der Ferne Wüstensand, wohin das Auge reicht.«

Plötzlich packte mich ein schlechtes Gewissen. Seine Frau saß jetzt mit den Kindern im kalten Amsterdam. Bestimmt zankten sie sich, und wir genossen hier die Sinnesfreuden des Paradieses.

»Liebster, was sagt eigentlich Suleika dazu, dass du noch einmal geheiratet hast?«

»Ich habe es ihr noch nicht gesagt.« Karims Ton wurde sachlich. »Sie geht davon aus, dass ich auf Geschäftsreise bin.«

Instinktiv hüllte ich mich in ein Laken. »Du hast deiner Familie noch nichts von mir erzählt?«

»Nein. Es gab noch keine passende Gelegenheit.«

»Karim, ich finde das nicht in Ordnung.« Mein Mund war auf einmal ganz ausgetrocknet, und ich kam mir schäbig vor – irgendwie gemein. Suleika war völlig ahnungslos?

»Das ist weder ihr noch mir gegenüber fair. Du hast mich vor Allah geheiratet, jetzt steh auch dazu!«

»Meinetwegen, wenn du es möchtest, *Habibi.*« Karim griff zum Telefon und wählte eine Nummer. Bestellte er jetzt was beim Zimmerservice, oder …

Er sprach Arabisch. Ich hörte eine Frauenstimme am anderen

Ende. Sie klang aufgebracht und schrill, doch er kanzelte sie ab und legte auf.

»Du hast es ihr gesagt?!« Mit offenem Mund starrte ich ihn an.

»Wolltest du nicht genau das?«

»Aber doch nicht sofort! Doch nicht am Telefon!«

Ungerührt gab er zurück: »Nadia, ich habe ihr immer wieder gesagt: Wenn unsere Beziehung nicht besser wird, werde ich noch mal heiraten. Nie hat sie das ernst genommen. Jetzt hat sie Zeit, das zu verarbeiten. Und wenn ich wieder zurück bin, hat sich die erste Aufregung schon gelegt. Sie ist eine gute Muslima und wird meine Entscheidung akzeptieren.«

Damit verschwand er im Bad und ließ die Dusche rauschen.

Ich saß auf dem Bett und schlang die Arme um die Knie. Das war jetzt echt fies gewesen. Suleika tat mir leid. Das war wirklich nicht die feine Art! Am liebsten hätte ich sie angerufen und ihr alles erklärt. Aber wir sprachen nicht die gleiche Sprache. Und entschuldigen konnte ich mich jetzt auch nicht mehr. Was passiert war, war passiert.

»Du machst es dir aber einfach«, murmelte ich in Richtung Badezimmertür. »Selbst wenn sie den Koran rauf- und runterliest, das muss ihr doch wehtun!«

Karim sang laut unter der Dusche. Seine orientalischen Balladen, die von Liebe und Sehnsucht handelten. Während Suleika im fernen Amsterdam diese bittere Pille schlucken musste. Zu wem ging sie jetzt, um mit diesem Schmerz fertigzuwerden? War sie von klein auf so duldsam erzogen worden? Karim durfte, was er tat. Das stand so im Koran. Er hatte mir die Stelle gezeigt. Es war legitim.

Ja, du hast dein Gewissen erleichtert, dachte ich bei mir. Aber sie wird dich das noch spüren lassen, Karim, so wahr ich eine Frau bin!

Wie sehr ich damit ins Schwarze traf, konnte ich zu diesem Zeitpunkt zum Glück noch nicht wissen.

12

Dubai, Januar 1996

»Frohes Neues Jahr, *Habibi!* Ich wünsche dir Glück, Liebe, Gesundheit und Allahs Segen für 1996!«

»Frohes neues Jahr, Karim!« Verliebt schmiegte ich mich an meinen Mann. Wir saßen am Creek, dem natürlichen Meeresarm, der die Stadt in zwei Hälften teilt. Die Nacht war lau, eine leichte Brise streichelte unsere Gesichter, und die Sterne funkelten heller als jedes Feuerwerk.

»*Habibi,* je besser ich dich kenne, desto mehr liebe ich dich. Du machst mich sehr glücklich!«

Selig lehnte ich meinen Kopf an seine Schulter. »Karim, ich kann es auch kaum glauben, so ein unverhofftes Glück erleben zu dürfen.«

»Es ist der Wille Allahs, *Alhamdulillah.*«

»Ja. Bestimmt.«

Dass Karim immer Allah für alles verantwortlich machte, fand ich rührend. Dieser tiefe Glaube, dass alles von einer höheren Macht vorbestimmt war, führte zu Demut und Dankbarkeit. Er konnte sich unbändig freuen, empfand so vieles als Geschenk. Für ihn war nichts selbstverständlich – sei es eine leidenschaftliche Liebesnacht, ein gutes Essen oder auch nur eine unfallfreie Fahrt. Alles war ein Geschenk Allahs, wofür er sich betend bedankte! Wie schön. Eigentlich konnte man sich sehr geborgen fühlen, wenn Allah gut auf einen zu sprechen war.

Aber was, wenn nicht?

Fünfmal täglich betete Karim, wie es für einen gläubigen Moslem Pflicht ist. In aller Herrgottsfrühe und nachmittags warf er sich im Hotel zu Boden, mittags eilte er beflissen in die Moschee, ebenso bei Sonnenuntergang und am späten Abend. Währenddessen hatte ich ausreichend Zeit, mich im Bad zurechtzumachen ...

Unser ganzer Tagesablauf war seinen Gebetszeiten unterworfen. Bei so viel Eifer musste ihm Allah ja gewogen sein! Hoffentlich nahm er ihm die Sache mit Suleika nicht übel. Doch sobald ich Karim darauf ansprach, beruhigte er mich: Er hatte sie mehrmals vorgewarnt, und es stand ja im Koran. Vier Frauen waren erlaubt. Ob es auch erlaubt war, am Telefon mitzuteilen, dass man eine Zweite geheiratet hatte, stand nicht im Koran. Manchmal fragte ich mich, ob es angebracht wäre, den Koran mal ein bisschen zu modernisieren. So, wie ich Sure vier, Vers vier interpretierte, hatte Allah eher angeregt, dass man sich als reicher Mann um Waisen und die dazugehörigen Witwen kümmern soll, um sie vor dem Verhungern zu retten, nachdem ihre Männer Kriegen oder Krankheiten zum Opfer gefallen waren.

Aber Karim empfand allein schon den Gedanken an eine zeitgemäßere Interpretation als solche Gotteslästerung, dass ich mich lieber zurückhielt: Was da stand, galt. Punkt. Unumstößlich. Für immer. Mit Allah zu diskutieren und die Worte des Propheten einer Prüfung zu unterziehen war eine Todsünde.

Karim war felsenfest davon überzeugt, das Richtige zu tun. Für alle Beteiligten. So war Suleika schließlich nur von ihren lästigen Ehepflichten entbunden und musste sich nicht mehr schlecht fühlen, wenn sie keine Lust hatte. Eine schändliche Scheidung blieb ihr auch erspart. Karim, der Gute!

Und so erledigten wir fast beiläufig, was für die meisten Europäer ein sehr feierlicher Akt ist: Wir betraten ein Amtsgebäude und unterschrieben unsere Heiratsdokumente in arabischer Schrift. Nach wenigen Minuten waren wir auch standesamtlich verheiratet! Eigentlich wollte ich das ein bisschen feiern, aber Karim meinte, die eigentliche Hochzeit habe bereits in Amsterdam stattgefunden, und diese hier sei nichts als eine Formalität.

In den ersten Tagen des neuen Jahres bummelten wir verliebt durch die Souks und Geschäfte der pulsierenden Stadt. Wir besuchten den berühmten Goldbasar, der eine sehr lange alte Tradition hat. Die langen dunklen Gassen waren mit einem reich verzierten Holzdach versehen. Wie an einer Perlenkette reihten sich die Geschäfte endlos aneinander. Die Schaufenster glitzerten vor Gold. Meine Augen wurden immer größer. So einen Reichtum hatte ich noch nie gesehen.

»Wenn das hier Armut ist, was ist dann Keuschheit?«, witzelte ich und zupfte Karim übermütig am Ärmel. Karim verstand meinen Humor nicht. »Habibi, nicht in der Öffentlichkeit! Lass mich vorangehen, du folgst unauffällig.«

Ich genoss die pulsierende Atmosphäre und ließ mich im Strom der vergleichsweise kleinen verhüllten Menschen treiben. Sie starrten mich ihrerseits mit einer Mischung aus Verwunderung und Neugier an, und ich fühlte mich wie auf einem anderen Planeten. Karim lächelte verschmitzt und schob mich in einen der Läden.

»Was hast du vor?«

Karim freute sich über meinen verblüfften Gesichtsausdruck und winkte dem Händler, er möge mich beraten.

»Habibi, wir sind verheiratet, ich möchte dir einen Ring kaufen.«

Sofort breitete der dunkelhäutige Verkäufer ein weißes Tuch vor mir aus und legte zwei Dutzend Ringe darauf.

»Nun, Liebling, such dir einen nach deinem Geschmack aus.« Karim strahlte mich an.

»Die sind alle so – kitschig. Ich glaube, ich hätte lieber etwas Schlichteres.«

Karim erteilte dem Händler auf Arabisch entsprechende Anweisungen, der jetzt weniger Protziges hervorholte, das für meine Verhältnisse immer noch übertrieben war.

Ich hatte schon viele arabische und auch indische Frauen auf der Straße bestaunt, die auffallend dicke Goldringe an den hennagefärbten Händen trugen, und unter ihren schwarzen Abayas blitzten funkelnde Armbänder auf.

Es dauerte gefühlte Stunden, bis der Händler begriffen hatte, dass ich wirklich etwas sehr Schlichtes wollte, ohne Diamanten. Nur einen feinen schmalen Ehering. Der Verkäufer konnte kaum glauben, wie bescheiden ich war, und scherzte mit Karim, was für einen Ausbund an Tugend er da an Land gezogen hatte! Karim gluckste.

Endlich hatte ich das ersehnte Stück am Finger und hielt es Karim strahlend hin. »Danke – ich liebe ihn, ich werde ihn nie wieder abnehmen!«

Karim selbst trug keinen Ring, aber das war bei arabischen Männern nicht üblich.

Karim winkte einem Wassertaxi, und wir bestiegen das längliche Boot, um uns auf die andere Seite des Creek bringen zu lassen. Ich fand das alles einfach nur cool. Wow! Ich war jetzt eine richtige Muslima, keine ängstliche Touristin, die sich vom Taxifahrer übers Ohr hauen lässt! Von unzähligen kreischenden Möwen und unergründlichem Stimmengewirr begleitet, schaukelten wir ans andere Ufer und erreichten die Altstadt Dubais. Alle möglichen Menschen erwarteten uns hier zwischen heruntergekommenem Gemäuer: Inder, Pakistani, Afrikaner und natürlich auch Einheimische – allerdings ausschließlich Männer – boten hier ihre Waren feil. Unmengen von Stoffballen lagen in den Auslagen der Geschäfte, aber auch Gewürze, Gemüse, Reissäcke. Karim erklärte mir, dass hier um jeden

Dirham gefeilscht werde, das gehörte unbedingt dazu und schien allen Beteiligten großen Spaß zu machen. Auch Karim, der sich begeistert ins Gewühl stürzte und mitbrüllte. Köstlich!

Wenn ich mir dagegen vorstellte, wie es bei uns im Supermarkt zuging! Zu dezenter Musik legte man seine Waren in den Einkaufswagen, eine Kassiererin im hellblauen Kittel zog sie übers Band, knallte eine Plastiktüte dazu und nannte den Preis – fertig! Keiner verlor ein überflüssiges Wort. Nie hätte man geschrien: »Och, Frollein Müller, jetzt hab dich nicht so! Die Milch ist doch von gestern, jetzt zieh halt zwanzig Pfennig ab, sonst geh ich zu Edeka nebenan!« – »Spinnst du? Bei Edeka ist die Milch von vorgestern! Die Cousine der Kassiererin hat's mir erzählt!« –»Aber von glücklichen Kühen, das weißt du genau! Eure Kühe sind eingesperrt!« – »Na gut, aber nur zwölf Pfennige.« – »Nein, fünfzehn.« – »Na gut, dreizehn.« – »Vierzehneinhalb.« – »Abgemacht. Grüß deine Familie, und Gott segne dich.« Nö. Eigentlich komplett spaßfrei, so ein Einkauf in Deutschland.

Nach einigen Stunden Dahinschlenderns und Staunens klebten mir meine Klamotten am Leib, und die Füße waren geschwollen.

»Karim, ich brauche eine Pause ...«

»Natürlich, *Habibi,* wir können auch nach Hause fahren.«

Am Arm meines geliebten Beschützers ließ ich mich ins Hotel zurückgeleiten. Ich sehnte mich nach einer Dusche und einer Fußmassage und bekam beides. Und nicht nur das ...

Nachdem Karim zum Beten in der Moschee gewesen war, bestellten wir Reis mit Gemüse und Huhn aufs Zimmer und tranken danach gemütlich unseren Tee.

Wie immer auf dem Fußboden sitzend, den Rücken ans Bett gelehnt, aneinandergeschmiegt. Ein schöneres Leben als mit diesem Mann, der mir die Welt zu Füßen legte, war kaum vorstellbar.

Am vorletzten Tag mietete Karim ein klimatisiertes Auto, und wir glitten über die einsame Wüstenstraße ins benachbarte Emirat Ajman.

»Also dein Bruder Amir weiß von mir. Und seine Frau Saida auch.« Ich sah ihn prüfend von der Seite an.

»Natürlich, *Habibi,* er ist total gespannt auf dich!«

Ich war auch gespannt auf Karims großen Bruder. Da die Eltern nach wie vor im Irak ausharrten, war der ältere Bruder eine Art Vaterersatz für Karim.

Sein Wohlwollen war wichtig.

Gern hätte ich mich ein bisschen nett gemacht und meine blonden Locken in Form geknetet, aber das ging natürlich nicht. Mit Kopftuch, hochgeschlossener Kleidung und langen Hosen saß ich im Auto. Karim hatte mich sogar gebeten, mir den Nagellack zu entfernen und keinen Lippenstift aufzulegen.

»Eine gläubige Muslima kleidet sich anständig und bietet sich nicht fremden Männeraugen dar. Alles andere fällt negativ auf ihren Gatten zurück.«

»Natürlich, *Hayati.*« Auch so ein tolles Kosewort, das »Mein Leben, mein Alles« bedeutet.

Für Karim hätte ich mich auch in einen Kartoffelsack gehüllt oder in einen Teppich gewickelt, wenn er dann bei seinem großen Bruder gute Karten gehabt hätte.

Nach einer halben Stunde Fahrt tauchten die ersten Hochhäuser und Grünanlagen am Horizont auf. Sie flirrten in der Hitze wie eine Fata Morgana.

»Oh, schau, hier ist es längst nicht so luxuriös und durchgestylt wie in Dubai.«

»Dieses Emirat braucht wohl noch ein paar Jahre, bis es den Standard von Dubai erreicht hat.«

»Dafür ist es längst nicht so touristisch.«

»Die Uferpromenade ist jedenfalls noch durchaus naturbelassen.«

Wir staksten in glühender Hitze durch Plastikabfälle, Scherben und Geröll.

»Hier ist es.« Karim klingelte an einem zehnstöckigen Hochhaus, das aussah wie ein Plattenbau in Ostberlin. »Bitte streich noch die Haarsträhne unters Kopftuch, *Habibi*.«

Der Bruder stand schon abwartend in der Wohnungstür: ein untersetzter, kräftiger Mann, der übers ganze Gesicht lachte. Umrahmt war es von einem weißen Bart. So sieht Karim also in zehn Jahren aus, schoss es mir durch den Kopf. Liebenswert. Allah, gib, dass wir dann noch genauso glücklich sind wie heute.

Die Brüder fielen sich um den Hals und umarmten sich minutenlang, Jubelschreie ausstoßend, sich die Freudentränen wischend und Allah für ihr Wiedersehen dankend.

Endlich ließen die beiden voneinander ab, und der Bruder betrachtete mich wohlwollend. Auch seine braunen Augen glänzten wie Sterne. Mit einladender Geste winkte er uns in seine kleine Wohnung.

Ich wusste schon, dass es keinen Zweck hatte, ihm die Hand zu reichen oder ihm um den Hals zu fallen, selbst wenn er mein Schwager war. Deshalb senkte ich nur anmutig den Kopf und murmelte eine arabische Begrüßungsformel.

In dem winzigen Wohnzimmer stand nur ein Bett, das mit einem dunkelroten Überwurf bedeckt war, davor lag ein Gebetsteppich. Auf beides wagte ich nicht zu sinken, und so blieb ich bescheiden am Fenster stehen und betrachtete die ungepflegte Strandpromenade, auf der sich zur Mittagszeit kein Mensch tummelte. Nur ein magerer Hund humpelte nach Nahrung suchend darüber und verbrannte sich die Pfoten. Weit und breit kein Liegestuhl oder Sonnenschirm, auf dem sich eine halb nackte Frau aalte und sich von ihrem männlichen Begleiter, der womöglich noch eine Bierdose in der Hand hielt, mit Sonnenöl eincremen ließ. Auf einmal empfand ich dieses früher so selbstverständliche Bild wie die Menschen hier: Es kam mir einfach nur *haram* vor. Pfui Teufel, hervorquellende Brüste, feiste Schenkel, das schamlose Grapschen einer männlichen Hand, dazu Alkohol, in aller Öffentlichkeit! Natürlich verhüllten wir Frauen uns, weil wir kostbar waren wie eine seltene Blume, deren Blüte sich nur für den Auserwählten öffnet, den Allah für richtig befunden hat. Welche Plumpheit von europäischen Frauen, alles zu entblößen, sich quasi anzubieten! Ich staunte selbst, in was für einer vulgären Welt ich bisher zu Hause gewesen war.

Amir hatte Tee vorbereitet. Die beiden Männer saßen auf dem Bett und quatschten in einer Tour, natürlich auf Arabisch, mich beachteten sie nicht weiter.

»Wo ist eigentlich seine Frau?« Schüchtern zog ich Karim am Ärmel. Ich hatte mich schon so auf ein Frauenschwätzchen gefreut!

»Saida ist mit der Tochter Fatima noch in Kuwait. Amir holt sie nach, sobald er hier beruflich Fuß gefasst hat. Du wirst sie noch kennenlernen!«

Amir hatte gekocht, und endlich konnte ich mich nützlich machen, indem ich den Tisch deckte. Wir aßen zu dritt am kleinen Küchentisch, und schließlich schenkte Amir mir Beachtung, indem er keck auf Englisch sagte: »Nadia, Karims Frau hat den Schlüssel zu seinem Haus, aber du hast den Schlüssel zu seinem Herzen!«

Errötend senkte ich den Blick, so sehr freute ich mich, dass er mich akzeptierte. Karim sah mich vielsagend an. Das Eis war gebrochen! Obwohl man in diesen heißen Ländern wirklich nicht von Eis sprechen konnte. Nach dem Essen spülte ich das Geschirr, was Amir wiederum erfreut zur Kenntnis nahm. Ich hörte, wie die Brüder im Nebenzimmer über mich sprachen. Stolz schwang in Karims Stimme mit, während er vermutlich meine Vorzüge schilderte: selbstständig, patent, häuslich, dennoch weltoffen, mehrsprachig und sexuell aufgeschlossen. Ich kicherte. Keine Ahnung, was sie da redeten. Als wir uns kurz darauf verabschiedeten, sagte Amir auf Englisch zu mir, ich müsse unbedingt bald seine Familie kennenlernen.

Mir zog sich das Herz vor Freude zusammen. »Ja, gerne, klar, jederzeit!«

»*Inshallah* – wenn Gott will!«

Innig umarmten sich die Brüder noch mal und klopften sich, fromme Wünsche murmelnd, auf die Schulter. Dann gingen wir zum Aufzug.

»Du hast sein Herz gewonnen, *Habibi!*« Von Karim fiel eine zentnerschwere Last ab.

Mein Herz schwoll unter der langärmligen Bluse. Ich fühlte mich rein und stolz. Ich war eine richtige Muslima geworden. Eine vorzeigbare. Das war doch was!

13

Fürth/Amsterdam, Februar 1996

Zurück im grauen Fürth war mir, als wäre ich aus einem Traum erwacht und in das schmucklose Dasein einer deutschen Kleinstädterin gestürzt worden.

Lustlos lief ich in meinen Wintermantel und dicke Schals gehüllt durch die Straßen. Die Kaufhäuser kamen mir fantasielos vor, die Menschen abgestumpft. Sie sagten zwar »Grüß Gott«, aber es war nichts als eine leere Formel.

Wie mussten sich nur die ganzen Einwanderer fühlen, speziell die Frauen, die hier mit ihren langen Mänteln und Kopftüchern versuchten, ihre Tradition aufrecht zu halten? Die hier belächelt oder sogar bemitleidet wurden, während sie auf grell gefärbte Haare, billige Schminke, hautenge Jeans und bauchfreie Jäckchen schauen mussten?

Täglich fieberte ich dem Anruf meines geliebten Ehemannes entgegen, der gegen sechs Uhr abends fast verlässlich eintraf. Er war wieder in Amsterdam und arbeitete an unserer gemeinsamen Zukunft.

»*Habibi*, Liebling, wie geht es dir? Ich vermisse dich! Ich brauche dich!«, kam es zärtlich aus dem Hörer, und jeden Tag sehnte ich mich mehr danach, mit ihm zu leben. Was tat ich eigentlich noch hier? Umso glücklicher war ich, als es hieß: »*Habibi*, bitte, du musst unbedingt nach Amsterdam kommen, es ist Ramadan!«

»Okay?«

Natürlich wusste ich, dass gläubige Muslime an Ramadan fasten. Aber nach den üppigen Speisen im Orient konnte ich gut und gern ein paar Pfunde abnehmen. Am meisten freute ich mich jedoch darüber, dass Karim die heilige Zeit mit mir verbringen wollte. Wir lebten ohnehin von Luft und Liebe.

»Du bist meine Frau, es ist meine Pflicht!«

»Das höre ich gern. Und wo werden wir wohnen? Im Autobahnhotel?«

Karim lachte sein glucksendes Lachen, wie immer wenn er bereits alles in die Wege geleitet hatte.

»Ein Freund von mir verbringt den Ramadan bei seiner Familie in Marokko. Wir können seine Wohnung haben!«

Oh, wie cool! Ich würde einen ganzen Monat lang mit meinem Karim in einem kuscheligen Liebesnest weilen!

Dann wünschte er mir noch mit bewegter Stimme *Ramadan kareem,* was so viel hieß wie: »Möge der Ramadan gut verlaufen«.

Jan schüttelte nur den Kopf, als ich ihm abends erklärte, ich würde zum Ramadan nach Amsterdam fahren und vier Wochen bleiben.

»Nadia, du weißt, dass die nachts aufstehen und sich die Bäuche vollhauen wie die Bekloppten?«

»Quatsch, Jan. Die fasten und reinigen sich, das ist ein ganz wichtiger Bestandteil ihrer Religion – eine von fünf Säulen des Islam.«

»Du wirst also irgendwann auch nach Mekka pilgern?« Jan zog die Brauen hoch.

»Klar«, sagte ich lässig. »Warum nicht?«

Jan schüttelte nur grinsend den Kopf.

»Der Islam ist eine sehr weise Religion. All diese Regeln sind äußerst sinnvoll. Ich möchte mich wirklich darauf einlassen. Ich fühle mich bereichert, Jan.«

»Nadia, du musst es ja wissen. Soviel ich weiß, dürfen die aber während des Ramadan auch keinen Sex haben!«

Ich schlug mit dem Küchenhandtuch nach ihm. »Das werden wir ja sehen!«

»*Salam aleikum, Habibi, Ramadan kareem!*«

Karim stand am Amsterdamer Hauptbahnhof und reichte mir förmlich die Hand. Der Atem bildete kleine Wölkchen vor seinem Bart, an dem winzige Eiskristalle klebten. Wie gern wäre ich ihm um den Hals gefallen, aber ich zeigte mich als würdige Ehefrau.

»*Wa aleikum as-salam, Hayati. Ramadan kareem*«, antwortete ich, stolz auf die von mir gelernten Redewendungen.

In Karims Augen funkelte pure Liebe. Die Sprenkel tanzten.

»Wohin fahren wir?«

Der Himmel über Amsterdam war zartblau wie Porzellan, die Grachten waren mit einer dicken Eisschicht überzogen. Kinder liefen darauf Schlittschuh und zogen mit Elan ihre Bahnen. Auch das hat etwas Märchenhaftes, dachte ich verzückt. Mit Karim erlebe ich immer traumhafte Märchen.

»Erst geht's in den Supermarkt, *Habibi*. Wir müssen uns mit Lebensmitteln eindecken.«

»Okay.« Also doch nicht fasten? Erleichterung durchflutete mich.

»Ich werde dir alles erklären. Vertrau mir!«

Das tat ich gern. Wir beluden zwei Einkaufswagen mit allen Köstlichkeiten des Orients, und ich nahm es gern hin, dass Karim anstandslos zahlte. Als die Einkäufe erledigt waren, steuerte Karim unser Liebesnest an.

Das kleine Reihenhaus lag am Stadtrand von Amsterdam. Gepflegte Vorgärten rechts und links, gepflegte Spießigkeit. Und ich wurde hier versteckt wie eine heimliche Sünde? Plötzlich meldeten sich meine Schuldgefühle zurück.

»Was sagt eigentlich deine Frau zu meinem Besuch, oder weiß sie gar nicht, dass ich in Amsterdam bin?«

Achselzucken. Schweigen.

»Können wir nicht darüber reden?«

Karims Antwort klang ungeduldig, als spräche er mit einem Kind: »Glaubst du wirklich, das würde helfen?« Er zog seinen Handschuh mit dem Mund aus, um den Schlüssel ins Schloss zu stecken. »*Habibi*, bitte hack nicht dauernd auf diesem Thema rum. Es ist Ramadan, und das ist ausschließlich mein Problem. Jetzt geht es hier nur um dich und mich, okay?«

Ich wollte keine Spielverderberin sein und auch mir die schöne Zeit nicht verderben. Was ging mich seine Frau an? Wie viele hatten Affären mit verheirateten Männern! Ich war wenigstens rechtmäßig verheiratet.

»Entschuldige, Liebster, ich werde das Thema nicht mehr ansprechen.«

»Das ist gut, *Habibi*. Komm rein, ich hab heute Morgen schon eingeheizt.«

Wir legten unsere Wintermäntel ab und betraten das Wohnzimmer. Es war karg eingerichtet, mit einem schmalen Sofa an der Wand, einem Überwurf und drei Kissen sowie einem Teppich. Ich hielt meine Hände an die Heizung und versuchte, mich aufzuwärmen.

Hier also sollte ich die nächsten vier Wochen verbringen. Aber jetzt hatte ich erst mal Hunger! Wir verstauten die Einkäufe, und ich setzte Wasser auf, um Tee zu machen.

»*Habibi*, nicht jetzt.«

»Aber …«

»In einer halben Stunde ist die Sonne untergegangen. Dann essen wir.«

»Und was ist mit Tee?«

»Nach Sonnenuntergang.«

»Aber zubereiten darf ich ihn schon?«

»Aber nicht kosten. Kannst du abwarten? Es ist Allahs Wille.«

Na bitte. Das hörte sich doch alles gar nicht so schlimm an. Die blöde halbe Stunde konnte ich meinen Hunger und Durst locker noch unterdrücken. Wir standen Arm in Arm am Fenster und starrten in die Dunkelheit.

»Ich liebe dich, Karim.«

»Das besprechen wir auch nach Sonnenuntergang.«

Ich lächelte. Ramadan also. Ich war bereit zu lernen. Während des gemütlichen Abendessens saßen wir wieder auf dem Fußboden und plauderten. Wie sehr sehnte ich mich nach seinen zärtlichen Berührungen! Ging das jetzt, oder war das *haram*?

»*Habibi,* wir müssen uns die Zeit genau einteilen. Morgen früh, vor Sonnenaufgang, sogar noch vor unserem Morgengebet müssen wir frühstücken. Dann essen und trinken wir den ganzen Tag nichts.«

»Auch kein Wasser, keinen Tee?«

Karim schüttelte lächelnd den Kopf. »Es ist Februar, der perfekte Ramadan für Anfänger, Nadia. Die Sonne geht spät auf und früh unter. So kommst du gut über die Runden.«

Ich nickte zuversichtlich. »Und wenn der Ramadan auf den Sommer fällt?«

»Dann ist das eine richtige Herausforderung – vor allem in Nordeuropa«, erklärte Karim. »Die Moslems in Schweden, Norwegen und Finnland trifft es am härtesten. Aber jetzt ist es wirklich ein Kinderspiel.«

»Und wann dürfen wir … ähm …«

»Uns lieben?« Karim lächelte sein zärtliches Lächeln, das nur für mich reserviert war. »Nach Sonnenuntergang und vor Sonnenaufgang. Wir haben also jede Menge Zeit, *Habibi!*«

Ich fühlte mich wie eine eifrige Schülerin, die vor den Augen ihres Lieblingslehrers bestehen will.

»In Ordnung.« Etwas nervös ob der neuen Spielregeln, räumte ich die Küche auf und machte Tee. Andererseits: Karim war bei mir. Und das war alles, was ich wollte. Kaum hatte ich die Arbeit in der Küche erledigt, steckte Karim seinen Kopf zur Tür herein:

»*Habibi*, bitte mach mir die Freude und lerne, einige Suren aus dem Koran zu zitieren.«

»Okay?« Ich trocknete mir die Hände am Küchenhandtuch ab und schritt in freudiger Erwartung ins Wohnzimmer.

Karim drückte mir meinen ersten eigenen Koran in die Hand. Es war ein in Leder gebundenes Buch mit goldenen Schriftzeichen.

»Oh! Er ist zweisprachig – Arabisch und Deutsch!«

»Für dich, *Habibi!*«

Ich kuschelte mich in Karims Arme, während er begann, mir die ersten Verse vorzusprechen. Er erklärte mir, dass es auf die Betonung ankomme. Wie ein Kind, das eine Geheimsprache lernt, gab ich mich der Sache hin. Vieles davon ging mir direkt ins Herz.

Der Islam war wirklich eine friedliche, Menschen liebende Religion, voller Respekt vor anderen Lebewesen, voller Mitgefühl und Fürsorge. Vor allem die Rolle der Mutter wurde großgeschrieben, auch die Rolle der Frau im Allgemeinen. Wie hatte ich bisher nur alles so missverstehen beziehungsweise missachten können? Ich war etwas ganz Kostbares, zu Ehrendes und Schützendes – und was war daran bitte verwerflich?

Mich hatte noch nie im Leben jemand beschützt. Außer natürlich meine Mutter und mein großer Bruder, als Kind. Aber mein Bedürfnis, beschützt zu werden, war noch lange nicht erloschen!

»*Habibi*, ich bin so stolz auf dich. Das machst du ganz großartig. Ich erkläre dir nun, wie ich mir meine Zeit einteilen werde. Ab jetzt werde ich jeden zweiten Tag bei dir sein und den Rest des heiligen Ramadans bei meiner Familie verbringen.«

Ich schluckte, nickte aber einsichtig. Natürlich. Nichts anderes stand im Koran. Gerechtigkeit war ganz wichtig. Karim war ein Guter.

»Es ist gut, wenn du bei deinen Kindern bist, Karim. Sie brauchen dich.«

Und Suleika brauchte ihn natürlich auch – rein organisatorisch. Als Hausherrn und Vater ihrer Kinder. Als oberste Autorität. Völlig logisch. Während ich ihm die erfrischende und erquickende Oase in der Wüste sein würde. Eine ziemlich angenehme Aufgabenverteilung, wie ich fand.

Mehr und mehr lernte ich über den Islam und seine Glaubensregeln. Natürlich musste es Regeln geben. Was wäre die Welt ohne Regeln?

Karim erklärte mir, wie ich mich bei Tisch zu verhalten hätte.

»*Habibi,* du isst immer mit Messer und Gabel, du benutzt zum Essen beide Hände. Das ist *haram,* das tut eine gläubige Muslima nicht.«

»Nein? Ich dachte immer … Meine Eltern haben mir aber …« Schuldbewusst hielt ich inne.

»Mit der Rechten isst ein gläubiger Moslem. Mit der Linken reinigt er sich nach der Toilette.«

Sprachlos starrte ich ihn an. »Aber wir waschen uns doch zwischendurch die Hände!«

»In vielen muslimischen Ländern ist das oft nicht möglich. Wir haben klare Regeln. Im Koran steht …«

Es gab darin eine Regel über das Hinternabputzen?!

»Im Übrigen ist das viel hygienischer als in den westlichen Ländern, wo man mit Toilettenpapier einfach nur alles verteilt, während man in orientalischen Ländern immer einen Wasserschlauch oder zumindest eine Plastikkanne mit Wasser zur Verfügung hat.«

Da musste ich ihm auf jeden Fall recht geben. In den wenigsten deutschen Haushalten gab es ein Bidet – das hatte ich erstmals in Frankreich gesehen, für eine weitere Toilette gehalten und hineingepinkelt.

»Die linke Hand ist also unrein. Lektion gelernt?«

»Lektion gelernt.« Ich nickte artig. »Ich will mir wirklich Mühe geben, keine Fehler zu machen. Besonders wenn ich eines Tages mit dir in der Öffentlichkeit sein werde.«

»Das ist gut, *Habibi*. Du weißt, ich liebe dich. Und alles ist nur zu deinem Besten. Allah sei mit dir.«

Nach einer sehr kurzen, leidenschaftlichen Nacht stand ich um vier Uhr auf und begab mich an die Bratpfanne, um Karim ein anständiges Omelett zuzubereiten. Ich selbst konnte beim besten Willen noch nichts essen, zwang mich aber, einen Joghurt zu löffeln. Der Tag würde ja lang werden bis sechs, halb sieben. Dann verrichteten wir unser Morgengebet. Das heißt, Karim rollte unsere hübschen neu erworbenen Gebetsteppiche aus. Ich hüllte mich dabei in eine Baumwollkutte mit biederen Omablümchen, die er mir bei der Gelegenheit mitgebracht hatte. Diese Utensilien gehörten unabdingbar zu jedem Gebet einer gläubigen Muslima. Verschlafen und irgendwie verschwunden unter diesem nicht gerade vorteilhaften Überwurf, stellte ich mich barfuß auf die Blumenornamente meines kleinen Teppichs. Schräg hinter Karim platziert, konnte ich meinen »Imam« besser beobachten und versuchte, seiner Choreografie beflissen zu folgen. Dabei hatte ich nicht die leiseste Ahnung, was er da eigentlich vor sich hin murmelte. Aber es gefiel Allah, das war die Hauptsache. Ich in meinem kindlichen Eifer hatte noch so was wie Welpenschutz.

Dann legten wir uns wieder hin. Leider war jetzt nichts mehr angesagt, was Spaß gemacht hätte. Nur Löffelchenliegen. Das ging. Ich versuchte, wieder einzuschlafen, aber bald darauf stand Karim auf, um zu seiner Familie zu fahren und dort weiterzufasten.

»Bleib einfach liegen, *Habibi*.«

»Okay. Bis übermorgen.«

Nachdem die Tür ins Schloss gefallen war, lauschte ich in mich hinein. Da lag ich nun in einem fremden Haus in einem fremden Schlafzimmer und hatte Zeit, mein neues Leben zu überdenken. War das alles richtig? War ich einfach nur abhängig von den Zärtlichkeiten und süßen Worten eines Mannes? Oder fand ich mein neues Leben mit einem neuen Glauben wirklich sinnvoller?

Ach was, dachte ich halb verärgert, halb amüsiert. Welche Ehefrau ändert sich nach der Hochzeit nicht? Jede passt sich bestimmten Gepflogenheiten ihres Mannes und dessen Familie an. Bei Harald hab ich angefangen, Tennis zu spielen, nur weil er spielte. Und aufgehört, in Discos zu gehen, weil er lieber zu Hause vor dem Fernseher saß. Und weil seine Mutter Bridge spielte, hab ich mir auch dieses knifflige Spiel angeeignet. Ich bin lernwillig, das ist alles. Das hat doch nichts mit einer Persönlichkeitsänderung zu tun. Ich nehme an, was ich für sinnvoll halte, und das andere tue ich aus Höflichkeit und Respekt. Deswegen bin und bleibe ich doch immer noch ich selbst!

Die Tage ohne Karim waren lang. Er hatte mich gebeten, ein paar Suren aus dem Koran auswendig zu lernen. Wieder kam ich mir vor wie ein braves Schulmädchen, das seine Hausaufgaben erledigt, um später vom Lehrer gelobt zu werden. Beim Murmeln und Rezitieren schwirrte mir der Kopf. Ich sah Jan vor mir, verschwitzt vom Hockey kommend: Nadia, du verrücktes Huhn, was machst du da eigentlich? Bist du bekloppt? Steh auf und mach dich nicht lächerlich! Dafür bist du nicht gemacht!

Aber Karim hatte mir eindringlich erklärt, das sei eine Zeit innerer Einkehr, und ich solle sie nutzen, um eine gute Muslima zu werden. »Tu es nicht für mich, Nadia. Tu es für deinen Glauben. Für Allah.«

Meine Stimme war jetzt belegt, so gerührt war ich. »*La ilaha illallah. Mohammadur Rasulullah ...*«

Wenn mir die Rachenlaute buchstäblich zum Hals raushingen, unternahm ich lange Spaziergänge durch die holländische Vorstadtidylle. Unser Liebesnest lag weit vom Amsterdamer Stadtkern entfernt, und so wanderte ich dick eingepackt an raureifüberzogenen Wiesen entlang. In der eiskalten Winterluft versuchte ich, durchzuatmen und meine Gedanken zu ordnen.

Wenn Karim nicht da war, fühlte ich mich ausrangiert wie ein Altkleidersack. Dann nagten Zweifel an mir. Andererseits schien es die ideale Lösung zu sein: Karim bekam seine Vitalität zurück und ich auch. Karim hielt seine Ehe aufrecht, behielt das Haus, die Kinder und seinen guten Ruf. Und ich? Handelte schließlich aus freien Stücken. Konnte das Intermezzo jederzeit beenden. War ein freier Mensch.

War ich wieder im stillen Haus, machte ich es mir vor dem Fernseher gemütlich. Es roch nach Karim, seine Wärme war deutlich in der Wohnung zu spüren. Jetzt war er bei der anderen. Bei seiner Familie. Redete und lachte er dort genauso wie mit mir? Sang er seine Liebeslieder jetzt dem Töchterchen vor? Ich wollte nicht darüber nachdenken. Kurz entschlossen machte ich mir heimlich einen Tee mit Honig und gönnte mir sogar ein halbes Glas Fruchtsaft. Der Magen knurrte doch gar zu heftig, und zwischendurch war mein Kreislauf so abgesackt, dass ich auf die Stimme der Vernunft hörte: Das kann doch nicht gesund sein, Nadia! Du darfst deinen Blutzuckerspiegel nicht so absinken lassen. Morgen kommt Karim zurück und will keine scheintote blasse Frau, die aus dem Hals stinkt wie ein kranker Biber.

Und so begrüßte ich meinen Karim mit einem zärtlichen Kuss und frisch geputzten Zähnen (nirgendwo im Koran stand, dass man sich während des Ramadan nicht die Zähne putzen darf), wenn er nach seinen familiären Verpflichtungen wieder bei mir auf der Matte stand.

»Ach, *Habibi,* wie sehr habe ich mich nach deiner liebevollen Umarmung gesehnt!«, seufzte Karim in meine Halsbeuge. »Zu Hause erfahre ich nur harsche Worte und Vorwürfe!« Er hatte köstlich duftendes, noch warmes Fladenbrot dabei, und da die Sonne bereits untergegangen und das Gebet verrichtet war, konnten wir uns gleich gierig darüber hermachen. Ich servierte dazu Avocado-Brotaufstrich und Hummus, getrocknete Tomaten, Oliven und Salat. Im Nu verwandelte ich seine Einkäufe in appetitliche Köstlichkeiten. Hier in der Vorstadtsiedlung gab es keine Geschäfte, ich war also in jeder Hinsicht auf ihn angewiesen. Genau wie Suleika …

Schnell schob ich diesen Gedanken beiseite, als wir uns gegenseitig köstliche Früchte in den Mund schoben. Das war auch so eine wunderbare Geste von Karim: Bei jeder Mahlzeit fütterte er mich mit »perfekten Bissen«. Ein Zeichen dafür, dass er immer für mich sorgen würde, dass ich nie Hunger leiden müsste.

Dass ich mir zwischendurch ein paar Cracker in den Mund geschoben hatte, ging nur Allah und mich etwas an, und der hatte noch keine Felsspalte aufgetan, um mich zur Strafe hineinzustürzen. Karim hatte mir erklärt, wie viele Ausnahmen es beim Fasten gebe: Schwangere Frauen müssten nicht fasten, stillende auch nicht und Frauen mit Menstruation erst recht nicht. Alte, Schwache, Kranke, Reisende … Na gut, nichts davon traf im Moment auf mich zu, aber für Anfängerinnen gab es bestimmt Ausnahmen. Das ging schon in Ordnung. Das war doch bei uns im Christentum nicht anders: Selig sind, die guten Willens sind! Nichts anderes zählte.

Als könnte er Gedanken lesen, sagte mein Liebster doch prompt:

»*Habibi,* ich weiß, alles ist neu für dich und schwer zu verstehen. Gerade im Ramadan ist so viel zu beachten! Wenn du das alles noch nicht korrekt machst, weil du es nicht kennst und kannst, ist das nicht so schlimm. Allah ist barmherzig und verzeihend.«

Na also! Bibel und Koran waren sich gar nicht unähnlich. Ich lächelte Karim dankbar an, sagte aber nichts.

Nach dem Essen lag ich in Karims Armen und ließ mir aus dem Koran vorlesen. Eine tiefe Ruhe überkam mich. Ich fühlte mich geborgen wie in Abrahams Schoß: Für nichts sorgen müssen. Nirgendwohin hetzen und Geld verdienen müssen. Vertrauen dürfen.

In diesen Momenten zerstreuten sich alle Zweifel, die an den einsamen Tagen an mir genagt hatten: Ja, hier gehörte ich hin, das war mein Leben, an Karims Seite.

Jeden Tag galt es, bestimmte Abschnitte einer Sure zu lesen. Hilfestellung gab es in Form von kalligrafischen Schriftzeichen, damit der Gläubige nicht zu viel und nicht zu wenig las. In dreißig Tagen, wenn der Ramadan zu Ende war, hatte der gläubige Muslim alle hundertvierzehn Suren gelesen und verinnerlicht.

Wie schön! Die festen Strukturen hatten eine ordnende Wirkung auf mich. Ich kam mir vor wie ein stiller See, und Karim war das Boot, das darüberglitt. Die Wellen, die er erzeugte, waren herrlich belebend! Alles ergab auf einmal einen Sinn, ich war eingebunden in ein funktionierendes Uhrwerk, spürte eine höhere Macht. Und das verdankte ich Karim, den ich aus tiefstem Herzen liebte.

14

Amsterdam, Ende März 1996

»*Habibi,* wenn die Mondbeobachter heute Nacht auch nur die kleinste Spur der neuen Mondsichel entdecken, verkündet die Stimme aus Mekka das Ende des Ramadan!«, berichtete Karim aufgeregt.

Am nächsten Morgen war es dann so weit: »*Eid Mubarak, Habibi!*«, rief mein Mann ergriffen in den Hörer.

Das ist ein genauso feierlicher Gruß wie bei uns »Frohe Weihnachten«. Und wie unser Weihnachten ist das Fastenbrechen ein großes Familienfest: Die Kinder bekommen Geschenke, Verwandte besuchen sich, und man schickt schöne Postkarten rund um den Globus. Es wird gekocht, gebraten und gebacken ohne Ende, sodass der Gläubige am Ende mehr Kilos auf den Rippen hat als zuvor.

Karim war am ersten Tag des *Eid*-Festes bei seiner Familie gewesen – vormittags in der Moschee und nachmittags bei Verwandten zum ausgiebigen Festessen –, aber am zweiten Tag kam er glückstrahlend zu mir.

»*Habibi,* morgen gehst du in die Stadt und kaufst dir was Schönes.« Mit feierlicher Geste legte er ein paar Hundert Gulden auf den Tisch, und diesmal war ich weit davon entfernt, das unpassend oder beleidigend zu finden.

Vier Wochen war ich nun in dieser Peripherie Amsterdams gewesen, und nichts konnte mich mehr erfreuen als ein Einkaufsbummel mit Karims Geld.

»Aber vorher rufen wir meine Eltern in Bagdad an.«

Angespannt stand ich neben ihm, als er sein frisch erworbenes Handy malträtierte. »Mist. Immer besetzt. Alle Welt will natürlich heute am Eid-Fest mit der Familie telefonieren.«

Wir probierten es immer wieder, und nach Stunden hatte er schließlich seinen Vater am Telefon.

Wussten seine Eltern von mir? Keiner aus seiner Familie hatte den folgenschweren Schritt, sich eine zweite Frau zu nehmen, bisher gewagt. Immer hatte Karim gesagt, die Zeit müsse reif sein für eine solche Erklärung – war sie es jetzt? Ich lauschte seiner geliebten Stimme, ohne eine Silbe zu verstehen. Aber seinen schwärmerischen Tonfall verstand ich sehr wohl. Plötzlich reichte Karim mir den Hörer. »Mein Vater wünscht dich zu sprechen.«

Uff. Das Herz schlug mir bis zum Hals. Brav wünschte ich erst mal »*Eid Mubarak*«. Der Vater sprach glücklicherweise Englisch, denn mein Arabisch beschränkte sich nach wie vor auf nur wenige Worte.

»Ich bin froh, dass mein Sohn jetzt glücklich ist«, kam es gütig aus dem Lautsprecher.

»Ja, ich auch«, entrang ich mir erleichtert. »Vielen Dank für Ihr Verständnis, Herr Schwiegervater.«

Die Mutter wusste es noch nicht, sie sprach aber auch kein Englisch, insofern gab ich Karim das Handy schnellstens zurück, der nun seinen Freudentränen freien Lauf ließ und seine Mutter aufs zärtlichste besang.

Im Koran steht, dass man die Mutter siebenmal mehr ehren soll als den Vater! Siebenmal! Welch eine Hochachtung und Wertschätzung!

Oh, wie schön war das doch! Hierzulande beschränkte man sich am Telefon doch mehr oder weniger auf trockene Pflichtdialoge: »Und? Wie ist das Wetter? Habt ihr schön gefeiert? Seid ihr gut ins neue Jahr gekommen? Was gab's zu essen?«

Die Araber dagegen ließen ihren Gefühlen freien Lauf, jubelten, lachten, weinten und machten aus ihrer Liebe keinen Hehl. Deshalb dauerte das Telefonat noch eine ganze Weile – zumal die ganze Verwandtschaft Schlange zu stehen schien. Der Hörer wurde bestimmt noch ein Dutzend Mal weitergereicht, nämlich an Karims Brüder, Cousins und Neffen, die alle mit dem nach Amsterdam Ausgewanderten sprechen wollten.

Karim lebte zunehmend auf, die Worte sprudelten nur so aus ihm hervor. Ich sah seinem Mund beim Sprechen zu und war einfach nur glücklich, dass dieser Mund mich küsste und dass ich nun zu dieser Familie gehörte.

Endlich legte er auf. Seine braunen Augen waren tränennass.

»Sie haben so eine harte Zeit dort in Bagdad! Ich habe meine armen Eltern seit vielen Jahren nicht gesehen. Ich kann ihnen nicht helfen, nur Geld schicken …«

Schluchzend erzählte er mir, welchen Repressalien sie ausgesetzt waren, dass seine Brüder ihre Berufe nicht mehr ausüben und die Söhne nicht studieren durften.

Von den Schwestern und Töchtern war keine Rede, aber ich wollte nicht noch mehr Öl ins Feuer gießen.

Stattdessen tröstete ich ihn zärtlich und bedeckte ihn mit Küssen.

»Oh, *Habibi,* ich bin Allah so dankbar, dass ich dich habe!«

Ich war Allah auch dankbar. Dieser Ramadan war eine wunderbare Erfahrung für mich, und ich hatte, wie man in einschlägigen Selbstfindungsseminaren sagen würde, »zu mir gefunden«. Mein Leben hatte einen Sinn, einen starken Kern, und der hieß Karim.

»Nadia, ich will nicht, dass du noch länger bei Jan wohnst«, schluchzte Karim überwältigt. »Du gehörst zu mir, ich möchte, dass du in meiner Nähe wohnst! Du gehörst an meine Seite!«

Auch wenn ich wusste, wie das gemeint war, nämlich nur

jeden zweiten Tag, fand ich das absolut in Ordnung und war ganz seiner Meinung. Denn wenn ich weiter in Deutschland lebte, würde ich ihn deutlich seltener sehen! Wenn Karim da war, war er zu hundert Prozent für mich da, trug mich auf Händen, verwöhnte mich und las mir jeden Wunsch von den Augen ab.

Und das war mir mehr als genug!

15

Fürth, Anfang Mai 1996

»Nadia, bist du bekloppt?«

Conny und Siglinde, meine Tennisfreundinnen, mit denen das Ganze durch die Türkeireise letzten Sommer eigentlich erst seinen Lauf genommen hatte, wollten es absolut nicht kapieren.

»Du hast einen Moslem geheiratet?«

»Du bist zum islamischen Glauben übergetreten?«

»Du willst diesem Mann in seine arabische Welt folgen?«

»Du gibst dein emanzipiertes, selbstständiges Leben auf?«

»Läufst als Schleiereule rum?«

»Schminkst dich nicht mehr?«

»Ich glaub's nicht! Verzichtest auf unser gemütliches Gläschen Prosecco, weil sein Allah das nicht erlaubt?«

»Der HAT schon eine Frau? Nadia, wie blind kann man denn sein?«

»Wie, der kümmert sich nur jeden zweiten Tag um dich?«

»Und die restlichen Tage? Meinst du, der pennt nicht genauso mit seiner anderen Frau? Wenn er das mit der Gerechtigkeit wörtlich nimmt, na dann halleluja amen!«

»Falsches Vokabular.«

»Du kniest NICHT auf dem Boden und liest aus dem Koran. Sag uns, dass das nicht stimmt.«

All das hauten sie mir wie Tennisbälle um die Ohren, wobei sie im knappen weißen Dress an der Bar des Klubhauses lehnten und an einem grünen Drink schlürften.

»Nadia, wie hormongesteuert kann man sein? Ist das eine verschärfte Form der Wechseljahre?«

»Nimm dir doch einen knackigen Kerl aus unseren Kreisen!« Ihre Augen taxierten mich liebevoll bis mitleidig, aber spöttisch.

Ich wiederum taxierte ihre nackten Beine und wogenden Brüste. Wie geschmacklos redeten die denn daher? War ich je eine von ihnen gewesen?

»Der nimmt dir den Pass weg und sperrt dich ein!«

»Wie in *Nicht ohne meine Tochter!* Wenn die dich erst mal im Sack haben, lassen sie dich nicht mehr raus!«

»Wie hat er sich in dein Herz geschlichen, hm? Los, sag schon! Mit welchen faulen Tricks?«

Er war einfach nur er selbst gewesen: lieb, romantisch, begeisterungsfähig, einfühlsam.

Beide kippten ihren Drink auf ex und bestellten auf den Schreck hin gleich einen neuen.

»Ich folge ihm aus freien Stücken«, konterte ich, als sie mich endlich zu Wort kommen ließen. »Er ist ein feiner, gebildeter Mann, der fest zu seinen Überzeugungen steht. Ich kann ihn nur dafür bewundern. Ja, er hat Werte. Aber was ist daran schlecht? Er übernimmt die volle Verantwortung für mich, wird bis zum Ende seines Lebens zu mir stehen.«

Zugegeben, ein bisschen auswendig gelernt klang das schon. Natürlich hatte ich mich auf dieses Gespräch gut vorbereitet.

»Aber das tut doch eine private Zusatzversicherung auch! Mädel, wach auf!«

Conny schüttelte mich, dass mein Kopftuch verrutschte.

»Und dass du dich so in Sack und Asche stecken lässt! Nadia, du warst Modeberaterin in Fürths teuerstem Designerklamottenladen!»

»Alles oberflächlich, alles *haram*.«

»Er hat dir richtig das Gehirn gewaschen.«

»Nein, hat er nicht. Wollt ihr die Wahrheit überhaupt wissen? Ich fühle mich bereichert, bin zur Ruhe gekommen und weiß endlich, wo ich hingehöre.«

Wie sollte ich ihnen das bloß klarmachen? Es war so kompliziert, dass ich es mir selbst kaum erklären konnte. Es war einfach so!

Die beiden starrten sich betroffen an.

Conny seufzte laut. »Was sagt denn deine arme Mutter dazu?«

»Sie findet es – gewöhnungsbedürftig. Aber sie freut sich, wenn ich glücklich bin.«

»Und? BIST du glücklich?«

Ich hob das Kinn, und meine Augen strahlten. »Ja, seht ihr das denn nicht?«

Conny und Siglinde lachten unbehaglich.

»Und Diana, deine Tochter?«

»Die freut sich, mich demnächst besuchen zu dürfen. Gegen Ende des Jahres zieh ich erst mal zu ihm nach Amsterdam, aber langfristig planen wir, in den Oman zu gehen. Und ihr müsst auch unbedingt kommen! Hey, Mädels! Ihr besucht mich im Orient, das ist doch wohl ein Grund zur Freude!« Ich sah ihnen forschend ins Gesicht.

Sie ließen noch nicht locker. »Klar kommen wir dich besuchen. Die *Zweitfrau* im Orient!« Siglinde ließ sich das Wort auf der Zunge zergehen. »Ich glaub's nicht. Echt nicht.«

»Aber seine Erstfrau?« Conny sah mich irritiert an. »Glaubst du, sie gibt stillschweigend ihr Einverständnis? Bestimmt sagt sie zu ihrem Mann … Wie heißt der Typ?«

»Karim.« Ich räusperte mich verlegen.

»Bestimmt sagt sie zu ihrem Karim: ›Alter, erzähl mir nichts, irgendwohin musst du ja mit deiner Geilheit, aber …‹«

Meine Güte! Wie redeten die? Diese vulgären Worte! *Haram!*

»Nein, so ist das nicht! Er hat sie damit nur von ihren ehelichen Pflichten entbunden, ohne sich aus der Verantwortung für sie und die Kinder zu stehlen.«

Erschöpft wischte ich mir über das Gesicht. Meiner Stimme war anzuhören, wie zornig und enttäuscht ich war. Warum konnten sie sich nicht einfach mit mir freuen?

»Sag uns EINEN Grund, warum du ihn geheiratet hast. Nur einen.«

»Ich habe ihn geheiratet, weil er mich liebt! Er liebt meine Intelligenz, meine Selbstständigkeit, meinen guten Geschmack ...«

»Nadia! Das NIMMT er dir gerade alles!!«

»Und ich liebe ihn!«, fuhr ich ungerührt fort. »Weil er einfach nur gut ist – zu seinen Kindern, seinen Eltern und, ja, auch zu seiner ersten Frau. Das ist doch im Grunde wunderbar!«

»Nadia, mach dir nichts vor! Und uns auch nicht. Du musst Versteck spielen, heimlich tun – zumindest bis zu einem gewissen Grad.«

»Nein, gar nicht. Es gibt viele solche Ehen, das ist alles offiziell und absolut anständig!«

»Pah! Anständig! Der Typ fährt zweigleisig, und du findest das noch gut?«

Meine Freundinnen starrten mich an. Als sie sahen, wie traurig ich war, nahmen sie mich fest in den Arm. »Okay, Nadia, wenn es dich glücklich macht. Aber versprich uns, dass du dich sofort meldest, wenn er dich schlägt oder einsperrt.«

Mir entfuhr ein etwas zu schrilles Lachen, und sofort senkte ich die Stimme, denn das gehörte sich nicht, so laut rumzugackern. Der Barkeeper guckte schon so merkwürdig.

»Er schlägt mich doch nicht! Und er sperrt mich auch nicht ein. Ihr habt solche Vorurteile, ihr habt einfach keine Ahnung! Ich tue das aus voller Überzeugung! Wisst ihr eigentlich, was ich für ein Glück habe? Mein Mann ist so fürsorglich und zärtlich, wie ich es bei Harald nie erlebt habe. Er trägt mich auf Händen, löst jedes noch so kleine Problem, er schenkt mir Blumen, Parfüm und jedes Kleid, das ich auch nur im Schaufenster sehe. Er findet mich schön und begehrenswert und ...«

»Das gönnen wir dir ja, Nadia. Du könntest das aber auch ohne Kopftuch und Islam haben.« Wieder dieser scharfe Unterton.

»Nein. Mit Karim eben nicht!«, blaffte ich zurück. »Ganz oder gar nicht. Mein Mann hat von Anfang an mit offenen Karten gespielt.«

Mein Mann. So, das hatte ich noch mal klargestellt. Die beiden starrten zu Boden, als würden sie dort nach neuen Argumenten suchen. Ich nippte an meinem Fruchtsaft und sah sie abwechselnd an. Dann änderte ich meinen Tonfall.

»Und hey! Ich bin schließlich keine superfromme Muslima, ich bin immer noch Nadia!« Hinter vorgehaltener Hand beichtete ich den beiden, dass ich während des Ramadan sehr wohl ab und zu was gefuttert und getrunken hatte, während ich es mir vor dem Fernseher gemütlich gemacht hatte. Sogar den *Bullen von Tölz* hatte ich in Holland reingekriegt und mir mit ihm die einsamen Tage verkürzt. Ich wollte ihnen beweisen, dass ich noch eine von ihnen war!

»Ich lass mich doch nicht umkrempeln!«, versicherte ich ihnen im Brustton der Überzeugung, woraufhin beide in hysterisches Gelächter ausbrachen.

»Was machst du jetzt eigentlich mit all den Dirndln vom Tegernsee, die deine stärksten Argumente immer so betont haben?«

»Hahaha. Sehr witzig. Die könnt ihr gern haben.«

»Deine Designerklamotten auch?« Ihre Augen begannen verräterisch zu schimmern. »Deine Handtaschen und Gürtel?«

»Ihr könnt alles haben. Meine Klamotten, meinen Schmuck, meine Möbel – einfach alles. Diana bekommt mein Auto und meine Mutter den Fernseher. Ich bin frei und fange ein neues Leben an!«

»Na, dann mal Prost!«, sagte Conny, und Siglinde bestellte den dritten Sekt.

16

Fürth, Dezember 1996

»*Habibi*, warst du schon mal in Paris?«

Wieder zauberte mein Geliebter glucksend eine Überraschung aus dem Hörer.

»Paris? Echt jetzt, Karim?«

»Ja, ich habe dort geschäftlich zu tun. Was ist, kommst du mit? Wir müssen doch unseren ersten Hochzeitstag würdig begehen!«

Ich freute mich riesig. »Was für eine Frage, *Hayati!* Natürlich! Paris ist die Stadt der Liebe, und da wollte ich immer schon mal hin!«

Mein Herz machte einen Purzelbaum vor Glück.

Während ich aufgeregt meinen Koffer packte, strahlte ich wie ein Honigkuchenpferd: Seit Karim in meinem Leben war, passierten die aufregendsten Dinge! Karim war wie eine riesengroße Wundertüte. Oder, wie Tom Hanks in *Forrest Gump* damals sagte, »wie eine Schachtel Pralinen – man weiß nie, was man kriegt!« Jeder Anruf konnte eine neue Sensation beinhalten, eine traumhafte Reise, ein neues Abenteuer. Und ich ließ mich nur allzu gern darauf ein. Wenn ich da an die langweiligen Ehen vieler meiner Altersgenossinnen dachte …

Karim schickte mir das Ticket, und schon wenige Tage später nahm ich den Nachtzug nach Paris. Am Bahnsteig wartete Karim mit einem riesigen Strauß roter Rosen auf mich. Ich fühlte mich so leicht und beschwingt wie eine Zwanzigjährige, als ich ihm jubelnd um den Hals fiel.

»*Habibi,* nicht so stürmisch, wir sind hier in der Öffentlichkeit.« Schmunzelnd hielt Karim mich von sich ab. »Spar dir deine Energie für nachher, ich hab ein wunderbares Hotel für uns organisiert.«

Natürlich, was sonst. Ich hatte nichts anderes erwartet!

Fast bildete ich mir ein, die Blicke der anderen Reisenden im Rücken zu spüren: So verliebt und glücklich müsste man noch mal sein! Ist das etwa ihr Mann?

»Wir sind verheiratet, nur dass ihr es wisst!«, hätte ich ihnen am liebsten zugerufen.

Dass wir es erst seit einem Jahr waren und dass ich seine Zweitfrau war, ging ja niemanden etwas an. Wie ein Teenager überließ ich mich dem Verliebtsein.

Kaum saßen wir im Taxi, legte ich die Hand auf Karims Bein, was er sehr liebte, denn es bedeutete: Wir zwei gehören zusammen, wir sind eine Einheit, wir beide gegen den Rest der Welt. Ich konnte es kaum erwarten, mit Karim allein zu sein.

Die Stadt des Lichts machte ihrem Namen alle Ehre, und die Schaufenster waren bereits weihnachtlich rausgeputzt. Sanft glitten wir durch die zauberhafte Glitzerpracht. Ich fühlte mich wie Dornröschen, das von seinem Prinzen aus einem hundertjährigen Schlaf wach geküsst und ins Märchenland der Liebe entführt wird, völlig unbeschwert von Alltagssorgen: nur er und ich.

»Hier ist das Hotel … Oh, Karim, das ist ja wunderbar! So romantisch …«

Ein Weihnachtsbaum stand in der Hotelhalle, geschmückt mit riesigen roten Kugeln und Tausenden von Kerzen. Es duftete nach Lebkuchen und Zimt.

Staunend ließ ich mich von ihm in die mondäne Suite geleiten, in der bereits ein Kaminfeuer prasselte.

»Bist du gar nicht müde von der Reise?« Ich zog mir den Mantel aus, und Karim befreite mich sofort von meiner Jacke, machte Anstalten, das riesige französische Bett mit mir zu testen.

»Nicht, wenn ich dich sehe, *Habibi!*« Sein Blick ruhte entzückt auf mir.

»Nehmen wir erst gemeinsam ein Bad …?«

Wir liebten uns leidenschaftlich und wären danach gern eng aneinandergeschmiegt eingeschlafen, doch unsere Mägen knurrten. Deshalb machten wir uns auf, ein Restaurant zu suchen.

»Wonach ist dir, *Habibi?*«

»Also wegen mir müssen es keine Schnecken sein …« Mit Atemwölkchen vor dem Mund stiefelte ich glücklich neben ihm her.

Seine Augen leuchteten. »Hier, das ist ein libanesisches Restaurant. Wie wär's damit?«

»Das sieht verlockend aus … Aber schau dir mal die Preise an!« Gemeinsam studierten wir die Speisekarte, die draußen unter einer Laterne hing.

Die Kälte war uns schon in die Knochen gekrochen, und einen Mordshunger hatten wir auch.

»Für meine Frau ist mir nichts zu teuer!« Einladend hielt Karim mir die Tür auf.

Selbst hier hatte man eine Lichterkette ins Fenster gehängt. Rote und grüne Lämpchen gingen an und wieder aus. Es duftete nach Kardamom.

Auf Arabisch bestellte mein Mann unzählige Schüsselchen und Schälchen. Mir fielen fast die Augen aus dem Kopf, als immer mehr duftende Köstlichkeiten vor uns aufgebaut wurden.

Karim genoss mein kindliches Staunen, und ich probierte genießerisch jede Leckerei, den er mir zärtlich in den Mund schob.

Jeder Bissen schmeckte göttlich. Allein schon die arabische Küche war ein Grund, immer mit Karim zusammenzubleiben!

Müde und satt bummelten wir Hand in Hand zu unserem Hotel zurück, hatten nach dieser Stärkung aber immer noch genug Power, unsere erste gemeinsame Nacht in der Stadt der Liebe auf unsere Weise zu genießen. Schließlich feierten wir einjährigen Hochzeitstag!

Während der nächsten Tage traf sich Karim mit seinen Geschäftsfreunden, während ich mich durch Paris treiben ließ. Als junges Mädchen hatte ich die *Angélique*-Romanreihe gelesen und auch die Filme gesehen, und nun fühlte ich mich in ihre Welt hinein. Abends erzählten Karim und ich uns, was wir erlebt hatten, liefen die Seine entlang und entdeckten immer wieder neue versteckte Restaurants, in denen wir den Tag ausklingen ließen.

»*Hayati,* dieses Weihnachten werde ich noch in Fürth bei meinen Lieben verbringen, aber dann ziehe ich endgültig zu dir!«

»Ich kann es kaum erwarten, dich bei mir zu haben.« Karim strahlte mit dem altmodischen Kronleuchter um die Wette. »Frühlingsgefühle in Amsterdam – ab dem ersten März habe ich eine wunderschöne Wohnung für uns angemietet!«

17

Amsterdam, April 1997

Vor mich hin summend stand ich gerade in meiner neuen holländischen Wohnung auf einer kleinen Haushaltsleiter und maß die Gardinenlänge ab, als es an der Wohnungstür klingelte.

Nanu! Heute war mein Karim-freier Tag. Er konnte es also nicht sein. Außerdem hatte er einen Schlüssel. Neugierig schlich ich in den Flur, das Maßband in den Händen. Der Postbote? Ein Lieferant? Karim würde doch nichts dagegen haben, dass ich einem fremden Mann die Tür aufmachte?

Hinter der Milchglasscheibe zeichneten sich zwei Personen ab. Eine davon war verschleiert. Oh. Eventuell zwei islamische Zeugen Allahs, die mich in ihren Kreis aufnehmen wollten? Ich öffnete. Und prallte zurück. Das war …

»Karim. Das ist ja jetzt eine Überraschung.«

Er wirkte eindeutig gestresst, und ich begriff: Die Frau neben ihm war Suleika. Ihr Gesicht war wie versteinert.

Aha. Da gab es wohl Klärungsbedarf.

Die Frau senkte den Blick und murmelte in gebrochenem Englisch: »Willkommen, Schwester im Islam! Ich werde dir helfen, dich hier zurechtzufinden.«

Es hörte sich an, als hätte er ihr das eingetrichtert, ähnlich wie mir die Koranverse auf Arabisch. Am liebsten hätte ich die Tür wieder zugeknallt. Aber jetzt musste ich wohl mitspielen. Karims Augen saugten sich fast schon verzweifelt an mir fest.

Das hier war wohl auch für ihn eine mehr als heikle Szene. Er wirkte gar nicht so entspannt, wie er immer tat, wenn ich ihn auf seine Frau ansprach. Schwester im Islam. Aha. Ihre Lippen sagten das Gegenteil, waren ein einziger Strich. Und als sie den Blick hob, war darin nichts als Verachtung zu sehen. Tapfer täuschte ich Souveränität vor. *Showtime!*

»Ja, ähm … Mensch. Dann kommt doch rein. Das ist aber nett von euch, dass ihr mal nach mir schaut. Ich war gerade mit den Gardinen zugange …«

Einladend trat ich beiseite. In der Wohnung roch es noch nach Farbe. Wir waren ja gerade erst dabei, sie einzurichten, Karim und ich. In der Küche stand noch der halb aufgebaute IKEA-Schrank, an dem sich Karim erst gestern den Daumen blau gehauen hatte. Sein unislamischer Fluch hallte mir noch in den Ohren. Ich hatte ihn so lieb getröstet! Aber dann war seine Zeit bei mir abgelaufen, und er war pflichtschuldigst zu seiner Familie geeilt. Und jetzt stand er wieder hier!

Mit IHR!

Hilfe suchend sah ich in seine Richtung, doch Karim starrte zu Boden.

»Würden Sie mir die Wohnung zeigen? Vielleicht kann ich helfen«, murmelte Suleika gespielt höflich. Sie nahm ihr Kopftuch ab und sah sich gründlich um. Ihr Adlerblick zuckte über die Einrichtung und blieb an Karims Armbanduhr auf dem Nachttisch hängen. Sie schluckte und beherrschte sich. Ihr Gesicht war eine einzige Maske.

Tja, Karim! Solltest du ihr erzählt haben, du hättest nur deine Pflicht als gläubiger Moslem getan und dich um eine arme Witwe gekümmert, die hier verzweifelt versucht, eine Wohnung einzurichten, weil sie sonst keinen Kerl hat, dürfte sie spätestens jetzt Bescheid wissen. Gib's zu! Genau das sollte sie denken! Dass du mir nur beim Umzug hilfst und mir zeigst, wo die nächste Moschee ist! Aber das denkt sie nicht. Sie ist eine Frau, Karim, und hat ihre Antennen ausgefahren. Sie ist verletzt. Ich kann es spüren. Am liebsten würde ich sie in den Arm nehmen und um Verzeihung bitten. Wir spielen ein unfaires Spiel! Du hast mich da mit reingezogen, ohne mir vorher die Regeln zu erklären!

Habe ich doch, sagten Karims Augen trotzig. Tja. SEINE Spielregeln! Auf die ich mich eingelassen hatte in meiner Verliebtheit. Ich straffte mich und lächelte meine Nebenfrau verlegen an. »Wenn Sie mir vielleicht einen Supermarkt verraten könnten, in dem es *Halal*-Fleisch gibt?« War das okay so? Verunsichert sah ich mich nach Karim um. Hätte er mich mal gebrieft!

Karim saß einfach nur auf einem Stuhl und spielte gedankenverloren mit dem Maßband. Er starrte auf seine Hände. Merkte er, dass seine Uhr fehlte? Er tat so, als ginge ihn das Ganze hier gar nichts an. So nach dem Motto: Weiberkram. Können wir endlich nach Hause gehen? Ich kniff die Augen zusammen und fixierte ihn.

Oder genoss er diese Schmierenkomödie etwa heimlich? Ein bisschen? Weil er der prächtige Hahn im Korb war, von hilflosen Hennen umgackert, die sich gegenseitig am liebsten die Augen ausgehackt hätten und doch so jämmerlich auf ihn angewiesen waren?

Nein. So verdorben war mein Karim nicht. Es war ihm megapeinlich. Er wollte Suleika nur langsam an mich gewöhnen. Suleikas Miene war undurchdringlich, als sie das Doppelbett betrachtete, das eine golddurchwirkte Tagesdecke zierte. Wir hatten sie aus Dubai mitgebracht. Wahrscheinlich roch sie noch nach ihm!

MANN, wollte ich ihn anherrschen. Hast du ein Glück, dass ich eine ordentliche Hausfrau bin! Ich hätte auch gerade einen Mittagsschlaf machen können! Und dein heiliger Gebetspyjama hätte auf dem Kopfkissen liegen können!

Suleika zupfte an der Tagesdecke. »*Nice!*«, sagte sie mit brüchiger Stimme.

Okay, dachte ich. Jetzt spreche ich ein Machtwort. Ich holte tief Luft, um zu sagen: Also, ich weiß ja nicht, ob Sie es schon wissen, aber Karim liebt mich, und wir sollten jetzt mal miteinander reden wie zwei erwachsene Frauen …, als ich begriff: Es war zwar ihre Pflicht als gläubige Muslima, zu akzeptieren, dass ihr Mann mir unter die Arme griff (und sonst wohin), aber das hieß noch lange nicht, dass ihr Karim egal war und sie ihn bereitwillig an mich abtrat.

Mit zitternder Unterlippe sagte sie: »Würde es Ihnen passen, heute Abend zu uns zum Essen zu kommen?«

»Aber gern. Das ist sehr freundlich von Ihnen«, rang ich mir ab.

»Dann gehen wir jetzt einkaufen, Karim. Im *Halal*-Supermarkt.«

»Ja«, sagte Karim und erhob sich umständlich von seinem Stuhl. »Haben Sie irgendwelche Vorlieben, die meine Frau berücksichtigen soll?«

Deine Frau? ICH bin deine Frau! Und du kennst meine Vorlieben!, wollte ich schreien, schüttelte aber nur höflich den Kopf. »Ich freue mich sehr und werde pünktlich bei Ihnen sein. Wir sind ja fast Nachbarn.«

Ja, das waren wir. Super, Karim. Er musste nur schräg über die Straße, dann war er schon von Leben A in Leben B.

Für ihn mochte das praktisch sein, aber was bedeutete das für Suleika und mich? Ehrlich gesagt, hatte mich die Vorstellung zuerst amüsiert. Aber was mich gar nicht amüsierte, war, wie verletzt diese zugegeben reizlose, schmucklose, ja ganz und gar unerotische Frau war.

Dabei war es doch schon eine Ewigkeit her, dass Karim sie aus Dubai angerufen und ihr von mir erzählt hatte. Eigentlich musste sie sich doch längst an die Vorstellung gewöhnt haben?

Fragte sich nur, an welche. War sie tatsächlich davon ausgegangen, dass er es nur aus Mitleid, Großmut, Frömmigkeit getan hatte? Und begriff erst jetzt richtig, dass wir ein echtes Liebespaar waren, Karim und ich? Dass wir den besten Sex unseres Lebens hatten?

Nachdem die beiden verschwunden waren, zog ich noch mal den Koran hervor und las Sure vier *AL NISA*, Vers 130. Groß umziehen und Haare machen fiel sowieso weg, sodass ich mich lieber seelisch stylte.

»*Und ihr könnt kein Gleichgewicht zwischen euren Frauen halten, sosehr ihr das auch wünschen möget. Aber neiget euch nicht gänzlich einer zu, also dass ihr die anderen gleichsam in der Schwebe lasset. Und wenn ihr es wiedergutmacht und recht handelt, dann ist Allah allverzeihend und barmherzig.*«

Was hieß das jetzt? Dass er auch mit ihr schlafen musste? Um Allah milde zu stimmen? War sie deshalb so bereitwillig mitgekommen und lud mich nun zum Essen ein? Mir stieß das alles so bitter auf, dass ich mir die Hand vor den Mund hielt. Nein! Er hatte mir tausendmal gesagt, dass mit ihr seit Jahren nichts mehr lief. Ach was! Das war mehr so – symbolisch zu verstehen. Wie seine blumigen Komplimente, von wegen, ich sei sein praller Granatapfel und so. Andererseits – symbolisch war ja wohl NICHTS zu verstehen im Koran.

Eine Interpretation verbot sich von selbst. Es stand da, und Karim konnte es auslegen, wie er wollte. Es war sein gutes Recht.

Kurz darauf saß ich bei Karims Familie am Esstisch. Suleika hatte Hammelfleisch mit Gemüse und Reis gekocht, in einer großen Pfanne, aus der es köstlich duftete, und seine drei Kinder musterten mich aufgeschlossen. Ein bisschen waren sie auch neugierig und begutachteten mich wie ein seltenes Reptil, das man heute Abend ausnahmsweise mal anfassen konnte. Ich spürte förmlich, wie Karim sie alle gebrieft hatte: »Das ist eine deutsche Frau, die zum Islam konvertiert ist und sich noch nicht so gut damit auskennt. Behandelt sie mit Respekt und helft ihr, wo ihr könnt, das ist unsere muslimische Pflicht. Ich hab sie übrigens geheiratet, weil der Koran das ja so vorschreibt.« Die Kinder lächelten mich höflich an.

Suleika bediente mich mit der gebotenen Gastfreundschaft, aber auch mit der Distanz einer Frau, die Gefahr wittert.

Den Kindern gegenüber gab sie sich streng, und auch Karim bekam verbal sein Fett weg. Er stützte den Kopf in die Hände beim Essen. Das tat er bei mir nie! Er kam mir vor wie ein ungezogener Junge, der bei seiner Mutter in Ungnade gefallen ist.

Sie hatte den Schleier abgelegt und trug die Haare zu einem straffen Knoten gebunden, dazu weite Hosen und einen formlosen Pullover. Die Füße steckten in Pantoffeln. Verstohlen nahm ich jedes Detail in mir auf. Suleika war bestimmt jünger als ich. Aber standen ihre Augen nicht etwas sehr eng zusammen? Mal ganz davon abgesehen, das sie unglaublich kalt und grau waren. Ihr Teint war auch unheimlich blass ... Farblos irgendwie.

Mein armer Karim, dachte ich, zerfließend vor Mitleid. Mit so einem blutleeren Geschöpf musstest du bisher dein Leben verbringen?

Natürlich wusste ich inzwischen, dass diese Ehe von den Eltern arrangiert worden war.

Kein bisschen Liebe hatte mein Karim empfangen, keine Zärtlichkeit, keine Hingabe. Wo sollte die arme Frau das auch gelernt haben? In der Frauenecke in der Moschee, hinter dem Vorhang vielleicht? Diesen frommen Mädchen wurde keinerlei Aufklärung zuteil, und die ehelichen Pflichten bezogen sich schätzungsweise ausschließlich auf das Zeugen von Nachwuchs. Beide waren arm dran! Aber sie war nicht mein Problem.

Mehr denn je empfand ich mich als Geschenk Allahs, das Karim aus verkrusteten Strukturen befreit hatte.

Entspannt lehnte ich mich in meinem Stuhl zurück und ging nach dem Essen erstaunlich beschwingt nach Hause.

18

Amsterdam, Sommer 1997

Als die Kinder Hassan, Hamid und Leila mich irgendwann in meiner Wohnung besuchten, fand ich auch das völlig in Ordnung und freute mich über ihre Gesellschaft.

Ich wusste, dass sie es heimlich taten, Suleika hätte es ihnen nie im Leben erlaubt. Aber auch ihnen wollte ich Zuwendung schenken, Wärme und Freude. Sie waren schließlich Karims Kinder, und so, wie sie mich anhimmelten, hatte er ihnen inzwischen viel von mir erzählt. Ich entwickelte aufrichtige Zuneigung zu den Kindern, kochte und backte für sie und half bei den Hausaufgaben. Auf einmal war ich der Mittelpunkt einer kinderreichen Familie. Fühlte mich gebraucht und geliebt. Deshalb konnte ich über lange Strecken vergessen, dass ich nur seine Nebenfrau war.

Es war schon erstaunlich, wie wenig ich mich über Karim ärgerte. Dann schon eher über mich selbst. Kaum kam Karim strahlend zur Tür herein, war alles vergeben und vergessen: Wir waren zwar nur vierundzwanzig Stunden voneinander getrennt gewesen, fielen aber jedes Mal leidenschaftlich übereinander her. Das war Liebe. Das musste Liebe sein!

»Kennt ihr *Kniffel? Mau-Mau?*«

Drei lebende Fragezeichen saßen bei mir auf dem Sofa.

»Ja, spielt eure Mutter denn nie mit euch?«

Achselzucken.

»Die schimpft meistens«, gab die kleine Leila preis.

»Die hat voll oft schlechte Laune«, gab Hassan, der inzwischen siebzehnjährige Bengel, seinen Senf dazu. »Wahrscheinlich Wechseljahre oder so.«

Ich musste laut lachen. »Wie alt ist eure Mutter denn?«

»Dreiundfünfzig«, improvisierte Leila.

»Quatsch!« Hassan haute ihr meine Fernsehzeitung an den Kopf. »Spinnst du? So alt ist die noch lange nicht! Scheintot, oder was?«

Ich schluckte. »Meinst du vielleicht fünfunddreißig?«

Die Kleine nickte, den Mund voller Kekskrümel.

»Dann ist sie aber noch nicht alt«, sagte ich freundlich.

»Die sieht aber älter aus als du«, krähte Hamid und grinste mich entwaffnend an.

Kleiner Schmeichler. Ganz der Vater. Gebauchpinselt begann ich, den Kindern *Mau-Mau* beizubringen.

»Bei einer Acht muss der Nächste aussetzen, bei einer Sieben zwei ziehen, und beim Buben darf man sich was wünschen.« Ich grinste. Man kann auch eine Dame drauflegen, dachte ich insgeheim, unterdrückte ein Kichern und dachte an Karim.

Wahrscheinlich machte mein armer Mann gerade mit seiner zeternden Suleika den Wocheneinkauf. Vielleicht musste er sie auch zum Zahnarzt begleiten? Oder zum Frauenarzt …? Schnell verdrängte ich diesen Gedanken.

Leila erzählte treuherzig, dass sie leider nicht am Schwimmkurs teilnehmen dürfe. Sie ging in die zweite Klasse.

Alle Kinder konnten schwimmen, nur sie nicht. Ihre Brüder meinten ziemlich herablassend, dass kleine Mädchen auch nicht schwimmen dürften. Nur Jungs dürften das. Und toben und turnen und Fußball spielen. Mädchen hatten zu Hause zu sitzen und sich nützlich zu machen. Ich hütete mich, ihr Weltbild zu durchkreuzen, und lenkte das Thema wieder auf neutrales Terrain.

Natürlich wollte ich, dass sie mich mochten. Sie sollten

wissen, dass ihr Vater eine richtige Entscheidung getroffen hatte. Wenn sie mich erst mal näher kannten mit meiner fröhlichen Art, würden sie ihren Vater verstehen. Und dann würde Suleika keine Chance mehr haben, mich aus ihrer Familie auszuschließen. Sie würde sich schon daran gewöhnen, dass wir nun eine lebendige Großfamilie waren. In unseren Breitengraden nannte man das Patchworkfamilie.

Immer wenn die Kinder gingen, richtete ich schöne Grüße an ihre Mutter aus.

Und wenn Karim am nächsten Tag freudig zu mir kam, erzählte er mir, wie angetan die Kinder von mir seien und wie sie von mir schwärmten. Leila wollte den hellblauen Teddy gar nicht mehr loslassen, den ich ihr aus einem alten Kopfkissenbezug genäht hatte. Hamid gab das Kartenspiel nicht mehr aus der Hand. Und Hassan hatte endlich die Matheaufgaben verstanden und nun keine Angst mehr vor dem Sitzenbleiben.

Ich fühlte mich wie Mary Poppins.

Karim küsste mich zärtlich in den Nacken, und seine Barthaare kitzelten vertraut. Wir nahmen einander bei der Hand und verschwanden im Schlafzimmer, machten die Tür hinter uns zu und waren in unserer eigenen rosaroten Welt.

Im August besuchte mich Diana, meine einundzwanzigjährige Tochter. Karim und ich holten sie gemeinsam mit Sohn Hassan in Amsterdam vom Bahnhof ab. Hassan war dank meiner Nachhilfe versetzt worden, wofür er mir sichtlich dankbar war. Während der Sommerferien flüchtete er sich immer öfter zu mir. Er verehrte mich und wollte mein Begleiter sein, wenn Karim geschäftlich oder sonst wie verhindert war.

Ich hatte mich vor Dianas Reaktion gefürchtet, wenn sie mich im Hochsommer im bodenlangen Mantel und mit Kopftuch sehen würde, aber sie ließ sich nichts anmerken.

»Hey, Mami! Lange nicht gesehen! Was geht ab?«

»Liebling, das ist Karim, mein Mann, und das ist Hassan, sein ältester Sohn.«

»Hey, das ist ja super, dann bist du quasi mein Stiefbruder? Nett, dich kennenzulernen …«

Herzlich und spontan, wie sie war, wollte sie die beiden umarmen, aber sie gaben ihr nur distanziert die Hand. Ich konnte nur versuchen, es ihnen nicht allzu übel zu nehmen. Sie konnten nichts dafür. Sie hielten sich nur an die Regeln.

»Liebling, Karim hat heute – ähm – andere Verpflichtungen, deshalb wird sich Hassan um uns kümmern.«

»Kein Problem, Hauptsache, ihr zeigt mir Holland.« Lachend zogen wir durch die Bahnhofshalle, während Karim davoneilte.

»Wir könnten eine Werft in Lelystad besuchen«, schlug Hassan diensteifrig vor. »Dort liegt die *Batavia,* der Nachbau eines Handelsschiffs aus dem 17. Jahrhundert.«

»Klar, warum nicht!« Diana zuckte mit den Schultern. »Ich bin für alles offen.«

Ich war froh, dass er einen Plan hatte. Bestimmt hatte Karim seinen Sohn gebrieft, den Entertainer, Reiseleiter und Aufpasser zu spielen. Andererseits hätte ich gern mal ein paar Stunden allein mit meiner Tochter verbracht. Sollte ich Hassan nicht lieber fortschicken und mein Leben als erwachsene, selbstständige Frau fortsetzen – schon allein, um Diana nicht zu verstören?

Aber sie nahm es erstaunlich gelassen. Wir verbrachten einen unbeschwerten Tag, schlenderten in der Sonne herum, aßen Heringsbrötchen und später ein Eis und genossen es einfach, zusammen zu sein.

Irgendwann brachte uns Hassan mit öffentlichen Verkehrsmitteln nach Hause. Erleichtert zogen Diana und ich uns auf die Terrasse zurück und kuschelten uns in die marokkanischen Kissen, die Karim mir geschenkt hatte. Diana nahm meine Hand.

»Mami, wie ist er so, dein Mann?«

»Oh, Liebes, er ist wundervoll. Er ist so gütig und weise, so zärtlich und verantwortungsvoll …«

»Du strahlst jedenfalls.«

»Er tut mir so gut, Liebes. Aber jetzt erzähl du! Was macht das Studentenleben, und wie geht es dir mit Tobias?«

Wir gerieten ins Schwatzen und Schwärmen, jede erzählte kichernd und mit geröteten Wangen, wie verliebt sie sei, und wir gönnten uns alles Glück der Welt.

Als es dunkel wurde, verzogen wir uns in die Wohnung. Ich ließ die Rollläden herunter, damit Suleika uns nicht vom Küchenfenster aus beobachten konnte.

»Wie geht es Oma?« Ich hatte inzwischen frischen Tee gemacht, und Diana saß mit mir auf dem Fußboden und lehnte sich ans Sofa.

Meine Tochter konnte bestätigen, was ich schon aus Telefonaten wusste, nämlich, dass sich meine in die Jahre gekommene Mutter sehr gut hielt, viel mit dem Seniorenverein unternahm und stets besorgt nach mir fragte.

»Ich sage ihr immer, Hauptsache, du bist glücklich. Aber sie hat echt ein Problem damit, dass du zum Islam konvertiert bist, Mami.« Ihre hellblauen Augen musterten mich prüfend. »Sie meint, man kann doch nicht einfach seinen Glauben verraten.«

Ich zuckte nur mit den Schultern. »Das tut mir leid für sie, Diana.« Ich lehnte mich zurück und schwieg einen Augenblick. So sah sie das also! Als Verrat! Das tat weh.

»Aber ohne das hätte ich Karim nicht bekommen. Es war praktisch ein Gesamtpaket.« Ich sah sie Verständnis heischend an. »Bitte erklär das der Oma doch. Fremde Menschen, fremde Sitten! Hat sie doch selbst immer gesagt.«

Diana nickte. »Sie wird sich schon daran gewöhnen.«

»Wir werden sie bald besuchen, sobald Karim Zeit hat. Er ist leider wahnsinnig oft auf Geschäftsreise und dann noch jeden zweiten Tag bei ihr …« Ich wies mit dem Kinn auf die geschlossenen Rollläden.

Der Gedanke, dass er jetzt gerade bei ihr war, tat plötzlich höllisch weh.

»Wie ist sie so? Hast du sie kennengelernt? Hassan vergöttert dich ja!«

»Sie kann mich nicht ausstehen, fürchte ich.«

»Wer kann es ihr verdenken! Das ist schon eine voll abgefahrene Situation, in die sich meine ebenso verrückte wie verknallte Mami da begeben hat.« Diana blitzte mich übermütig an. »Das würde ich mich ja irgendwie nicht trauen.«

»Die Liebe versetzt Berge«, gab ich weise von mir.

»Aber dort drüben brodelt es«, entweihte Diana meinen Spruch. »Dieser Hassan ist ja eine einzige Testosteronbombe! Hast du gesehen, wie er mich heimlich angestarrt hat?«

»Wer kann es ihm verübeln?«, seufzte ich. »Hassan ist im Grunde ein ganz lieber Junge. Mit seinen siebzehn Jahren steckt er nur voll in der Pubertät und kommt mit seiner strenggläubigen Mutter einfach nicht mehr klar.«

Ich erzählte Diana, dass die kleine Leila nicht am Schwimmunterricht teilnehmen dürfe, und dass auch Hassan sehr unter seiner streng religiösen Mutter leide.

»Er besucht in Amsterdam eine Gesamtschule und ist mit Ach und Krach versetzt worden. Er gilt als Querulant, dabei will er sich nur keine ausländerfeindlichen Bemerkungen gefallen lassen.«

»Kann ich aber auch verstehen.« Diana knabberte an meinen selbst gebackenen Keksen.

»Das ist ja ein ziemlicher Spagat, den er da zu bewältigen hat.«

Ich nickte. »Hassan befindet sich zwischen zwei Welten: hier die Freiheiten einer Stadt, die für ihren lockeren Umgang mit Schwulen und Drogen bekannt ist, und da die religiösen Pflichten seines Elternhauses in der Peripherie.«

»Für seine kleine Schwester stelle ich mir das noch viel schwieriger vor!« Diana betrachtete die Fotos, die ich ihr gereicht hatte. Karim hatte sie mir gegeben, damit sie sich ein Bild von der Familie machen konnte. Schelmisch fragte sie: »Und seit Jahren haben die da drüben keinen Sex mehr? Also quasi seit Leila?«

»Diana! Sei nicht so neugierig!« Ich boxte sie spielerisch in die Seite. »Aber ja, genauso ist es.«

Sie strich sich das blonde Haar aus dem Gesicht und sah mich liebevoll an. »Ach, Mami, das ist doch im Grunde nicht anders als in anderen langjährigen Ehen, aus denen die Luft raus ist – nur dass Karim sich noch kümmert und die Kinder keiner Scheidung aussetzt.«

Wie sehr ich Diana in diesem Moment für ihr Verständnis und ihren Pragmatismus liebte! Es war, als würde sie mir die Absolution erteilen.

»Sie laden natürlich ihre Probleme bei mir ab.« Seufzend schenkte ich uns Tee nach. »Ich habe immer ein offenes Ohr für sie. Und oft möchte ich ihnen recht geben, aber das steht mir nicht zu.«

Diana sah mich forschend an. »Und wie fühlst du dich in der Rolle?«

»Liebes, ich bin hin- und hergerissen. Es sind nicht meine eigenen Kinder, aber sie gehören zu Karim, und den liebe ich! Wie könnte ich da seine Kinder nicht lieben?«

Diana lächelte. »Das versteh ich doch, Mami, du musst nicht glauben, ich wäre eifersüchtig oder so.«

Das ließ mich erleichtert aufseufzen.

»Wenn die Kinder zu mir kommen, nehme ich sie einfach mal in den Arm und höre ihnen zu.«

Diana verzog nachdenklich das Gesicht. »Mir macht das nichts aus, aber Suleika muss dich einfach hassen, Mami. Erst nimmst du ihr den Mann weg und jetzt auch noch die Kinder?«

»Nein, Liebes, so ist das nicht. Sie kommen immer aus freien Stücken. Was kann denn ich dafür, dass Suleika eher barsch mit den Kindern umgeht?«

»Und Karim?«

»Der ist viel unterwegs, um die Familie zu ernähren. Und in einem ziemlichen Konflikt.« Ich strich mir eine Haarsträhne aus der Stirn und pustete nachdenklich in meinen Tee. »Ich hab ihm schon angeboten, zurück nach Deutschland zu gehen und ihn und seine Familie in Ruhe zu lassen.«

Diana setzte sich kerzengerade hin und sah mich gespannt an. »Also kriselt es doch.«

»Na, manchmal …«

»Und wie hat er reagiert?«

»Dass ich das nie wieder sagen soll! Er war ganz entsetzt und hätte fast angefangen zu weinen. Er hat Suleika immer wieder gewarnt, dass er sich eines Tages eine Zweitfrau nimmt, weil es so nicht weitergeht, so ganz ohne Liebe und Wärme. Und es geht ihm so viel besser, seit er mich hat! Ich habe Ruhe in sein Leben gebracht. Auch den Kindern geht es besser. Sie lieben mich alle!« Ich wischte mir eine Träne aus dem Augenwinkel.

»Außer Suleika«, sagte Diana lakonisch.

»Außer Suleika«, gab ich ihr recht.

19

Amsterdam, Herbst 1997

Immer öfter kam Karim gereizt und völlig entnervt zu mir nach Hause. Frustriert ließ er sich auf den Küchenstuhl sinken, und es dauerte immer länger, ihn wieder aufzubauen. Meist hörte ich ihm einfach nur zu und massierte seinen verspannten Rücken, die Schlafzimmertür blieb erst mal zu. Oft zog er den Mantel noch nicht mal aus, weil er wieder wegmusste. Zu ihr. Sie rief ihn bei mir an, trug ihm angeblich unaufschiebbare Dinge auf, schickte ihn in Elternsprechstunden oder zu Behörden oder zwang ihn mit zum Arzt, weil sie von irgendeinem Zipperlein geplagt wurde.

Mit anderen Worten: Suleika ging voll in die Offensive, und Hassan, Hamid und Leila saßen zwischen den Stühlen. Hassan war der Einzige, der es wagte, sich gegen Suleika aufzulehnen. Er ließ sich ihre Regeln nicht mehr aufzwingen, was zur Folge hatte, dass Mutter und Sohn sich nur noch anschrien.

Suleika hatte versucht, Hassan mit dem Kochlöffel eins überzubraten, aber da war er fast selbst handgreiflich geworden.

Eine untragbare Situation für Karim! Im Koran stand schließlich, man habe die Mutter siebenmal mehr zu ehren als den Vater. Mein Mann hatte die Hände vors Gesicht geschlagen, als er mir das alles erzählte, aber jetzt hob er den Kopf und sah mich flehentlich an.

»*Habibi*, ich habe beschlossen, Hassan zu uns zu nehmen. Geht das für dich in Ordnung?«

Ups. Das musste ich erst mal verdauen. Das war es also mit unserer Zweisamkeit! Andererseits würde das ja nicht für ewig sein. Wir wollten ohnehin bald in den Oman auswandern.

Ich straffte mich. »Ähm … Ja – natürlich, aber will Hassan das denn auch?«

Karim stand auf und durchmaß mit großen Schritten die Küche. Am Fenster blieb er stehen, steckte die Hände in die Manteltaschen und sagte zur Scheibe: »Ich bin sein Vater und habe das so verfügt. Er muss mir gehorchen.«

Das musste ich wohl auch. Gleichzeitig war ich mehr als bereit, den beiden zu helfen.

»Natürlich, *Hayati*. Du wirst sehen, die Situation entspannt sich. Ich kann ihm mein Näh- und Bügelzimmer frei räumen.«

Karim wirbelte herum und sah mich mit feuchten Augen an. Er nahm meine Hände und küsste sie.

»Danke, *Habibi*. Ich liebe dich von ganzem Herzen. Allah segne dich.«

Die rehbraunen Sprenkel in seinen Augen tanzten wieder. Wenn auch nur einen sehr langsamen Walzer.

Ich freute mich, der Familienkrise die Schärfe genommen zu haben.

Sofort fuhren wir zu IKEA und stopften unser Auto mit Sachen voll, die Hassan ein neues Zuhause bieten sollten. Bis spät in die Nacht bauten wir das neue Bett zusammen. Ich besorgte ihm eine schicke Tagesdecke, dazu zwei Kissen mit dem Logo seines Fußballvereins. Im Nu war aus dem Raum ein hübsches Teenagerzimmer geworden.

Hassan zog bei uns ein. Ich bemühte mich um ihn, kochte für ihn, machte seine Wäsche, ließ ihn im Wohnzimmer fernsehen – hatte aber nun gar keine Privatsphäre mehr und auch an den Karim-freien Tagen die Hoheit über die Fernbedienung verloren. Immer wieder versuchte ich, mit dem Jungen, der sich von aller Welt missverstanden fühlte, über die Schule und seine Probleme zu sprechen. Wenn er dann teilnahmslos dasaß, die Füße auf den kleinen Glastisch geparkt, zweifelte ich manchmal an mir selbst. Hatte ich mir meine Lebensmitte wirklich so vorgestellt?

Eines Tages brachte Hassan, der inzwischen achtzehn war, ein holländisches Mädchen aus der Schule mit. Ein kleines blondes Mädel in Jeans und rotem Pulli.

»Das ist Marijke. Wir haben zusammen Bio und Sport.«

»Hallo Marijke, ich bin Nadia. Komm doch rein … Du kannst die Schuhe ausziehen und dir meine Pantoffeln nehmen.«

Das tat Marijke auch, aber sie verschwand gleich mit Hassan in seinem Zimmer.

Tja. Wie nun schöpferisch reagieren? Ich lauschte an der Tür, hinter der es verdächtig still war. Was machten die? Bio und Sport sicher nicht. Und wenn doch – dann möglicherweise auf ihre Weise. Karim würde ausflippen! Und mich dafür verantwortlich machen.

Nervös tigerte ich im winzigen Flur auf und ab. Zuerst machte ich mich mit lautem Geklapper in der Küche bemerkbar, aber als sie mich ignorierten, räusperte ich mich ein paarmal laut. Schließlich klopfte ich zaghaft.

»Wollt ihr ein paar Kekse?« Gott, kam ich mir dämlich vor. Sie wollten keine Kekse.

Ich öffnete die Tür einen Spaltbreit.

Sie schossen von Hassans Bett hoch, auf dem sie bereits herumgeknutscht hatten.

»Nadia, bitte, lass uns einfach nur in Ruhe, ja?« Hassan wollte mir schon mit seinem besockten Fuß die Tür vor der Nase zuschlagen. Blitzschnell stellte ich meinen dazwischen.

»Hassan, das würde ich wahnsinnig gern, aber du weißt, dass dein Vater ausrasten würde, wenn er das wüsste.«

Marijke klammerte sich an ein Kissen und hielt es sich vor die schmale Mädchenbrust.

»Aber er ist ja nicht da«, kiekste Hassan genervt. »Mann, Nadia, du bist so wahnsinnig peinlich!«

Mir wollte das Herz brechen. Wie sehr hätte ich dem Jungen ein bisschen Geschmuse gegönnt und meinetwegen auch mehr, Herrgott noch mal. Er war achtzehn und wusste nicht, wohin mit seinem Testosteron. Das Mädel war aufgeklärt und wusste, was es tat. Dennoch. Es war meine Pflicht. Als muslimische Ehefrau. Dies hier zu unterbinden. Weil es Todsünde war und uns alle in die Hölle brachte.

Mich meiner eigenen Penetranz schämend, drückte ich die Tür wieder auf.

»Hassan, ich kann euch ja verstehen, aber du entehrst das Mädchen und auch deinen Vater ...«

»Jetzt redest du schon genauso eine Scheiße daher wie meine Mutter!« Hassan fuhr hoch und warf mir erneut die Tür vor der Nase zu.

Mir blieb nichts anderes übrig, als auf »meinen Tag« zu warten, und dann noch auf eine günstige Stunde, in der Karim entspannt in meinen Armen lag.

Dann musste ich leider petzen. »Hassan hat eine Freundin, Karim. Ein sehr nettes holländisches Mädchen. Sie macht mir einen ganz verliebten Eindruck.«

»Du hast sie ...?« Karim sprang auf und sah mich so entsetzt an, als hätte ich ihm gestanden, Hassan umgebracht zu haben.

»Sie waren in seinem Zimmer, ja.«

»Bist du wahnsinnig? Das ist *haram,* schwere Sünde!« In seinen Augen glomm heiliger Zorn.

»Ich weiß, Karim, aber hätte ich handgreiflich werden sollen? Er hat sich einfach nicht von mir beeindrucken lassen. Er ist achtzehn, Karim! Und das Mädchen bestimmt auch!«

Karim sprang auf, riss seine Sachen von der Garderobe und machte sich wortlos davon.

Ich kaute an meinem Daumennagel. So langsam saß ich selbst zwischen den Stühlen. Aber was sollte ich denn machen? Hassan nach islamischen Regeln erziehen? Daran scheiterte ja schon Suleika! Das war doch nun wirklich nicht meine Aufgabe! Die Liebenden auseinanderbringen? Wie denn? Sie aus meiner Wohnung werfen? Hassan hatte mir schon zu verstehen gegeben, dass SEIN VATER die Miete dafür zahlte! Ich war in einer Zwickmühle gelandet!

Als sich kurz darauf der Schlüssel im Schloss drehte, war es nicht etwa der reumütig zurückkehrende Karim, sondern Hassan mit seiner Marijke. Wortlos zogen sie sich sofort in sein Zimmer zurück, Hassan sandte mir Dolchblicke, und Marijke ignorierte mich.

»Kinder, es herrscht …« … dicke Luft, wollte ich noch sagen, doch meine Warnung verpuffte ungehört.

O Gott, dachte ich, wenn Karim zurückkommt, will ich nicht dabei sein. Was sollte ich nur tun? Früher hätte ich zum Hörer gegriffen und sofort meine Mutter oder meine Freundinnen angerufen, aber die konnten mir alle nicht helfen.

Schwer atmend stand ich am Schlafzimmerfenster und starrte in die dämmrigen Vorgärten hinaus. Suleika zu holen war auch keine gute Idee.

Plötzlich sah ich Karim in Begleitung eines bärtigen Mannes mit bodenlangem Gewand durchs Gartentor kommen. Oh, ein Imam. Bestimmt sollte der den vom Glauben abgefallenen Hassan zur Vernunft bringen. Das arme Mädel! Ich bereitete mich schon seelisch auf eine Flucht des jungen Dings vor, denn diese Strafpredigt würde sie sicherlich nicht über sich ergehen lassen. Schnell band ich mir ein Kopftuch um und öffnete artig die Tür.

»*Salam aleikum …*«

Karim stieß mich beiseite und stapfte mitsamt Imam in Hassans Zimmer.

Erst ertönte Karims aufgebrachter Bariton, der sich Widerspruch verbat. Dann murmelte Hassan irgendwas Kleinlautes, und schließlich sprach feierlich der Imam.

Du sollst nicht sündigen? Du sollst nicht kleine holländische Mädchen flachlegen? Du sollst wenigstens verhüten?

Inzwischen hatte ich gelernt: Männer und Frauen leben in der muslimischen Kultur einfach in getrennten Welten. Das war für mich schwer zu verstehen. Die Männer hatten einfach nicht gelernt, unbefangen mit Frauen umzugehen. Hassan durfte es offensichtlich auch nicht lernen – leider! Das Weib galt als Verführung pur. Und diesen Stempel bekam auch die knabenhafte Marijke aufgedrückt. Eigentlich eine Unverschämtheit, dachte ich, Frauen und Mädchen grundsätzlich zum Sexobjekt zu degradieren. Wir hatten wahrlich mehr zu bieten! Je strenger die Moslems ihre Mädchen und Frauen verhüllten, umso interessanter wurden sie doch! Wie ein verpacktes Geschenk, das im Schrank versteckt wird. Welcher Junge schleicht nicht heimlich hin und versucht, es zu öffnen?

Wie gern hätte ich kurz angeklopft und zur Entspannung beigetragen: »Meine Diana hat ganz selbstverständlich mit Jungs und Mädels im Zeltlager …«

Was machten die nur da drin? Jedenfalls schlugen sie sich nicht, das trug zu meiner Beruhigung bei. Ich wollte gerade meinen Kopf zur Tür hereinstecken, um einen Tee anzubieten, als sie auch schon wieder herauskamen.

Karim machte ein ernstes Gesicht. Höflich verabschiedete er den Imam an der Tür und drückte ihm ein Geldbündel in die Hand.

Na, das war ja noch mal glimpflich abgelaufen! Ich atmete erleichtert auf.

»Und jetzt?«, fragte ich, als der Imam das Gartentor hinter sich zumachte. »Hat er ein Machtwort gesprochen?«

Karim steckte die Hände in die Hosentaschen und kehrte mir den Rücken zu.

»Er hat sie verheiratet«, sagte er. »Damit alles seine Ordnung hat.«

20

Fürth, April 1998

An einem herrlichen Frühlingstag fuhren wir gemeinsam nach Fürth, damit Karim endlich meine Mutter kennenlernen konnte. Außerdem wollte ich Karim in aller Ausführlichkeit meine Heimatstadt zeigen. Im Auto legte ich wie immer meine Hand auf sein Knie. Endlich wieder ungestörte Zweisamkeit!

Wir hörten arabische Musik, Karim sang gut gelaunt dazu, draußen grünte und blühte es, und wir kamen gut voran.

Leider war es mit Hassan und Marijke nicht sehr gut gelaufen. Hassan hatte die Schule ohne Abschluss verlassen. Das konnte Karim überhaupt nicht verstehen!

»Er war doch versetzt worden!«, zürnte er. »Der Bengel hätte doch nur noch bis zum Sommer durchhalten müssen.«

Ich schüttelte den Kopf. »Karim, der arme Kerl konnte sich da nicht mehr blicken lassen! Marijke hat es ihren Eltern erzählt, und die haben sofort jeden weiteren Umgang mit Hassan verboten«, rief ich Karim in Erinnerung. »Die waren total geschockt und wollten schon eine Klage einreichen.«

»Alles andere war aber *haram*.«

»Ach, Karim«, fast musste ich lachen. »Die Holländer sehen das alles etwas lockerer. Es gibt nicht viele westliche Frauen, die so verrückt sind wie ich, nach euren Regeln zu spielen.«

»Du bist eben was ganz Besonderes.« Zärtlich drückte Karim meine Hand. »Du bist eine mutige, starke Frau, die weiß, was sie will.«

»Die weiß, was DU willst«, spottete ich und schenkte ihm einen liebevollen Seitenblick.

Um Hassan und Marijke tat es mir unglaublich leid. Aber ich hütete mich, mich da weiter einzumischen. Hassan musste selbst seinen Weg finden, ich war schließlich nicht seine Mutter.

Bei meiner Mutter zauberte Karim einen opulenten Blumenstrauß aus dem Kofferraum und begrüßte sie ausgesprochen herzlich.

Mutter fiel fast das Gebiss aus dem Mund, als sie mich im bodenlangen Mantel mit Kopftuch sah. Sie ließ sich aber nichts anmerken und bat uns höflich in die Wohnung.

Mit wohlklingendem Bariton verlieh Karim seiner aufrichtigen Begeisterung über die Wohnung mit dem schönen Parkblick Ausdruck, und ich bemühte mich redlich, sein blumig-arabisches Englisch für Mutter ins Fränkische zu übersetzen.

Das Ganze hatte etwas Rührendes. Ich liebte sie beide und wünschte mir nichts sehnlicher, als dass sie sich mögen würden. Dass Mutter meinen Schritt verstand und absegnete. Nun waren wir schon zweieinhalb Jahre verheiratet!

Die letzten beiden Weihnachten war ich natürlich unverschleiert bei ihr gewesen, ohne Karim, der ja nicht Weihnachten feierte. Und nun der Schock!

In ihren Augen war ich eine formlose Schleiereule geworden – ihre modebewusste hübsche Tochter von früher hatte sich in Luft aufgelöst! Bestimmt war das schwer zu ertragen. Mutters Hände zitterten dermaßen, dass sie die Kaffeemaschine nicht anbekam. Karim eilte ihr sofort zur Hilfe. Auch wenn er lieber Tee trank, lobte er ihren Kaffee und kostete begeistert von ihrem Streuselkuchen.

Dann ließen wir Mutter erst mal in Ruhe alles verdauen und brachen zu zweit zu einem Spaziergang auf. Verliebt schlenderten wir durch meine Geburtsstadt, wenn auch nicht Hand in Hand, und im Vorübergehen zeigte ich ihm meine alte Schule, den Spielplatz und meinen ehemaligen Modetempel in der Fußgängerzone, dessen Schaufensterpuppen mich mit toten Augen anstarrten, als würden sie mich nicht wiedererkennen.

Fast hätte ich ihn hineingezogen und ihm meine ehemaligen Kolleginnen vorgestellt, als ich begriff, dass mich nicht nur die Schaufensterpuppen gläsern anstarren würden. Sie würden bei meinem jetzigen Anblick vor Peinlichkeit im Boden versinken. Und ich auch. Das war wieder so ein Moment, in dem mir schlagartig klar wurde, dass es kein Zurück mehr gab, dass ich nicht mehr zu ihnen gehörte. Selbst Conny und Siglinde wollte ich diese Verlegenheit ersparen, und bei Jan anzuklingeln fühlte sich inzwischen unschicklich an. Seine neue Freundin war zu ihm gezogen, ich sah frische Blumen hinter den Küchenfenstern und neue Gardinen, die sich im Frühlingswind bauschten. Es war nicht mehr meine Welt. Es ging mich nichts mehr an.

Karim freute sich, als er eine Moschee entdeckte, und zog mich mit hinein. Es gab viele türkische Mitbewohner in unserer Stadt, und der Anblick einer verschleierten Frau war für niemanden mehr etwas Besonderes. Ich saß auf dem Teppich in der Frauenecke und versuchte, meine Gedanken zu ordnen.

Hatte ich Verrat begangen an meinem früheren Glauben, an meinen Freunden, an meiner Mutter?

Mein christlicher Glaube war nie so ausgeprägt gewesen wie mein muslimischer Glaube jetzt. Als Kind hatte ich natürlich den ganzen katholischen Firlefanz mitgemacht, später aber nie wieder eine Kirche betreten. Und nun saß ich in einer Moschee!

Aber das tat ich doch nicht, um meine Freunde und Verwandten zu verleugnen! Ich wollte ihnen doch nicht wehtun! Ich liebte sie doch noch genauso wie früher. Ich war nur meinem Mann gefolgt, den ich über alles liebte, mitsamt seinem tiefen Glauben, weil er es wert war!

Allah hatte ihn mir geschickt, da war ich mir ganz sicher. Ich murmelte einige Suren und Dankgebete, bis Karim mich abholte. Verklärt schaute ich ihn an: Sollten sie doch reden! Es war doch MEIN Leben und MEINE Entscheidung, mit wem ich es teilte. Welche Klamotten ich mir an den Leib hängte. Und mein Mut hatte sich gelohnt: Wir waren schließlich glücklich verheiratet.

»*Habibi*, lass uns für deine Mutter etwas einkaufen und dann zurückgehen.«

In einem türkischen Supermarkt, den auch meine Mutter ab und zu frequentierte, besorgten wir alles für ein schönes Abendessen. Sie freute sich schon auf das gemeinsame Kochen und ein arabisches Festmahl. Wenn sie es nicht schon längst getan hatte, würde sie spätestens dann Gefallen an meinem außergewöhnlichen Karim finden. Besser als Harald war er allemal, mit seiner charmanten, herzlichen Art!

Unten auf dem Parkplatz, direkt vor Mutters Haus, klingelte Karims Handy. Er stellte die Einkaufstüten ab und nahm das Gespräch entgegen. Sein Gesicht verfinsterte sich.

Oh. Oje. Schon wieder Ärger mit Suleika. Ich hörte ihre schrille Stimme aus dem Handy schallen. Er verdrehte die Augen und fasste sich an den Kopf, entfernte sich dann ein paar Schritte und redete in Richtung der blühenden Rhododendren beruhigend auf sie ein. Eine Biene umschwirrte ihn.

Irgendwann kam er leichenblass zurück, und seine Mundwinkel zitterten.

»*Hayati*, mein Armer. Wie kann ich dich trösten?« Es duftete so herrlich nach Frühling, und die Amseln sangen – wie konnte man da Probleme wälzen?

»*Habibi*, ich weiß nicht, wie ich beginnen, wie ich es dir sagen soll …«

Seine Augen schwammen in Tränen, und mein armer Liebling tat mir schon wieder so leid! Konnte dieses lieblose, kalte

Biest ihn nicht wenigstens einmal in Ruhe lassen? Sie hatte wirklich einen siebten Sinn dafür, wann sie uns gerade so richtig die Laune verderben konnte!

»Ist es wegen Hassan?« Er jobbte jetzt in einer Pizzeria und führte sicherlich kein anständiges Leben nach ihren Vorstellungen. Er kam nachts nicht nach Hause und trieb sich mit dubiosen Gestalten herum. Ab und zu war er in Schlägereien verwickelt. Ich hütete mich, Karim zu sagen, was ich wirklich dachte, nämlich, dass er nicht ganz unschuldig daran war.

Karim war völlig durcheinander und raufte sich die Haare.

»*Hayati*. Egal, was es ist – wir kriegen das hin«, munterte ich ihn auf.

»Suleika sagt, sie ist schwanger …«

Karim sank auf das Mäuerchen neben den Mülltonnen.

»Wie kann sie mir das antun …?« Stöhnend vergrub er das Gesicht in den Händen.

Meine Eingeweide zogen sich zusammen, und mein Herz setzte einen Schlag aus. Ich spürte ein schmerzhaftes Stechen und ließ die Einkaufstüten fallen. Tomaten und Paprika kullerten über den Parkplatz, Apfelsinen und Granatäpfel. Die Arme hingen bleischwer an mir herunter, und mein Mund war völlig ausgedörrt. Ich starrte ihn ungläubig an.

»Wie kann denn das sein?«, stammelte ich schließlich. »Du schläfst doch nicht mit ihr!«

Zunächst durchzuckte mich Hoffnung, sie hätte sich auch einen Zweitmann genommen und schwebte ebenfalls im Liebesglück. Doch das sah der Koran ja nicht vor.

Beim Blick auf Karims schuldbewusste Miene zerschlug sich diese Hoffnung sofort.

Er hatte … Er hatte tatsächlich … und mich in dem Glauben gelassen … Er tat es fröhlich auch mit ihr … Ich unterdrückte ein Würgen.

»Wie kannst du MIR das antun?« Ich riss die Hände von

seinem Gesicht und versuchte, ihm in die Augen zu sehen. »Du betrügst mich! Du hast mich angelogen!«

Er versuchte, meine Hände zu packen, aber ich entriss sie ihm.

»Nadia, meine Frau hat nach islamischem Recht einen Anspruch darauf, dass ihr Mann mit ihr intim ist.« Karim wischte sich müde die Augen. »Bitte versteh das, ich tue es nicht gern, aber es ist meine Pflicht nach dem Koran. Du kennst die Stelle: Sure vier, Vers vier. Ich muss gerecht sein, auch wenn es mir schwerfällt.«

Er sah mich an wie ein Schuljunge, der etwas angestellt hat, dem man aber verzeihen muss, weil er beweisen kann, dass er ein braver Schüler ist.

Ich rieb mir die Handgelenke, die plötzlich brannten wie Feuer.

Oh, du Armer! Ja, du bist ein pflichtbewusster braver Moslem. Jetzt musst du auch noch mit deiner Frau schlafen, du Gewissenhafter. Dafür kleb ich dir gleich ein Fleißkärtchen auf die Stirn.

Dabei hätte ich IHM am liebsten eine geklebt!

»Karim, das ist zu viel für mich!« Mühsam rang ich um Beherrschung. Eine gute Muslima schreit ihren Mann nicht an, schon gar nicht in der Öffentlichkeit. »Du hast mir nie gesagt, dass du noch mit deiner Frau schläfst! Im Gegenteil! Es war Voraussetzung für unsere Ehe, dass du es NICHT tust!« Salzsäule. Haltung.

»Das habe ich gar nicht zu entscheiden ...« Unschuldslamm. Feigling.

Mir entfuhr ein bitteres Lachen. »Sondern wieder mal dein Allah, auf den du alles schiebst?«

»*Habibi*, du darfst so nicht reden! Du weißt nicht, wie mir zumute ist!« Gequält sah er mich an, seine Augen flehten regelrecht um Beistand. »Es steht im Koran, und der ist unantastbar! Der Koran verfügt, dass ein Mann alle seine Frauen gleich behandeln muss ….«

»Was? DU entscheidest doch alles! Und WIR tanzen nach deiner Pfeife!«, rief ich wutentbrannt. Meine Augen waren zu kleinen Schlitzen geworden, aus denen Giftpfeile schossen. »Das ist einfach nicht fair von dir, Karim, mich so zu hintergehen!« Ich kämpfte mit den Tränen und musste mich abwenden.

Ich wollte laut schreien. Den ganzen Parkplatz mit meinem Schmerz beschallen!

Oben bewegte sich die Gardine.

»Wie meine Seele dabei leidet, ist dir egal, ja?«, zischte ich halblaut. »Meine Seele ist wund, Karim! Schon lange! Und nun reißt du sie auch noch in Stücke!«

Er sah mich unendlich traurig an, nahm wieder meine Hand und drückte einen zärtlichen Kuss darauf.

»Ich wollte dir nicht wehtun, *Habibi,* ich musste es, so sind die Regeln im Islam.«

Ich konnte diese Ausrede nicht mehr hören! Alles war Allahs Wille, für nichts war man selbst verantwortlich. Und ich hatte diese Religion auch noch angenommen, mich darauf eingelassen! SEINE Regeln galten auch für MICH! Ich hatte nicht das RECHT, mich jetzt aufzuregen!

Ich wusste gar nicht, wohin mit meiner Wut. Heftige Kopfschmerzen überfielen mich, und ich fasste mir ans Kopftuch, wollte es am liebsten herunterreißen und darauf rumtrampeln, konnte mich aber gerade noch zusammenreißen. Denn Mutter stand oben hinter der Gardine und sah alles mit an!

Ich durfte hier nicht die Fassung verlieren. Ich winkte ihr angestrengt und sammelte Obst und Gemüse ein. Sofort sprang Karim auf und half mir dabei. Er versuchte, meine Hand zu berühren, aber ich zog sie weg, als hätte ich in ein Wespennest gefasst.

»Karim, was muss ich noch alles akzeptieren?« Ich zwang mich, nicht um mich zu schlagen. Stattdessen drückte ich eine Apfelsine so fest, dass Saft herausquoll. »Ich gehe jetzt zu meiner Mutter und frage sie, ob ich fürs Erste bei ihr wohnen kann.« Der Kloß in meinem Hals schmerzte so sehr, dass ich nicht weitersprechen konnte. Diese Schmach, diese Schande, diese grenzenlose Demütigung!

Wie lange tat er es schon? Wie regelmäßig? O Gott, wenn er seine Gerechtigkeit wörtlich nahm, tat er es schon sehr lange. Und sehr oft!

Und ich treudoofe Trulla rannte hier in muslimischer Glaubenstracht rum! Weil ich alles für ihn tat, weil ich ihn grenzenlos liebte! Und er? Belog mich, betrog mich – mit seiner eigenen Frau! Scheiße, dachte ich. Gottverdammte Scheiße, was habe ich mir da nur eingebrockt. Und ihr! Alles basiert auf einer Lüge. Und das ist jetzt meine Strafe dafür, dass ich meinem Glauben abgeschworen habe! Plötzlich gerieten meine Gedanken wieder auf ein sehr katholisches Gleis.

»Ich werde das mit uns beenden, Karim. Ich kann das nicht hinnehmen.«

Wütend stopfte ich die Einkäufe zurück in die Tüten. Meine Fingernägel bohrten sich in meine Handballen, denn es war mir bitterernst.

Pure Verzweiflung glomm in seinen Augen. Panisch rang Karim nach den richtigen Worten. Seine Augen waren rot geädert.

»Nadia, ich liebe dich mehr als mein Leben. Gib mir, gib uns eine Chance! Bleib bei mir und verlass mich nicht! Ich kann ohne dich nicht mehr leben, *Habibi!*«

Ihm versagte die Stimme. Ich starrte ihn immer noch fassungslos an. Halb hasste ich ihn und wollte ihm die Tür vor der Nase zuschlagen, um ihn für immer aus meinem Leben zu verbannen, halb liebte ich ihn! Er tat mir leid in seinem Elend, ich wollte ihn an mich drücken und trösten, wie schon so oft! Mein armer, lieber Karim! Was er alles auf sich nahm, nur damit wir eine schöne Beziehung haben konnten! Sogar Sex mit der ungeliebten Ehefrau – aus reinem Gerechtigkeitssinn, aus Anstand, aus Frömmigkeit! Er konnte doch nicht anders, er war so geprägt!

Ja, er war ein Ehrenmann, er musste das tun! Tief getroffen stand er vor mir und flehte: »Bitte, Nadia, bitte lass uns jetzt zu deiner Mutter raufgehen. Bitte verbann mich nicht aus deinem Leben! Ich werde das alles in Ordnung bringen. Du bist mir das Wichtigste auf der Welt. Wir werden in den Oman gehen, und für Suleika und die Kinder werde ich schon eine Lösung finden. Ich schwör es dir, bei Allah!«

Ich presste die Lippen zusammen, zog die Brauen hoch und straffte mich.

»*Showtime*«, murmelte ich tapfer.

»Kinder, soll ich euch tragen helfen?«, rief meine liebe, alte Mutter durchs Treppenhaus.

»Nein danke, Mami«, quetschte ich tapfer hervor. »Wir schaffen das schon!«

Auf der Rückfahrt sprachen wir lange kein Wort. Ich war völlig aufgewühlt, hin- und hergerissen zwischen Mutlosigkeit, Verzweiflung, Wut, Liebe, Langmut und Verzeihen. Der Kloß in meiner Kehle ließ sich einfach nicht hinunterschlucken, und mir war schlecht.

Karim wagte nicht, meine Hand wie sonst auf sein Bein zu legen.

Trennen? Wieder zur Mama ziehen? Mein Scheitern vor allen Freunden eingestehen müssen? Arbeitslos in Fürth herumhocken? Sozialhilfe beziehen?

Schluck. Ich war fast fünfzig. Ich würde Fürths berühmteste Sozialhilfeempfängerin sein. Die Leute würden sich totlachen! Noch mal Schluck!

Oder nach vorn schauen? Verzeihen? Unser schönes Leben weiterleben?

Aber er würde auch weiterhin mit ihr schlafen. Oder würde das jetzt aufhören? Sie hatte ihn zurückgepfiffen: ein neues Baby, das vierte Kind. Sie hatte ihm einen Denkzettel verpasst. War er Täter oder Opfer?

Irgendwann riskierte ich einen Seitenblick auf meinen Mann, der am Steuer saß. Sein Kiefer mahlte. Ich liebte dieses Profil, liebte jede Falte an ihm!

Als er kurz zu mir hinüberschaute, war es mit meinem inneren Aufruhr vorbei. Die Gefühlswogen glätteten sich, denn ich spürte, wie sein liebender Blick auf mir ruhte. Er würde eine Lösung finden. Wir würden in den Oman gehen und neu anfangen. Ich musste nur vertrauen. Allah ist groß und allverzeihend.

»*Habibi*. Ich liebe nur dich.« Seine Augen sagten die Wahrheit. Ich wollte ihm glauben. Ich musste ihm glauben.

»Ich liebe dich ja auch, *Hayati*. Ich denke, es war nichts als Berechnung von deiner Frau. Sie will dich wieder an sich binden. Und sie will, dass ich gehe.«

»Dann tu es nicht, *Habibi*! Sie soll nicht damit durchkommen.«

»Aber du hast demnächst ein viertes Kind, *Hayati*. Du musst dich kümmern! Finanziell, aber auch emotional.«

»Lass uns nicht mehr darüber reden, *Habibi*. Ein Kind mehr oder weniger, was ändert das zwischen uns?«

Ich presste die Lippen zusammen.

»Dass du mich betrogen hast, ist eine bittere Pille. Dass du mich in dem Glauben gelassen hast, ich wäre die einzige Frau in deinem Leben.«

»Das bist du doch auch, Nadia. Meine aufrichtige Liebe gilt nur dir, bitte, glaube mir.«

Jetzt nahm er doch meine Hand und legte sie mit Bestimmtheit auf sein Knie. Ich ließ sie dort liegen.

Zu Hause änderte sich nichts an unserem Leben. Jeden zweiten Tag verbrachte der Treusorgende pflichtbewusst bei seiner Familie.

Während ich ständig den frustrierten Null-Bock-Hassan an der Backe hatte. Seine neuen Freunde aus der Pizzeria übten keinen guten Einfluss auf ihn aus – im Gegenteil! Ich hatte den Eindruck, dass ihm alles egal war: seine hingeschmissene Schulausbildung, seine zerbrochene Liebe, seine komplizierte Familie, die Zweitfrau seines Vaters – alles scheißegal.

Ich fand keinen Zugang mehr zu ihm.

Sobald Karim auftauchte, verschwand Hassan türenknallend in seinem Zimmer, Vater und Sohn schwiegen sich verbittert an.

»Er ist sauer, dass ich noch ein Kind in die Welt gesetzt habe.« Karim saß gramgebeugt auf dem Bett, und ich versuchte, ihn zu trösten. Es brachte nichts, noch mehr Öl ins Feuer zu gießen.

»Du musst ihn verstehen«, versuchte ich zu vermitteln. »Er sieht ja, wie traurig ich bin wegen des Kindes.« Oft genug weinte ich mir die Augen aus, wenn ich allein auf dem Sofa saß. Was sollte ich noch hier? Ich zerstörte eine Familie! Ich war eine grenzenlos dumme Kuh! Ich verachtete mich selbst! Aber kaum kam Karim zur Tür hereingeschneit, lösten sich alle Zweifel in Luft auf. Ich hatte eine Aufgabe: Karim glücklich zu machen. Und das konnte nur ich. Immer wieder hatte mir Karim das versichert. ICH war seine große Liebe. Und als solche wollte und musste ich zu ihm stehen.

»Liebster, versuch, dich zu entspannen …«

»Er hat sich meinen Entscheidungen zu fügen!« Karim stand abrupt auf und stellte sich mit dem Rücken zu mir ans offene Fenster. Sah er zu IHR hinüber?

»Normalerweise ist der älteste Sohn für eine islamische Familie nach dem Vater der wichtigste Mann im Haus. Und was macht mein Herr Sohn? Statt sich zu Hause um seine Mutter und seine kleinen Geschwister zu kümmern, wenn ich bei meiner Zweitfrau bin, hängt er hier bei uns ab, schließt sich ein und spricht noch nicht mal mehr mit mir! Das ist ungeheuerlich!«

Tja, mein Lieber, dachte ich. Andere Länder andere Sitten! Ihr lebt in einem westlichen Land, und hier gelten eben andere Spielregeln.

»Hassan leidet sehr darunter, glaub mir!« Ich betrachtete seinen Rücken und empfand tiefes Mitleid für ihn. »Er kann deine Erwartungen nicht erfüllen, weil er zu sehr westlichen Einflüssen ausgesetzt ist. Er ist hin- und hergerissen, glaub mir! Er ist nicht dein Stolz und deine Stütze, so, wie es von ihm erwartet wird. Er fühlt sich als Versager, und jetzt richtet er seinen Trotz gegen dich. Tief in seinem Herzen liebt er dich, Karim. Gib ihm Zeit, und gib ihm noch eine Chance. Denk daran, dass auch ich dir noch eine Chance gegeben habe.«

Was war denn das? Schluchzte er etwa? Karim drehte sich um und sank vor mir auf Knie.

»*Habibi,* du bist das wunderbarste Wesen, das Allah geschaffen hat!«

Er sah mich überwältigt an. »Du bist so friedvoll, so voller Liebe und Güte. Ja, du hast recht, Nadia, du hast mir auch noch eine Chance gegeben.«

Seine Stimme kippte. »Ich brauche dich so, bitte halt weiter zu mir in dieser schweren Zeit. Ich liebe dich so sehr, Nadia!«

Mein Herz schwoll. Welche Frau lässt sich das nicht gern sagen?

21

Amsterdam, November 1998

»Suleika hat heute Nacht ihr Kind bekommen. Es ist ein Junge. Er heißt Mohammed.«

Karim stand mit blitzenden Augen auf der Matte und wollte mich umarmen. In seinem Bart hingen nasskalte Tropfen.

»Liebster, du solltest bei deiner Frau sein. Sie braucht dich doch!«

»Ich BIN bei meiner Frau.« Er strahlte mich an und hielt mir ein paar frische Früchte unter die Nase. »Lass uns unseren dritten Hochzeitstag feiern! Schau, ich habe saftige Orangen und süße Mandarinen! Nüsse und Datteln! Machen wir es uns gemütlich, *Habibi!*«

Ach, es war unser Hochzeitstag? Wie passend! Mir war so gar nicht nach Feiern.

»Ich komm schon damit klar, wenn du jetzt ein paar Tage bei ihr bleibst, *Hayati*. Ich weiß doch, wie man sich nach einer Geburt fühlt ...«

Insofern wollte ich wirklich nicht, dass mein geliebter Karim seine Frau so behandelte.

»Jetzt ist sie dran. Kümmere dich um sie und deinen neugeborenen Sohn.«

Ich schluckte. Es tat schon verdammt weh. Mit mir konnte Karim keine Kinder mehr kriegen, und das hätte er auch gar nicht gewollt. Mich wollte er ja ganz für sich allein haben. Auf Augenhöhe, wie er früher betont hatte. Oder eher als Ruhezone und Wellnesstempel? Ich schob den hässlichen Gedanken schnell beiseite.

»Sie muss den Kleinen stillen und hat Wochenbettdepressionen. Bestimmt heult sie sich die Augen aus!« Am liebsten wäre ich selbst rübergegangen und hätte mich um sie gekümmert!

»Red keinen Unsinn, Nadia.« Karim hatte den Mantel schon ausgezogen. »Es ist ihr viertes Kind, sie kennt sich aus. Außerdem kann sich Leila um das Baby kümmern. Sie ist immerhin schon neun. Das ist Weiberkram. Was soll ich denn da, ich störe nur. Heute ist unser Tag. Das weiß und respektiert sie.«

Stumm schüttelte ich den Kopf. Ich fühlte mich schuldig und mies. Karim legte mir den Zeigefinger unters Kinn und zwang mich, ihn anzusehen.

»*Habibi,* warum belastest du dich mit meiner Familie? Es geht hier und heute nur um uns!« Er drückte mir einen Kuss auf den Mund. »Ich hab mich so auf dich gefreut! Heute ist unser Hochzeitstag, und den lassen wir uns nicht verderben.«

Kopfschüttelnd nahm ich seine Einstellung zur Kenntnis. Verderben. Von der Geburt des eigenen Sohnes. Was für eine Weltanschauung! Als ich in die Wohnung voranging, hielt Karim mich lachend fest, küsste meinen Nacken und legte seine Hände auf meine Brust. »Wir könnten gleich zur Sache kommen, Hassan ist nicht da, oder?«

Irgendetwas sträubte sich in mir. Wie konnte er mich jetzt lieben, wo er heute Nacht bei der Geburt seines Sohnes dabei gewesen war? Können Männer so schnell umschalten? Ich konnte es jedenfalls nicht!

»*Hayati,* ich hab ihr gegenüber wirklich Schuldgefühle …«

»Nadia, jetzt hör mir mal zu: Suleika und das Baby sind allein mein Problem. Ich komme zu meiner Zweitfrau, um mich zu erholen und Energie zu tanken. Es ist nicht deine Aufgabe, dir Sorgen um Suleika zu machen. Mach dir lieber Sorgen um mich!«

Er nahm mich in die Arme und hielt mich zärtlich fest. »Du bist ja ganz verkrampft! Entspann dich, Nadia. Glaubst du, du hilfst Suleika, indem du hier die Prüde spielst? Im Gegenteil!« Er lachte schelmisch. »Du hast keine Verantwortung für meine Familie, nur für das Wohlbefinden deines Mannes. Aber ich habe Verantwortung für dich. Und das werde ich dir jetzt beweisen.« Mit diesen Worten schob er mich ins Schlafzimmer.

Dort verwöhnte er mich nach allen Regeln der Kunst, und ich gab mich ihm erst zögerlich, dann immer lustvoller hin. Er schenkte mir all die Aufmerksamkeit und Zärtlichkeit, die ich so dringend brauchte.

Vielleicht hatte er recht. Es war nicht mein Problem. Doch als wir später kurz vor dem Eindösen waren, fragte ich: »Was ist eigentlich mit deinen Plänen, im Oman zu leben? Seit drei Jahren schwärmst du mir davon vor!«

»Ich wollte Suleika während der Schwangerschaft keinen Umzug zumuten.«

»Oh.«

»Aber bald löse ich mein Versprechen ein!« Karim gluckste. »Ich habe Suleika schon gesagt, dass Mohammed nicht so ruchlos aufwachsen soll wie Hassan. Mein dritter und letzter Sohn soll durch und durch Moslem sein, fernab von den Verführungen und Verlockungen des Westens.«

»Oh«, wiederholte ich. Eigentlich hatte ich ja gehofft, dass er mit mir allein in den Oman ziehen und seine Familie hier in Holland bleiben würde. Aber jetzt, wo das Baby da war, konnte ich das in der Tat schlecht von ihm verlangen. Auch dieses Kind hatte ein Recht auf seinen Vater. Doch nachdem die erste Enttäuschung verflogen war, erwachte wieder die Abenteuerlust in mir. Ein Neuanfang im Orient … Jetzt wurde es spannend! Ich stützte mich auch auf den Ellbogen und sah ihn erwartungsvoll an.

»Das heißt, wir ziehen mit Sack und Pack …?«

»Und Kind und Kegel«, sagte Karim lachend. »*Habibi,* ich habe Kontakt zu einem Sheikh im Oman aufgenommen. Er hat einen Job als Trademanager für mich, und wenn alles klappt, werden wir Europa nächstes Jahr verlassen.«

Mein Herz klopfte in banger Vorfreude.

»Und du bist sicher, dass ich mitkommen soll?«

Karim war so erstaunt über diese Frage, dass Entrüstung in seiner Stimme mitschwang.

»Ich würde dich nie allein zurücklassen, du bist meine Frau!«

»Aber Suleika hat bestimmt gehofft, wenn ihr in den Oman geht, ist es aus mit uns ...«

»*Habibi,* du zerbrichst dir ja schon wieder deinen hübschen Kopf!«

»Nein, sag es mir! Ich wette, es gab Zoff deswegen.«

»Ja. Und? Sie hat das nicht zu entscheiden.« Karim starrte an die Decke. »Natürlich hat sie eine Szene gemacht. Sie glaubt, du hättest nicht den Mut, mit mir in den Oman auszuwandern. Aber da kennt sie dich schlecht!«

Tief in meinem Innern hoffte ich, dass ein Umzug wenigstens etwas mehr Distanz zwischen mich und die Erstfrau bringen würde. Und was meinen fehlenden Mut anbetraf – da kannte Suleika mich schlecht. Nach dreieinhalb Jahren Ehe ließ ich mich nicht wieder wegschicken.

»Karim, ehrlich, ich gehe mit dir bis ans Ende der Welt, so sehr liebe ich dich!«

Ich ließ meine Hand versonnen über seinen schönen glatten Körper gleiten. »Bitte erzähl mir mehr über den Oman.«

»Wie du weißt, liegt er am Arabischen Golf, ganz nah bei Dubai. Es ist ein wunderschönes, warmes Land, mit tief verwurzelten Traditionen. Du wirst es lieben und dem Zauber des Orients erliegen, so, wie du meinem Zauber erlegen bist ...« Er lachte baritonal. Dabei liebkoste er mich unaufhörlich.

»Ja, hier in Amsterdam ist es oft grau und kalt, und an den Tagen ohne dich fühle ich mich manchmal scheußlich.«

»Siehst du. Und genau das werden wir ändern.« Karim sprang auf und wühlte in seiner Aktentasche. »Hier. Das hab ich dir mitgebracht.«

Er zog einen winzigen Reiseführer hervor und warf ihn mir zu, während er mal eben im Bad verschwand. Staunend blätterte ich darin.

»Es gab bis vor Kurzem nur eine einzige Straße im Oman? Die war nur zwölf Kilometer lang. Nur ein Krankenhaus im ganzen Land und – drei Knabenschulen.« Ich schluckte. »Uff. Karim, wir ziehen in die Wüste!«

Karim kam mit großen Schritten zurück ins Schlafzimmer.

»Das Land hat sich in den letzten zwanzig Jahren enorm entwickelt. Der Sohn des alten Sultans hat in London studiert, und als er wiederkam, hat er erst mal seinen alten Herrn vom Thron gestürzt und alles modernisiert. Du wirst staunen!«

»Die haben einen Sultan, der seinen Vater vom Thron gestürzt hat? Das ist ja wie in *Tausendundeiner Nacht*.« Mir blieb der Mund offen stehen.

»Der Sohn, Sultan Qabus ibn Said, hat sofort Straßen anlegen lassen, eine Universität ist im Bau, und er plant sogar ein europäisches Opernhaus. Alles ist unglaublich prunkvoll, das Land hat ja Öl!«

Staunend sah ich ihn an, den Mann, der mein Leben wieder einmal umkrempeln würde.

»Es ist noch nicht so westlich orientiert wie Dubai, das ist ja das Schöne, aber viele moderne Einflüsse haben schon Einzug gehalten.« Er küsste mich auf die Stirn. »Endlich werden unsere Träume Wirklichkeit! *Habibi*, dem Sheikh in Salalah gehört auch ein Hotel, vielleicht kannst du da arbeiten?«

Das klang wie Musik! Mein orientalisches Märchen wurde wahr! Mit Karim zusammen ein Hotel modernisieren und managen, das wäre einfach wunderbar! Ich würde es orientalisch einrichten, für westliche Touristen einladend gestalten …

Karim war einfach immer für Überraschungen gut! Er genoss es, wie ich ihn anstaunte. Siegesgewiss breitete er die Arme aus: »Und wenn du brav bist, wirst du die rechte Hand des Hotelmanagers!«

»Oh, Karim das wäre – ein Obertraum!« Ich küsste ihn ab. »Dann hätte ich endlich was zu tun. Liebster, so was kann ich! Ich kann organisieren, ich kann Personal führen …«

Karim lachte sein warmes Karim-Lachen. »Ich weiß, dass du das alles kannst, *Habibi*. Ich sehe ja, wie liebevoll du dich um Menschen und Dinge kümmerst. Stell dir vor, wir bringen Fortschritt in ein arabisches Land und ziehen Kraft aus seinen Traditionen und Regeln.«

»Dann könnte ich auch meine Freundinnen Conny und Siglinde endlich einladen! Sie sollen sehen, wie gut es mir geht und dass meine Entscheidung die richtige war.« Nach Amsterdam hatte ich sie wirklich nicht einladen wollen – nicht, seit Hassan hier rumlungerte. Nicht dass sie glaubten, Karim hätte mich zu einer Haushälterin degradiert!

»Eins nach dem anderen, Liebling.« Karim hob seine Klamotten vom Boden auf und begab sich erneut ins Bad. Eine sehr angenehme Seite meines Mannes. Im Fernsehen dagegen sah man ständig, wie Männer nach dem Beischlaf übergangslos in ihre Hosen stiegen.

»Zuerst muss ich für meine ganze Familie Visa beantragen. Zum Glück haben wir inzwischen alle holländische Pässe. Und dir mit deinem deutschen Pass stehen ja sowieso alle Länder dieser Welt offen.« Er steckte seinen Kopf noch mal zum Schlafzimmer herein: »So, wie dir alle Herzen dieser Welt offenstehen werden.«

Die Dusche ging an, und ich vertiefte mich wieder in den Reiseführer.

158

»Salalah«, murmelte ich fasziniert. »Liegt genau wie die Hauptstadt Maskat an der malerischen, tausendsiebenhundert Kilometer langen Küste des Landes, wenn auch tausend Kilometer davon entfernt. Es gibt bereits Inlandflüge, ansonsten wäre man einen ganzen Tag mit dem Auto unterwegs. Mit dem Kamel hat man bis vor kurzer Zeit noch drei Monate gebraucht. Das Nachbarland ist der Jemen.«

Ich sah Bilder von völlig verschleierten Frauen, die wie schwarze Vögel über einen lehmigen Platz zu flattern schienen. Mit wehenden Gewändern hasteten sie an Hauswänden entlang und huschten durch enge Gassen.

»Meine Güte, da will er hin, der verrückte Mann?«, entfuhr es mir. »Aber ich bin bereit für einen Neuanfang mit ihm. Hauptsache, er nimmt mich mit!«

22

Fürth, 28. Juli 1999

»Kind, Oman?! Sei bloß vorsichtig, iss nichts Ungewaschenes und trink nur Mineralwasser, damit du dir keine Krankheiten einfängst!«

Es war ein Tag vor meinem neunundvierzigsten Geburtstag und gleichzeitig mein Abschiedsbesuch zu Hause.

Meine liebe, alte Mutter schenkte Diana und mir Kaffee ein und sah mich besorgt an. »Dass es gleich der Orient sein muss! Was macht dieser Mann nur mit dir?«

»Aber Mutter, ich gehe doch nicht in den Urwald!«, platzte ich heraus. »Höchstens ins Paradies!« Ich lachte vielleicht ein bisschen übertrieben glücklich.

»Der Oman liegt nicht in Afrika«, gab Diana kauend zum Besten. »Sie weiß schon, was sie tut, Oma.«

Mein Besuch bei Mutter und Tochter war innig und herzlich, aber natürlich auch von Ängsten überschattet. Mutter hatte bei meinem und Karims Besuch im Vorjahr genau mitbekommen, dass da irgendwas nicht gestimmt hatte. Natürlich ahnte sie nicht, dass die Frau meines Mannes noch ein Baby bekommen hatte, aber sie witterte Gefahr für ihr Kind. »Lass dich nicht ausnutzen, ja? Versprich mir das.«

»Mutter, es wird alles ganz wunderbar. Wir sind jetzt dreieinhalb Jahre verheiratet«, versuchte ich mir selbst Mut zu machen. »Wir werden zusammen ein Hotel leiten! Im Auftrag des Sheikh von Salalah!« Das war erst mal ein bisschen übertrieben, denn NOCH hatte ich gar nichts weiter in Aussicht als den Schutz und die Liebe meines Mannes. Aber was nicht war, konnte ja noch werden! Die Abenteuerlust riss mich mit. »Welche Frau erlebt denn noch so was auf ihre alten Tage?«, kokettierte ich fröhlich. »Andere langweilen sich mit ihren spießigen deutschen Männern zwischen Einbauküche und Schrebergarten und gehen abends in den Kirchenchor!«

Doch leider reagierte mein Publikum äußerst reserviert.

»Wie steht denn Nummer eins dazu, dass du in den Oman mitkommst?« Diana biss beherzt in Mutters einzigartigen Streuselkuchen. »Ich wette, sie hat gehofft, eure Liaison hätte sich mit dem Umzug in den Oman erledigt.«

Ups, das saß! Warum musste sie mich an Suleika erinnern? Entrüstet sah ich sie an, hektische Flecken im Gesicht.

»Oh, 'tschuldigung.« Diana spülte mit Kaffee nach. Mutters warmer Blick ruhte besorgt auf ihr.

Da lenkte ich ein: »Ehrlich gesagt hat Suleika wohl tatsächlich gehofft, ich käme nicht mit. – Diana, kannst du deine Bluse nicht etwas mehr zuknöpfen?«

»Wie bitte?« Diana ließ den Löffel mit der Schlagsahne zurück in die Schale fallen, dass es nur so spritzte.

»Ach, Kind, also wirklich«, zürnte meine Mutter. »Meinetwegen hüll du dich in Sack und Asche, wenn das eure Regeln sind. Aber lass doch deine entzückende Tochter ihren schönen Hals zeigen!« Demonstrativ tätschelte sie Dianas Hand und wischte ihr Sahne vom Dekolleté.

»Den Busenritz muss doch keiner sehen«, murmelte ich verlegen. Gab es das, dass ich schon prüder geworden war als meine eigene Mutter?

Diana prustete laut los und knöpfte noch einen Blusenknopf auf. »Besser so, Mamilein?«

Sie war aber auch wirklich gut ausgestattet! Und kokettierte hemmungslos damit. Ein bisschen wollte sie mich natürlich auch provozieren.

Ich musste lachen. »Ich hab die fromme Moral der guten Muslime schon dermaßen verinnerlicht ...«

»Lass gut sein, Muslimama«, kalauerte Diana. »Du wolltest gerade von Nummer eins erzählen. Deiner Nebenbuhlerin.« Diana sah mich abwartend an. »Sie muss dich für eine Hexe halten.«

Meine Mutter machte sich am Küchenschrank zu schaffen. Das ging weit über ihre Toleranzgrenze.

»Ich bin auch hin- und hergerissen, aber Karim sagt, im Oman wird sie schon noch merken, dass es viele Familien mit mehreren Ehefrauen gibt«, versuchte ich, seinen Standpunkt zu vertreten. »Deshalb hat Karim auch so zur Abreise gedrängt.« Ich schluckte. »Er ist schon in den Oman vorgeflogen, um alles zu organisieren. Zwei Wohnsitze zu schaffen geht ja auch nicht von heute auf morgen.«

»Und Nummer eins? Ist die gleich mitgefahren mit den Kindern?«

»Die hat er zu den Schwiegereltern nach Jordanien gebracht. Hamid und Leila haben ja Ferien, und der Kleine ...« Ich verstummte.

Mutter wusste ja offiziell nichts von dem neuen Kind, hatte aber ganz feine Antennen. »Es ist sicher alles nicht so leicht für euch«, murmelte sie. »Sehr gewöhnungsbedürftige Verhältnisse.«

»Mama, Spitzenstreuselkuchen! Den werd ich vermissen.« Ich nahm mir ein weiteres Stück.

»Ich fürchte, du wirst noch vieles andere vermissen«, orakelte Mutter.

»Lass sie weitererzählen«, drängte Diana. Sie war extra für ein paar Tage zu ihrer Großmutter nach Fürth gekommen, um sich in Ruhe von mir zu verabschieden. »Und was ist mit Hassan?«

»Der ist in Amsterdam geblieben«, berichtete ich mit einem gewissen Unwohlsein. »Das war für Karim ein schwerer Schlag.«

»Kann ich mir denken!« Diana nickte. »Den dürfte er für immer verloren haben.«

Ich seufzte. »Karim hat gehofft, Hassan würde im Oman wieder zur Besinnung kommen und sich um seine Mutter kümmern, wenn er unterwegs ist.«

Mit einem Seitenblick auf Mutter erklärte Diana: »Wenn eine Frau in einem arabischen Land einkaufen gehen will, muss sie entweder ihren Mann oder ihren erwachsenen Sohn mitnehmen. Sie geht nicht allein auf die Straße.«

»Aha«, machte Mutter und blies in ihren Kaffee. »Aber Nadia wird doch wohl allein gehen dürfen?«

»Ja, sicher, Mutter!« Beruhigend legte ich meine Hand auf ihren Arm. »Ich bin doch viel selbstständiger als diese Frauen. Karim liebt mich, weil ich so patent bin!« Ich lachte ein bisschen gezwungen. »Er würde mich nie bremsen oder einsperren oder so.«

Schon 1987 war der Weltbestseller *Nicht ohne meine Tochter* von Betty Mahmoody erschienen, der wohl an keiner deutschen Leserin vorbeigegangen war. Spätestens seit dem gleichnamigen Film mit Sally Field, der 1991 in die Kinos gekommen war, grassierten viele Vorurteile gegen muslimische Männer schlechthin. Alle glaubten, sie würden ihre Frauen einsperren, ihnen die Pässe wegnehmen und sie schlagen.

Wir kamen auf das Buch zu sprechen. »Das stimmt überhaupt nicht«, ereiferte ich mich. »Der Islam ist eine friedliche Religion, und Karim achtet und ehrt mich!«

Karim war das Gegenteil von diesem Mahmoody!

»Karim ist ein guter Typ«, pflichtete mir Diana bei. »Sagt übrigens auch Onkel Martin.«

Mein Bruder lebte ja schon seit geraumer Zeit auf La Palma, wo er erfolgreich ein Tonstudio betrieb. Er hatte mich einmal in Amsterdam besucht und dabei auch Karim kennengelernt.

»Ich bin immer für dich da, kleine Schwester. Jederzeit. Anruf genügt«, pflegte er stets zu sagen, wenn wir miteinander telefonierten.

Ja, ich wusste, dass meine Familie hinter mir stand, egal, was ich tat und wohin ich auswanderte. Dass ich mich heute ihren kritischen Fragen stellen musste, war nur normal. Es tat mir sogar gut. Endlich konnte ich mir mal alles von der Seele reden!

»Karim sagt, die Ehe mit Nummer eins« – jetzt sagte ich auch schon Nummer eins! – »ist damals von ihren und seinen Eltern arrangiert worden. Die haben sich nie so richtig geliebt. Eine Scheidung kommt allerdings nicht infrage. Er würde seine Kinder nie verlassen. Also arrangiert man sich auf diese Weise. Im Koran steht, dass ein Mann, der es sich finanziell erlauben kann, zwei oder mehrere Frauen haben darf, wenn er sie denn alle gleich behandelt.«

Mutter schüttelte nur stumm den Kopf.

»Bei Mehrehen ist es sogar oft so, dass die Frauen sich miteinander arrangieren, sich gegenseitig helfen«, erklärte ich. Nun hatte ich schon dreimal das Wort »arrangieren« gesagt. »Es sind Großfamilien, die zusammenhalten! Der Mann sorgt für alle! Das ist doch besser, als wenn Frauen verstoßen werden oder sich gegenseitig die Augen auskratzen!«

Ich trank einen Schluck Kaffee, um Zeit zu gewinnen. »Mama, ich bin keine heimliche Geliebte! Ich bin seine rechtmäßige Ehefrau!«

»Nicht nach unserem Gesetz. Da ist es Bigamie.«

»Nach dem Recht der Scharia, Mutter! Sie weiß es und muss es respektieren!«

»Ich könnte das nicht akzeptieren«, murmelte Mutter. »Der kann mal zu ihr, mal zu dir gehen – wie es ihm gerade passt! Wie bequem für ihn.«

Aus ihrer Sicht war ich nur eine Alternative zur Erstfrau – jemand, der jederzeit ausgetauscht werden konnte.

»Der Islam ist der Glaube, der uns alle verbindet«, versuchte ich es noch mal auf höherer Ebene. »Er ist attraktiv genug, Abermillionen gläubiger Moslems zu überzeugen. Wir sollten uns mit unserem begrenzten Weltbild nicht so vehement dagegenstellen, Mutter.«

Mutter schwieg. Und schluckte schwer.

»Ich liebe Karim einfach. Ich gehöre zu ihm.« Ich sah meine geliebte Familie flehentlich an. »Und er liebt mich auch!«

»Ihr passt ja auch super zusammen«, ergriff Diana für mich Partei und legte ihre Hand auf meine. »Omi, du darfst das nicht so eng sehen.«

»Ich will nur, dass Nadia glücklich ist«, entgegnete Mutter, und ihre Augen schimmerten feucht. »Ich bin die Letzte, die irgendjemand oder irgendetwas kategorisch ablehnt. Es steht mir nicht zu, andere zu verurteilen. Aber, Kind, wenn du merkst, es geht nicht mehr, kommst du ganz schnell wieder nach Hause, ja? Du bist nicht allein, und wir halten zusammen.« Sie nahm meine Hand und die Dianas. So saßen wir zu dritt um den Tisch und hielten uns ganz fest.

23

Frankfurt – Maskat, 29. Juli 1999

Während des Fluges vom nüchternen Abendland ins geheimnisvolle Morgenland hatte ich sieben Stunden Zeit, mich auf mein neues Leben einzustellen. Es war mein neunundvierzigster Geburtstag, und das war schon mal ein gutes Zeichen. Eines wusste ich sicher: Es konnte nur spannend werden!

Die Vorfreude auf meinen geliebten Karim überwog sämtliche Bedenken. Bald durfte ich mich einfach nur in seine schönen starken Arme fallen lassen.

Und in die wollte ich auch fallen, als ich ihn nach der Landung im blitzsauberen modernen Flughafen von Maskat hinter der Glastür stehen sah! Doch er schüttelte mir nur herzlich die Hand. In der muslimischen Öffentlichkeit werden keine Zärtlichkeiten ausgetauscht, jedenfalls nicht zwischen Mann und Frau.

Noch mehr drückte mich allerdings die sengende Hitze nieder. Es herrschten sicherlich über vierzig Grad im Schatten. Lachend schob mich mein geliebter Mann von Welt über den Parkplatz zu seinem Mietwagen. »Steig ein, *Habibi*, der hat Klimaanlage!«

Während er glücklich summend in die Stadt fuhr, hätte ich mich am liebsten aus dem Fenster gehängt – vor Neugier! Karim amüsierte sich königlich über meine kindliche Freude. Dass ich heute Geburtstag hatte, erwähnte er nicht. Niemand feierte in seiner Familie Geburtstag, es war nicht von Bedeutung. Für die Kinder hatte es mir oft leidgetan.

»Schau doch nur, *Hayati,* diese wunderschönen weiß getünchten Häuser! Ich dachte erst, hier würden noch Lehmhütten stehen. Und dann die prachtvollen Blumenarrangements!«
Ich verrenkte mir den Hals. »Sieh mal, die Kreisverkehrsinseln
sind mit Themen bestückt: Ist dir die riesige Kaffeekanne mit
orientalischen Tassen drum herum aufgefallen? Und dann die
großen Steinmuscheln mit den blühenden Sträuchern! Da vorn
siehst du ein altes arabisches Schiff wie aus Sindbads Zeiten.«
Ich wollte das Fenster herunterlassen, doch der heiße Fahrt-
wind verschlug mir so den Atem, dass ich es schnell wieder
hochkurbelte. »Kannst du mal anhalten? Ich will das fotografieren, bitte, *Hayati!*«

Karim legte lächelnd meine Hand auf sein Knie. In seinem
Gesicht leuchtete neben der Wiedersehensfreude auch Stolz
darüber, wie gepflegt und farbenfroh die Stadt war, in die er
mich gebracht hatte. »Du wirst schweißgebadet sein, wenn du
aussteigst!«

»Es ist wunderschön«, schwärmte ich. »Bitte, anhalten!«

Gutmütig, wie er war, hielt mein Liebster alle naselang an,
und ich verknipste einen ganzen Film.

»Diese sauberen Straßen, nirgendwo Abfall! Und alles in
sattem Grün!«

»Die Gastarbeiter aus Indien und Pakistan arbeiten Tag und
Nacht, um das alles zu erhalten und zu pflegen«, erklärte mir
Karim. »Ich habe großen Respekt vor diesem Land: Der Sultan
hat erst vor einigen Jahren angefangen, sein Land in die Moderne zu führen, gleichzeitig ist es ihm gelungen, die islamischen Traditionen zu bewahren. Das Land hat Anschluss an die
westliche Welt gefunden, ohne seine Identität zu verlieren, und
die Omanis sind mit Recht stolz auf ihre Heimat.«

»Ach, Karim!«, seufzte ich überwältigt. »Du hast nicht zu viel
versprochen, ich bin dir so dankbar, dass ich das erleben darf!
Das ist mein schönstes Geburtstagsgeschenk!«

»Warte erst mal, bis wir im Hotel sind«, gurrte Karim vielsagend. Die rehbraunen Sprenkel in seinen Augen tanzten. Und meine Hormone auch. Gott, war das aufregend!

Angenehme Kühle schlug uns entgegen, als wir die riesige Lobby betraten. Ähnlich wie in Dubai überall glänzender Marmor an Boden und Wänden. Blumenarrangements verströmten betörenden Duft. Großzügige Sitzlandschaften luden zum Verweilen ein. Auf den Tischen standen Schälchen mit Datteln und Nüssen, daneben Karaffen mit Saft und Wasser. Herrlich! *Tausendundeine Nacht.* Während Karim mich eincheckte und sich um mein Gepäck kümmerte, bestaunte ich mit offenem Mund die Pracht. Scheu spähte ich zu den bärtigen Männern in ihren weißen Kaftanen hinüber, die lässig in den Ledergarnituren saßen und Tee tranken. Uniform tragende Inder mit Turbanen schoben Wägelchen mit Heißgetränken herum und schenkten aus silbernen Kannen ein. Auch einige schwarz verschleierte Frauen saßen in den Sitzecken beieinander, allerdings getrennt von den Männern.

Oben im Zimmer ließ ich mich ermattet aufs Bett fallen.

»Ich schätze, du hattest recht, *Hayati*. Ich muss duschen.«

»Jetzt bleib doch erst mal hier …« Zärtlich zog Karim mich an sich und begann endlich, mich zu küssen. Die ersten Berührungen seit sechs Wochen ließen mich wohlig erschauern.

»*Hayati*, so bin ich eine Zumutung …« Widerstrebend löste ich mich von ihm und stapfte ins Bad. In Erwartung einer erfrischenden Dusche drehte ich den Kaltwasserhahn auf und schrie erschrocken auf: »Karim! Selbst beim kalten Wasser kommt es kochend heiß raus!«

Lachend kam er zu mir ins Badezimmer. »Nadia, was erwartest du? Alle Wasserleitungen sind heiß, es ist August, wir sind im Oman!«

Wieder zog er mich zärtlich an sich, und diesmal ließ ich ihn gewähren.

»*Habibi,* ich konnte es kaum erwarten, dich in meinen Armen zu halten, und jetzt lass ich dich nie wieder los«, murmelte er heiser und erdrückte mich fast vor Liebe.

Er trug mich aufs Bett, und wir liebten uns heftig und intensiv. Irgendwann lagen wir schwer atmend und erschöpft nebeneinander.

»So, nun kannst du duschen gehen«, sagte er grinsend.

An diesem Abend gingen wir nicht mehr aus dem Zimmer. Unsere Zweisamkeit war uns heilig.

Am nächsten Vormittag ließen wir uns von Karims Geschäftsfreund Maskat zeigen: den königlichen Palast des Sultans, den wunderschönen Hafen und den nahe gelegenen, berühmten Markt. Im Strom der vielen Menschen ließen wir uns durch dunkle Gassen treiben, und ich bestaunte die Gewürze, Stoffballen, Schmuckstücke, Seifen, Lederartikel und exotischen Waren. Die Händler feilschten, ich sah in gegerbte braune Gesichter, sah lachende, zahnlose Münder und dunkle, temperamentvolle Augen. Viele Frauen waren bis auf einen schmalen Augenschlitz schwarz verschleiert. Aber es gab auch Frauen, die in bunte Tücher gehüllt waren und anmutig einherschwebten wie schillernde Schmetterlinge.

Fast alle Frauen schleppten Kleinkinder, und keine von ihnen ging allein.

Immer waren ihre Männer oder männliche Verwandte in der Nähe, verhandelten für sie und regelten die Einkäufe.

»Du solltest deine Haare besser verstecken«, raunte mir Karim zu. »Und wieso hast du keine Socken an?«

»*Hayati,* hier sind viele Frauen ohne Socken!« Verschämt schob ich eine Strähne unters Kopftuch. »Wieso muss ich bei fünfundvierzig Grad Socken tragen?«

»Bitte vergleich dich nicht mit anderen Frauen«, wies Karim mich zurecht. »Du tust es nicht für mich, du tust es für deinen Glauben.«

Das war ein schmerzhafter Verweis, aber ich merkte, dass Karim sich vor seinem Geschäftsfreund keine Blöße geben wollte. Um des lieben Friedens willen ließ ich mir ein paar scheußliche Socken andrehen, verschwand damit in einer nicht gerade sauberen Damentoilette und zog sie mir an. Uff! Dicke Stricksocken. In Flipflops. Für meinen Glauben.

Das trübte kurzfristig die Stimmung, und ich kam mir vor wie ein zurechtgewiesenes Kind.

Doch ich wollte weder Streit noch Misstöne zwischen meinem geliebten Mann und mir, und es lag mir fern, unser traumhaftes Wiedersehen zu verderben.

»Maskat liegt in einer natürlichen Bucht«, erklärte mir Karim übergangslos, als ich vorschriftsmäßig verpackt wieder auftauchte. »Schau nur das spiegelglatte Arabische Meer. Und von der Landseite her wird die Stadt durch ein majestätisches Bergmassiv geschützt. Es heißt Hadschar-Gebirge, *Habibi* – bitte, lächle mich wieder an, unser Begleiter beobachtet uns! Dieser Standort wurde vor Hunderten von Jahren von den Sultanen gut gewählt –, ist das strategisch nicht einfach genial?«

Ich nickte friedfertig. »Super!« Der Geschäftsfreund erklärte Karim etwas auf Arabisch, und Karim übersetzte es für mich ins Englische.

»Die Dynastie des Sultans Qabus ibn Said herrscht seit dem 18. Jahrhundert über den Oman!« Er vermied es, mich anzufassen, als er versuchte, mich beiseitezudirigieren, weil ich anderen Passanten im Weg stand und Maulaffen feilhielt.

»Guck mal, Karim! Da sitzt ein Mann auf einem Kamel und telefoniert mit dem Handy!«

»Sag ich ja: Dieses Land weiß Tradition und Moderne miteinander zu verbinden. Es ist wie eine Rose, deren Knospen lang verschlossen blieben und die sich nun, unter den liebkosenden Strahlen der glühenden Sonne des Orients, prächtig entfaltet.« Karims blumige Sprache unterstrich seine Begeisterung, und er lief wieder mal zur Höchstform auf. »Das ist der Oman, Nadia. Und hier dürfen wir leben.«

In diesem Moment ertönte von sämtlichen Minaretten der Ruf des Muezzins und mahnte zum Mittagsgebet. Sofort lichteten sich die Reihen, und viele Menschen strömten in die nahe gelegenen Moscheen. Natürlich gingen wir auch beten. Angenehme Kühle schlug uns entgegen. Karim nahm im Hauptraum auf dem Teppich Platz und versank andächtig im Gebet, während ich auf Socken nach hinten in den abgetrennten Frauenbereich ging, wo ich mich auf flauschige weinrote Teppiche setzte. Es war eine Wohltat, in der dämmrigen Stille zu verweilen und meine Gedanken zu sammeln.

Das ist der Oman, dachte ich überwältigt. Ich werde mich hier sehr wohlfühlen – danke, Allah! Ich werde meinem Mann eine gute Frau sein und eine gute Muslima obendrein, bitte, hilf mir dabei. Zeige mir den rechten Weg zu Tugend und Anstand, lehre mich, meinen Mann nicht durch unachtsame Kleidung oder Nachlässigkeit im Umgang mit den hier herrschenden Werten zu brüskieren.

Anschließend machten wir, dass wir ins kühle Hotel kamen. Karim bestellte etwas zu essen, das köstlich schmeckte. Er trug mich auf Händen, und seine kleine Zurechtweisung von vorhin war längst vergessen.

»Bist du sehr müde?« Fürsorglich strich Karim mir übers verschwitzte Haar.

»Nicht zu sehr – und du?«

Unsere Erschöpfung hielt sich in Grenzen, wie wir lachend feststellten. Karim begehrte mich, und auch ich hatte mich nie so begehrenswert gefühlt, bevor ich ihn kennenlernte.

Ermattet und eng aneinandergekuschelt schliefen wir ein. Die Klimaanlage surrte, und alles war gut.

Am Abend brachen wir noch einmal auf. Samtweiche, warme Luft empfing uns mit verheißungsvollem Duft. In den Bäumen zwitscherten die Vögel, und ein unglaublich riesiger orangefarbener Mond beschien das schillernde Meer.

Wir schlenderten über die Uferpromenade zu einem hell erleuchteten Vergnügungspark. Ein von bunten Scheinwerfern beleuchteter Wasserfall plätscherte von riesigen Felsblöcken herunter. In kleinen Bächen sammelte sich das kostbare Wasser und durchzog die schöne Parkanlage, um sich in einem kleinen See zu sammeln.

»Karim, das ist – überwältigend«, entfuhr es mir. »Rings um die Stadt Maskat wächst fast nichts, es gibt nur Sand und karges Land. Und das hier ist die reinste Oase!«

»Der Sultan liebt eben seine Untertanen«, sagte Karim mit seinem warmen Bariton. »Schau nur, die vielen Familien mit ihren Kindern! Die kommen erst jetzt alle aus ihren Häusern, weil es tagsüber zu heiß ist.«

Ja, hier ging offensichtlich niemand um zehn ins Bett. Selbst die Kleinkinder waren quietschfidel und rannten lachend durch die erfrischenden Fontänen.

»Mir kleben schon wieder die Kleider am Leib«, stellte ich fest. »Du steckst diese Hitze besser weg. Ich seh dich gar nicht schwitzen!«

»Ich bewahr sie mir lieber für unsere gemeinsamen Nächte auf.« Glutvoll sah er mich an, und ich bekam schon wieder weiche Knie. »*Habibi,* möchtest du heute Nacht zweimal duschen?«

24

Salalah, August 1999

Drei Tage später flogen wir nach Salalah, unserem eigentlichen Ziel und unserer neuen Heimat. Schon im Flugzeug fiel mir auf, dass sämtliche Frauen von Kopf bis Fuß schwarz verschleiert waren, und ich ordnete während des einstündigen Fluges noch mal gewissenhaft meine Kleidung. Auch mein Rock durfte nicht unter der Abaya, dem hier üblichen mantelartigen Übergewand, hervorblitzen. Unter uns erstreckte sich eine grandiose Berglandschaft, die von tiefen zerklüfteten Wadis – ausgetrockneten Flussbetten – durchzogen war. Mir war, als flögen wir über eine riesige Kraterlandschaft.

Doch dieses Bild änderte sich abrupt. Wie mit dem Lineal gezogen, leuchteten plötzlich grüne Wiesen und fruchtbare Felder unter uns auf. Palmen wiegten sich am Meeresufer. »Schau mal, *Hayati*, die Natur zieht hier alle Register, wie es scheint!«

»Sie heißt uns willkommen, du schöne neue Blüte!«

Mein Karim wieder mit seiner blumigen Sprache.

Während schwarz verhüllte Frauen wie ein Pulk zum Ausgang strebten, hielt mich Karim zurück: »Wir werden abgeholt, Nadia. Bitte schiebe deine Haare unters Kopftuch.«

Auf einmal beschlich mich ein beklemmendes Gefühl: Das war alles so neu und überwältigend anders! Eingeschüchtert sah ich zu meinem geliebten Karim hinüber, der mich aufmunternd anlächelte:

»*Habibi,* du wirst es lieben. Vertrau mir!«

Das Erste, was mir auffiel, war das angenehme Klima. Es war mild und warm – nicht im Entferntesten so heiß wie in Maskat. Herrlich! Ich atmete tief durch und ließ die Schultern sinken. Vor lauter Anspannung hatte ich mich ganz verkrampft unter meinem Gewand. Ein bisschen verkleidet kam ich mir ehrlich gesagt schon vor.

Mr. Yussef, die rechte Hand des Sheikhs, holte uns ab. Mit Karim wechselte er Wangenküsse, mich begrüßte er eher scheu, nur durch eine kurze Verbeugung, ohne mich dabei anzusehen. Aber das kannte ich ja schon.

Von der Rückbank aus bestaunte ich die rot blühenden Akazien, die die Prachtallee säumten. Über sie erreichten wir die weiße Stadt Salalah. Sie endete an einer großen begrünten Verkehrsinsel mit einem extravaganten Uhrenturm. Ich musste mich in den Arm kneifen, um zu begreifen, dass das hier kein Traum war.

»Gleich sind wir da, *Habibi!*« Karim schmunzelte. Wenigstens wollte ich nicht dauernd aussteigen, um zu fotografieren! Das hätte Mr. Yussef bestimmt irritiert: Frauen haben schön hinten zu sitzen, die Augen offen und den Mund geschlossen.

Ein weißes Gebäude in der Stadtmitte war unser vorläufiges Ziel.

Die Stadt wirkte ein wenig verschlafen, von der Modernisierung des Sultans war hier noch nicht viel angekommen. Trotzdem besaß sie ihren eigenen Charme. Männer in weißen langen Gewändern und mit Tüchern auf dem Kopf flanierten durch die Straßen, während nur wenige schwarz verschleierte Frauen an den Hauswänden entlanghuschten.

»Hier ist es, Nadia. Der Sultan hat auch hier viele Arbeitsplätze geschaffen! Schau, ein Supermarkt, eine Apotheke, ein kleines Hospital und ein Hotel!« Karim hielt mir den Wagenschlag auf: »Willkommen in deiner neuen Heimat, *Habibi.*«

Mr. Yussef eilte dienstbeflissen vor uns her und führte uns in die Lobby. Dieses Hotel war bei Weitem nicht so ein Prachtbau wie die in Dubai oder Maskat, es wirkte deutlich verstaubter. Wie ein Parteigebäude aus der ehemaligen DDR. Und Gäste waren auch keine da.

»Die Geschäftsräume des Sheikhs sind im zweiten Stock. Der Sheikh erwartet Sie dann später.« Mr. Yussef führte uns zum Aufzug. »Ihr Hotelzimmer ist auch im zweiten Stock. Wenn Sie speisen wollen: Das Panoramarestaurant befindet sich im fünften Stock.«

Mit diesen Worten verabschiedete er sich freundlich.

»Karim, ich sterbe fast vor Neugier!« Im kleinen Aufzug rumpelten wir nach oben. Karim schloss die Zimmertür auf: »Soll ich dich über die Schwelle tragen, *Habibi?*«

»Nein, Karim, lass mich einfach schnell gucken …«

Ich war positiv überrascht: Dies war eine kleine Suite, wenn auch mit dunklem Holz vertäfelt, bestehend aus einem etwas altmodischen Schlafzimmer und einem geräumigen Wohnzimmer mit eingebauter Küchenzeile. Das Bad war relativ groß, hell und sauber. Hier konnte man es eine Zeit lang aushalten.

»Na?« Karim breitete stolz die Arme aus, als hätte er das alles eigenhändig für mich eingerichtet.

»Liebster, ich bin erleichtert! Das ist mehr als nur ein Standardhotelzimmer!«

Als ich zum Fenster trat und die Vorhänge beiseitezog, kam mir der marode Stoff allerdings beinahe entgegen: Ausgebleicht von der Sonne und seit hundert Jahren nicht gewaschen.

Ich musste husten. Beim Blick aus dem Fenster sah ich eine graue Asphaltwüste voller Autos. Na toll! Meerblick wäre natürlich die Krönung gewesen, aber wir waren ja nicht als Touristen hier.

»Was ist das da unten?«

»Der Fuhrpark des Sheikhs.« Karim war hinter mich getreten und umarmte mich liebevoll.

»Und das majestätische Gebirge dahinten ist das Qara-Gebirge, das die Stadt umrahmt. Das Meer liegt auf der anderen Seite, *Habibi*. Du wirst es noch sehen.«

Mein Liebster spürte meine leise Enttäuschung.

»Der Teppich ist voller Brandflecken«, stellte ich fest. Er war total versifft.

»Die arabischen Gäste verbrennen gerne Weihrauch und geben dazu Holzkohletabs in ein Tongefäß. Dann streuen sie Weihrauch auf die Glut.«

»Normalerweise ist es doch verboten, im Hotel Feuer zu machen?«

»Siehst du, das muss man dem Hotelmanager doch mal sagen!« Karim grinste noch immer. »Wie ich meine tüchtige Frau kenne, wird sie gleich eine Mängelliste anfertigen und dem Sheikh unter die Nase halten.«

»Karim, das würde ich nie wagen!«

»Lass mich nur machen, *Habibi*. Ruh dich aus, pack die Koffer aus, während ich kurz dem Sheikh Guten Tag sage.«

Eifrig eilte mein tüchtiger Geschäftsmann von dannen, während ich mich erst mal ermattet auf das blaue Sofa sinken ließ. Karim hatte mir erzählt, dass Sheikh Rashid ein Jugendfreund des Sultans sei, sie hätten ihre Kindheit gemeinsam in Salalah verbracht. Der Vater des Sheikhs sei Gouverneur in Dhofar gewesen. So gesehen war Karims Kontakt sehr einflussreich.

Hoffentlich gibt es keinen Stress, wenn Suleika mit den Kindern hier aufschlägt, dachte ich bekümmert. Bis jetzt lief alles so rund! Mein Karim war so aufgeblüht, seit er wieder in einem islamisch geprägten Land war! Er hatte auch sofort die bequeme Landestracht angelegt, eine blütenweiße *dishdasha*, die ein bisschen aussah wie ein langes weißes Nachthemd. Jetzt war ich wirklich angekommen im exotischen Orient mit all seinen fremden Sitten – und in diesem trostlosen Kasten. Kein Wunder, dass hier hundertachtzig Betten leer standen. Sehr einladend war es nicht. Nur wenige indische Geschäftsmänner übernachteten hier, meist nur für eine Nacht. Kein einziger Tourist setzte einen Fuß in diese Bude.

Aber wenn man das hier mal gründlich entstaubte, Vorhänge und Teppiche erneuerte, hübsche Pflanzen reinstellte. Mein Organisationstalent machte sich sofort bemerkbar. Da gab es doch tausend Möglichkeiten, das aufzuhübschen! Der Oman öffnete sich gerade dem Tourismus – da musste doch ein Fuß in die Tür zu bekommen sein!

Als Karim zurückkam, war er ganz beschwingt.

»*Habibi*, der Sheikh ist ein sehr angenehmer Mann, morgen möchte er dich kennenlernen!«

»Echt? Und was will er mit mir besprechen?«, fragte ich aufgeregt.

Karim zwinkerte mir zu. »Ich würde sagen, du willst was mit ihm besprechen! Vielleicht bekommst du einen Job?«

Fantastisch! Ich hatte einen Termin beim Sheikh. An mir sollte es nicht scheitern.

Unseren ersten Tag in Salalah ließen wir im Hotelrestaurant mit einem köstlichen indischen Essen ausklingen. Zwar hatten die Tischdecken einen trostlosen Grauschleier, der mein ästhetisches Empfinden störte, doch ich genoss einfach den Panoramablick: Die Sonne versank langsam hinter den weißen Häusern im Arabischen Meer. Das Restaurant wurde in glutrotes Licht getaucht, und verliebt betrachtete ich meinen Mann, der in dieser kitschigen Kulisse selbst aussah wie ein Sheikh.

25

»*Habibi*, bist du so weit? Der Sheikh erwartet uns.«

Karim wirkte nun doch ziemlich angespannt. Ich zupfte mir noch mal Kopftuch und Kleidung zurecht und folgte meinem Mann sittsam ins Vorzimmer des Sheikhs. »Wie sehe ich aus?«

»Alles okay, Nadia. Bleib ganz ruhig und schau ihm nicht in die Augen.«

Der Sekretär holte uns ab und öffnete die Flügeltüren zum Allerheiligsten.

Demütig trat ich hinter meinem Gatten ein.

Ein freundlicher, behäbiger Mann im bodenlangen weißen Hemd und mit edlem braunem Wolltuch um den Kopf saß hinter einem wuchtigen Schreibtisch und hörte soeben auf zu telefonieren. Er erhob sich und begrüßte uns herzlich – Karim mit Handschlag und mich mit einer freundlichen, ehrerbietigen Geste: Dazu legte er seine Rechte an die Brust und neigte den Kopf leicht in meine Richtung. Ich neigte ebenfalls den Kopf und starrte zu Boden. Wenn Conny und Siglinde mich jetzt sehen könnten, dachte ich. Die würden den Mund gar nicht mehr zukriegen. Ich, Nadia aus Fürth, bei einer Privataudienz beim Sheikh in Salalah!

Vor Aufregung hatte ich ganz feuchte Hände. Der Sheikh strömte eine exotische Duftwolke aus, die ich an noch keinem Mann gerochen hatte.

»*Please, take a seat.*«

Wir sanken aufs Ledersofa, und der Sheikh nahm auf einem golddurchwirkten Sessel gegenüber Platz.

Während Karim höflich auf Arabisch ein paar Begrüßungsfloskeln sagte, wie es hier Brauch war, sah ich mir verstohlen das Büro an. In einer Art Sitzecke stand ein großes gerahmtes Bild auf einem kleinen, schweren Holztischchen. Am liebsten wäre ich aufgestanden und hätte es aus der Nähe betrachtet. Das Schwarz-Weiß-Foto zeigte einen alten Mann mit zerfurchtem Gesicht und wachen dunklen Augen in einer traditionellen arabischen Tracht. Er hatte einen Krummdolch mit reich verziertem silbernem Schaft um den Bauch gebunden und ein Gewehr vor der Brust hängen. Das war bestimmt sein Vater, der Gouverneur des Sultans in Dhofar gewesen war.

Auf einem anderen privaten Foto war der heutige Sultan selbst zu sehen, in curryfarbenem Gewand: Seine Majestät Sultan Qabus ibn Said. Er lächelte mir freundlich distanziert zu.

Erschrocken fuhr ich zusammen, als Karim mich sehr förmlich auf Englisch ansprach.

»Nadia, Sheikh Rashid möchte, dass du dich um die Vermarktung des Hotels kümmerst. Du sollst deutsche Reiseunternehmen kontaktieren, der derzeitige tunesische Hotelmanager hat diesbezüglich nicht viel unternommen. Es gibt nur wenige Touristen, die von einem deutschen Reiseunternehmen nach Maskat geschickt werden, und nach Salalah überhaupt keine.«

Mein Blick schnellte begeistert in die Höhe, und ich hätte am liebsten Hurra geschrien und den Sheikh umarmt! Genau das war mein Traum, diesen Job wollte ich haben!

Aber natürlich schlug ich die Augen gleich wieder nieder und sagte so sachlich, wie es mein bebendes Zwerchfell zuließ, in Richtung Fußboden: »Diese Aufgabe ehrt mich sehr, und ich werde mein Möglichstes tun. Jedoch gebe ich zu bedenken, dass kein deutscher Tourist diesen Zustand der Zimmer akzeptieren wird.« Ich räusperte mich. War das ehrerbietig genug?

Nachdem beider Herren Augen nach wie vor wohlwollend auf mir ruhten, redete ich ruhig weiter.

»Die Poolanlage ist von gepflegter Scheußlichkeit und lässt so einiges vermissen. Es gibt keine schattenspendenden Ruheinseln, keine schönen Pflanzen, keine Liegestühle. Geschweige denn saubere Auflagen und flauschige Handtücher. Der Tourist ist der sengenden Sonne ausgeliefert. Das Gras ist verdorrt wie auf einem alten Fußballfeld.« Von einer Poolbar wollte ich erst gar nicht reden. Dieses Hotel war alkoholfrei, aber schon erfrischende Säfte hätten deutlich zum allgemeinen Wohlbefinden beigetragen. Karim übersetzte dem Sheikh leicht entschärft, was ich gesagt hatte, und der zog irritiert eine buschige Braue hoch. Aus seiner Gegenfrage hörte ich heraus, dass er doch bass erstaunt war über mein Begehr.

»Die strenggläubigen Muslime, die dieses Hotel frequentieren, gehen normalerweise nicht an den Pool. Höchstens mal die Männer mit ihren Kindern, wenn sie nicht in die Berge oder ans Meer fahren.«

»Das ist mir schon klar, aber der Sheikh hat mich gefragt. Ein europäischer Tourist ist mit diesem Standard nicht hinter dem Ofen hervorzulocken.«

»Der Sheikh sagt, du sollst eine Mängelliste erstellen und sie dem Hotelmanager vorlegen. Hiermit bist du eingestellt. Du wirst morgen das Büro neben meinem Büro beziehen.«

Mein Herz machte einen Freudensprung. Wahnsinn, ich war eingestellt! Beim Sheikh *himself!* Leider durfte ich auch jetzt nicht aufspringen und ihm begeistert die Hand schütteln, sondern musste meiner Freude gesenkten Blickes dezent Ausdruck verleihen.

Und zwar Karim gegenüber. Als Frau durfte ich nicht direkt mit einem Mann sprechen. Weder mit dem Sheikh noch mit sonst einem. Alles, was ich sagte, wurde über Karim kommuniziert. Ich war tatsächlich nur noch eine Art stummes Anhängsel.

Na super, dachte ich, während Karim sich im wärmsten Bariton wortreich vom Sheikh verabschiedete. Auch in meinem Namen, so als wäre ich gar nicht dabei. Ich hörte, wie er meinen Namen sagte: »*My wife, Nadia.*«

Der Sheikh war so erfreut über unsere zukünftige Zusammenarbeit, dass er noch mal zu seinem Schreibtisch schritt, eine Schublade öffnete und zwei Geschenkpäckchen hervorzog, die er Karim übergab. Ich schielte unter meinem Kopftuch hervor. Wie konnte man denn bei so was zu Boden schauen!

Arabische Floskeln murmelnd und Allah beschwörend, verabschiedeten wir uns von der Hoheit.

In unserem Zimmer ließen wir uns jubelnd aufs Sofa fallen. »*Habibi*, du hast den Job!«

»Karim, ich kann es kaum fassen … Er ist total nett! Er ist supersympathisch, total menschlich, so nahbar und … «

»Nicht für dich, Nadia. Vergiss das nicht. – Los, pack aus!«

Mit zittrigen Fingern riss ich das Geschenkpapier ab, öffnete eine mit Samt ausgelegte Geschenkbox und hielt eine wunderschöne Armbanduhr mit blauem Lederband in den Händen!

»Das ist Yves Saint-Laurent! Oh, Karim, ist das echtes Gold?«

»Na, aus dem Kaugummiautomaten ist die jedenfalls nicht«, sagte Karim lachend.

Er selbst hatte eine goldene Uhr einer Schweizer Nobelmarke bekommen. »Die ist schätzungsweise dreißigtausend Dollar wert.«

»Das ist der Wahnsinn, Karim! Kneif mich mal, ich kann das alles gar nicht fassen!«

Das ließ sich Karim nicht zweimal sagen. Wieder liebten wir uns leidenschaftlich, versicherten uns, wie glücklich wir miteinander waren.

»Der Sheikh beneidet mich um dich, *Habibi!* So eine intelligente, selbstbewusste Frau, und doch so respektvoll und seriösdistanziert!«

»*Hayati*, ich muss noch so viel lernen! Danke, dass du mich in diese wundervolle Welt einführst. Ich werde dich nicht enttäuschen!«

»Bei dir kann ich auftanken, Nadia. Aber Super plus! Ohne dich würde ich diesen Job gar nicht schaffen!«

26

Salalah, August 1999

Der Sheikh hatte noch andere Überraschungen für uns in petto: Als wir am nächsten Tag mit feierlichem Ernst unsere benachbarten Büros bezogen hatten, teilte uns der Sekretär mit, der Sheikh gedenke, eine kleine Tour mit uns zu unternehmen. Er warte bereits unten in der Halle auf uns.

Da ich bereits in voller Montur am Schreibtisch saß und Karim sein bequemes weißes Nachthemd mit den kunstvollen Stickmustern anhatte, mussten wir uns nicht groß umziehen.

Unten auf dem Parkplatz hatte der Sheikh bereits die passende Karosse gewählt: einen großen Geländewagen, in dem er sich selbst ans Steuer setzte. Karim bedeutete mir, hinten einzusteigen, und nahm selbst auf dem Beifahrersitz Platz.

Aha, dachte ich. Das Weib sitze hinten und schweige. Das Weib sei gar nicht da.

Aber meine unbändige Freude überwog. Übermütig kicherte ich in mich hinein: Nicht irgendein Fremdenführer kutschierte uns durch die Gegend, sondern der Sheikh persönlich!

Am liebsten hätte ich gegen die Ledersitze getrommelt vor Freude!

Während sich die beiden Männer vorn temperamentvoll auf Arabisch unterhielten, ließ ich die Gegend auf mich wirken. Karges Land, kahle sandige Hügel, vereinzeltes Buschwerk, ansonsten ockerfarbene Felsen auf ungeteerten Pisten, über die der Landrover zockelte.

Plötzlich bremste der Sheikh, so nach dem Motto: Ich bremse auch für Tiere!

Eine Kamelmama mit zwei winzigen Kamelbabys zog gemächlich an uns vorüber!

»Oh, Karim, schau doch, das ist ja der Wahnsinn! Gott sind die winzig! Und so süüüß!«

Ich konnte mich einfach nicht mehr beherrschen. Irgendwohin musste ich doch mit meiner Begeisterung! Der Sheikh fing herzlich an zu lachen, als wäre ich ein Kind, das aus Versehen was Drolliges gesagt hat.

Karim drehte sich schweigend zu mir um und sah mich tadelnd an. Er schüttelte langsam den Kopf.

Oh, Scheiße! Ich hätte die Klappe halten müssen! Das Weib freue sich leise! Mir brach der Schweiß aus.

Plötzlich änderte sich die Gegend. Braune Wadis durchzogen die Landschaft, und zu beiden Seiten dieser ausgetrockneten Flussbetten formierten sich sandige Hügel zu sanft ansteigenden Berghängen.

Und dann, nach ein paar weiteren Biegungen, lag eine unwirklich malerische Szenerie vor uns: Feiner weißer Sandstrand zog sich an den tiefgrünen Ufern des Indischen Ozeans entlang. Am menschenleeren Bilderbuchstrand wiegten sich vereinzelt Palmen im Wind. Es war, als hätte uns jemand eine Kinoleinwand vorgesetzt.

Diesmal biss ich mir lieber in die Faust, als begeistert loszujubeln. Wieder zog eine Kamelherde mit ihrem fast hochmütig wirkenden Gang vorüber, diesmal begleitet von einem alten, barfüßigen Kameltreiber. Er trug einen bunten Rock und nur einen Schal um den nackten Oberkörper.

Karim drehte sich zu mir um: »Der Sheikh sagt, in der heutigen Zeit sind Kamele keine Arbeitstiere mehr, sondern Statussymbole. Sie sind nicht wild, sie werden gezüchtet. Die besten von ihnen werden als Rennkamele in die Emirate verkauft und erzielen einen hohen Preis. Auch hier werden im Winter Kamelrennen abgehalten.«

»Interessant«, murmelte ich so bescheiden wie möglich. Als ich wieder aus dem Fenster schaute, musste ich mir schon wieder die Hand vor den Mund halten, um nicht entzückt aufzuschreien: Eine grüne Lagune lag vor uns, voller Flamingos, Ibisse und Reiher. Im knöcheltiefen Wasser weideten Kamele und Kühe genüsslich das saftige Gras ab. Ich bildete mir ein, sie schmatzen zu hören.

Im Hintergrund standen Palmen vor den schwarzbraunen Berghängen des Qara-Gebirges. Ein Bild für die Götter! Warum hatte ich nur den Fotoapparat nicht dabei? Na ja, der Ausflug war etwas spontan gewesen.

Als die Schotterpiste an der Landesgrenze zum Jemen eine Biegung machte, bedeutete uns der Sheikh auszusteigen. Ups, was war denn das Spitzes an meinem Gesäß? Erst jetzt bemerkte ich, dass ich die ganze Zeit neben einem Gewehr gesessen hatte! O Gott, wenn sich ein Schuss gelöst hätte bei dem Gerumpel! Natürlich traute ich mich nicht, etwas zu sagen.

Karim raunte mir zu: »Wir müssen jetzt ein Stückchen laufen und gehen über uralte Klippen. Aber bitte, halt dich zurück und schrei nicht wieder laut los, Nadia.«

Ich deutete an, meinen Mund mit einem Schlüssel zu verschließen und ihn anschließend wegzuwerfen, daraufhin grinste er zufrieden.

Wir stapften los, der Sheikh vorneweg, dann Karim und zum Schluss ich.

Nach einigen Stufen erreichten wir eine Art Plateau. Die Klippen wurden von der rauen See ausgewaschen und permanent unterspült. So war hier über die Jahrtausende bizarr zerklüftetes Gestein entstanden. Die Wellen mussten sich ein Ventil suchen und schossen in haushohen Fontänen durch Löcher im

Fels, dahinter der azurblaue Himmel. Es war ein gigantisches Naturschauspiel! Vorsichtig näherten wir uns verschiedenen Kratern, in denen es tobte und fauchte, bis die Gischt sich tosend Bahn brach. Lachend rannten die Männer weg, um nicht nass zu werden. Ich lachte so schicklich wie möglich und beeilte mich ebenfalls, nicht nass zu werden. Die Tropfen sorgten für einen wunderschönen Regenbogen.

Ich verkniff mir, Karim am Ärmel zu zupfen und ihn darauf aufmerksam zu machen.

Jetzt darfst du dir was wünschen, Nadia, schoss es mir durch den Kopf. Aber du musst deinen Wunsch für dich behalten! Ich kniff die Augen zusammen und wünschte mir, dass Karim und ich uns immer so innig lieben würden wie jetzt. Dass es nichts und niemandem gelingen würde, uns auseinanderzubringen.

Als ich die Augen wieder öffnete, sah ich Karims Blick liebevoll auf mir ruhen. Das amüsierte Zucken um seine Mundwinkel verriet mir, dass er meine Gedanken gelesen hatte. Er nickte unmerklich und schenkte mir einen seiner nur für mich reservierten Karim-Blicke. Der Sheikh schritt schon mit wehendem Gewand voran wie eine Gestalt aus dem Alten Testament, und in diesem Moment glaubte ich wirklich zu träumen.

Nachdem wir wieder ins Auto gestiegen waren, sah ich mich noch lange nach der idyllischen Küste von Mughsayl um.

Jetzt legte der Sheikh den zweiten Gang ein und kämpfte sich enge Serpentinen nach oben. Zum Glück wurde mir dahinten neben dem Gewehr nicht schlecht! Wenn ich mich schon nicht laut freuen durfte, so durfte ich mich bestimmt erst recht nicht laut übergeben.

Oben angekommen, hieß uns der Sheikh erneut aussteigen und die Aussicht genießen.

Die herbe Bergwelt bis hinunter zum tiefgrünen Ozean war einfach so grandios, dass ich mich nicht beherrschen konnte.

»Karim, sag dem Sheikh, dass ich von seinem Land völlig begeistert bin und es jetzt schon liebe!«

Karim übersetzte, der Sheikh lachte und verneigte sich leicht in meine Richtung, die Hand auf dem Herzen.

Irgendwie hatte ich das Gefühl, mit meiner aufrichtigen Freude das Eis gebrochen zu haben. Jetzt hatte ich bei dem Mann einen Stein im Brett.

Der Sheikh führte uns zu einer kleinen Gruppe unscheinbarer Bäumchen.

»Das ist ein Weihrauchbusch!«

Oh! Das wollte ich mir doch mal aus der Nähe ansehen. Während die Männer bereits in ein Gespräch vertieft weitergingen und mich sowieso nicht beachteten, untersuchte ich das heilige Gestrüpp.

Der Stamm war klein und verkrüppelt, die Äste zweigten verschnörkelt davon ab. Aus der Rinde traten kleine, klebrige Harztropfen hervor – wie kleine weiße Stecknadelköpfchen. Neugierig zupfte ich ein paar Blätter ab und zerrieb sie zwischen den Fingern. Ein frischer Duft entströmte ihnen. Das also ist das Gold der Antike, dachte ich. Kaum zu glauben! Damals war das Harz dieser Gewächse mit Gold aufgewogen worden!

Auf der Rückfahrt verhielt ich mich still. Dankbar nahm ich die letzten Eindrücke in mir auf. Was diese größte Provinz des Oman, Dhofar, landschaftlich an Vielfalt zu bieten hatte, war wirklich enorm! Zurück in Salalah, leuchteten wieder die sattgrünen Wiesen und Bäume in der Sonne, und wären nicht Kamele zwischen den grasenden Kühen herumgestakst, hätte man meinen können, irgendwo in Österreich oder der Schweiz zu sein.

»Oh, Karim, das war ein herrlicher Ausflug! Ich bin total glücklich und begeistert, dass ich in diesem Land leben und arbeiten darf!«

»Ja, Nadia, der Sheikh hat sich auch sehr gefreut über deine Begeisterung … Aber bitte halt dich in Zukunft mit deinen Freudenausbrüchen zurück.«

27

Salalah, 1. Oktober 1999

Karim bekam einen Dienstwagen, und so konnten wir an einem Freitag, dem muslimischen Feiertag, unseren ersten Ausflug zu zweit machen. Diesmal durfte ich vorn sitzen, sprechen und mich laut freuen.

Ich legte sogar meine Hand auf Karims Knie und musste grinsen, als ich mir vorstellte, ich hätte das beim Sheikh gewagt! Der hätte unter Umständen glatt nach hinten gegriffen, sein Gewehr genommen und dem Spaß auf seine Weise ein Ende bereitet ...

»Worüber lachst du?«, fragte Karim amüsiert.

»Ich bin albern. Alles ist so aufregend und neu und so vieles verboten – aber ich verspreche dir, Karim, das krieg ich hin.«

»Schau, da ist der Sultanspalast Al Husn. Der Sultan ist aber nicht da, die Fahne hängt auf Halbmast.«

»Können wir den Palast trotzdem besichtigen?«

»Nein, Nadia, da wohnt der Sultan privat. Aber schau, die blaue Kuppel da hinter der Mauer, das ist seine private Moschee.«

»Wahnsinn, Karim, das ist alles der Wahnsinn ...« Die Farben leuchteten unbeschreiblich.

Ich sog alle diese Informationen in mir auf wie ein Schwamm. Schließlich hatte ich vor, hier bald europäische Touristen herumzuführen und alles genau zu erklären.

»Lass uns bitte auf den berühmten Weihrauchmarkt gehen«, bettelte ich.

Wir schlenderten los und brauchten eigentlich nur der exotischen Duftwolke zu folgen, die zu uns herüberwehte. Neugierig strebten wir auf den ersten Gang zu. Ich musste mich immer wieder beherrschen, Karim nicht am Arm zu ziehen.

»Schau mal, Karim, jede Menge kleine weiß bis gelbbraun schimmernde Steinchen. Und dann die goldfarbenen Blechdöschen mit dem schwarzen pulverähnlichen Zeug hier.« Ich nahm eine und roch daran. Einfach göttlich, schwer und süß!

»Karim, ist das der berühmte Weihrauch?«

»Ja, Nadia, das ist *luban,* Weihrauch, mein Herz.«

Liebevoll sah er mich an und freute sich aufrichtig über mein Interesse.

»Nadia, nicht in jedem arabischen Land ist Weihrauch Sitte, aber hier ist er unverzichtbar. Seit Tausenden von Jahren gehört *luban* zum Alltag der Menschen in den Golfstaaten.«

»Habt ihr früher in Bagdad keinen Weihrauch verwendet?«

»Nein. Suleika auch nicht. Aber die ganze Golfregion beweihräuchert sich.«

Ich musste laut lachen. »Selbstbeweihräucherung ist also keine Sünde? Hahaha, das ist lustig!«

»Nadia!« Entsetzt wirbelte Karim zu mir herum. »Beherrsch dich!«

»Entschuldigung.« Zerknirscht stellte ich das Döschen wieder zu den anderen.

Wir schlenderten weiter, und ich sah mich nach einem Geschäft um, in dem viele Gläser mit schwarzen, von Parfümölen durchtränkten Holzstückchen standen. Neugierig öffnete ich einige von ihnen und roch daran.

»Oh, Karim, das ist umwerfend, riech mal!«

Der indische Händler näherte sich und fragte auf Englisch, ob er helfen könne.

»Ja!«, rief ich erfreut. »Bitte erklären Sie mir doch, was in diesen herrlichen Mischungen ist!«

Karim erstarrte zur Salzsäule und sah mich pikiert an.

»Nadia! Bitte gewöhne dich daran! Hier rede nur ich, okay?«

Ich zuckte zusammen. Ich durfte noch nicht mal den Händler was fragen? Aber er hatte das Wort doch an mich gerichtet! Oder etwa nicht?

»Aber ich hab doch nur … Ich hab den Mann doch nicht angesehen!«

»Nadia! Ich will das nicht! Klar?!«

Sein sonst so liebevoller Blick durchbohrte mich wie ein Krummdolch. So aufgebracht hatte ich meinen Karim noch nie erlebt!

»Du bist hier nicht in Europa. Akzeptier das endlich, und schieb die Haare unters Kopftuch!«

Er zeigte an seiner Schläfe, an welcher Stelle ich schieben sollte, und sein Gesicht war komplett humorfrei.

Artig gehorchte ich, so gut es ging – ich hatte ja keinen Spiegel.

»Nadia, wenn du hier in diesem Land bestehen willst, musst du dich als muslimische Frau korrekt verhalten«, zischte mir Karim ins Ohr, ohne mir dabei zu nahe zu kommen. »Du vertrittst auch mich und meine Ehre. Ich will hier als Geschäftsmann Fuß fassen, die Leute schauen schon nach uns.«

Dem Händler war die Szene sichtlich peinlich, am liebsten wäre er im Erdboden versunken. Hastig begann er, die Mixturen zu erklären, sah aber dabei nur Karim an. Immerhin sprach er nicht Arabisch, ignorierte mich also nicht vollends.

Tapfer atmete ich meinen Schreck weg und tat so, als wäre nichts gewesen.

»Jede Familie hat ihre eigene geheime Rezeptur, die von Generation zu Generation an die Töchter weitergegeben wird«, erklärte er mit seinem indischen Akzent. Ich hätte ihn gern interessiert angeschaut und aufmunternd genickt, denn das war MEIN Verständnis von Höflichkeit, aber dann wäre Karim wieder auf hundertachtzig gewesen. Also schaute ich ganz neutral vor mich hin.

»Verwendet werden zerstoßener Weihrauch, verschiedene Blütenöle, Sandelholz und Myrrhe. Mal schwer, mal süß, mal herb, mal frisch – die Mischungen werden *buhur* genannt und sind immer wieder anders.«

»*Hayati*, bitte, ich muss das haben, dieser Duft ist göttlich!« Ich schaute an die Wand wie ein Schüler, den man in die Ecke gestellt hat.

Endlich lachte mein Moralapostel wieder. Großzügig kaufte er mir eine Grundausstattung mit dazugehörigem Weihrauchgefäß, damit wir zu Hause selbst damit hantieren konnten.

Ich würde meinen Liebsten beweihräuchern, bis ihm ganz schwindlig würde! Vielleicht sollte ich auch meine Bauchtanzkenntnisse wieder auffrischen! Wenn ich daran dachte, wie ich damals vor vier Jahren ahnungslos in der Volkshochschule in Fürth die Hüften geschwungen hatte – und jetzt lebte ich tatsächlich mittendrin im Orient!

Wir spazierten noch zum Fischmarkt, wo ich immer größere Augen bekam. Inmitten von riesigen Fischbergen saßen barfuß die Fischer und boten lautstark ihre Ware ausnahmslos männlichen Kunden an, wobei sie auch gleich die Innereien entnahmen und auf Wunsch alles in appetitliche Einzelteile zerlegten. Das ging so schnell und geschickt vor sich, dass ich kaum hinterherkam. Herumstreunende Katzen machten sich über die Reste her. Merkwürdigerweise stank es kein bisschen nach Fisch.

»Der Fisch ist so frisch, dass man ihn noch nicht mal riecht«, erklärte mir Karim. »Apropos Essen – hast du keinen Hunger, *Habibi*?«

»Doch. Und wie!«

Karim ging zu einer der zahlreichen Obstbuden am Straßenrand und erstand zwei Kokosnüsse. Wir setzten uns auf eine einfache kleine Bank und schlürften durch einen Strohhalm die erfrischende Kokosmilch.

Auch das zarte, frische Fruchtfleisch schmeckte wunderbar.

»Oh, Karim, ich bin hier im Paradies! Schöner könnte es gar nicht sein!« Ich strahlte meinen Mann dankbar an.

Karim hatte wieder dieses gütige Lächeln, das mich wärmte und mir Sicherheit und Geborgenheit schenkte. Verstohlen drückte er meine Hand. »*Habibi*, seit du an meiner Seite bist, bin ich glücklich. Jetzt kann ich die Schönheit der Natur mit deinen Augen sehen.« Um mit seinem verschmitzten Lausbubengrinsen hinzuzufügen: »Ich dreh mich noch nicht mal mehr nach anderen Schönheiten um!«

Untersteh dich, dachte ich nur, sagte aber nichts. Ich darf nicht mal einen Händler anschauen, geschweige denn einen Sheikh, der mir etwas erklärt. Und du bist stolz darauf, dass du nicht fremden Weibern nachschaust? Wer hat eigentlich bei euch die Spielregeln gemacht?

Nein, bloß keine Diskussion anfangen! Ich würde damit leben müssen. Das war die Bedingung für dieses Glück. Mit einem Seitenblick auf meinen sichtlich entspannten Karim knabberte ich an meiner Kokosnuss. Dann rief der Muezzin zum Gebet.

Zutiefst zufrieden begaben wir uns zur *Ihsa*, dem Abendgebet, in die Moschee. Inzwischen verschwand ich ganz selbstverständlich hinter dem Vorhang in der Frauenecke. Hier war es oft leer, da die Frauen meist zu Hause beteten. Aber am heutigen Freitag stand ich mit vielen schwarz verschleierten Frauen auf Tuchfühlung, aus deren Abayas exotische Düfte strömten.

Müde und verschwitzt erreichten wir schließlich unser Hotel. Es war ein herrliches Gefühl, hier zu duschen! Das Wasser war kalt und erfrischend, nicht heiß wie in Maskat.

Ich kochte uns einen Tee, und wir aßen unsere mitgebrachten Sandwiches, die ich auf einem Teller liebevoll mit Gurken und Tomaten dekoriert hatte.

»*Shukran Allah* – danke, Gott«, sagte Karim. »*What a wonderful day.*«

»Es war der perfekte Tag. Danke, Karim, ich werde ihn nie vergessen!«

»*Habibi,* ich wünschte es könnte immer so weitergehen«, seufzte Karim, legte den Arm um mich und zog mich an sich.

»Kann es doch.« Ich kaute zufrieden. »Ich werde auch immer brav die Klappe halten und den Blick senken.«

»Schön wär's!«, murmelte Karim und massierte sich den verspannten Nacken.

»Aber morgen kommen Suleika und die Kinder.«

28

Salalah, 2. Oktober 1999

Und damit begann der Stress.

Für seine Familie hatte Karim eine Villa in der Siedlung des Sheiks vorgesehen.

»Ich will sie aber noch nicht mieten, sie müssen sich das erst ansehen.«

Aha. Also doch kein »Ich entscheide, und ihr nehmt es hin«. Letztlich hatte Suleika das letzte Wort.

Für uns mietete Karim ein schönes weißes Haus, fünf Minuten vom Hotel entfernt, denn in der »Suite« des noch runtergekommenen Schuppens wollten wir unser Leben nicht fristen. Nicht die Hälfte der Zeit wie Karim und schon gar nicht durchgängig wie ich – jetzt, wo ich wieder jeden zweiten Tag allein daheim hocken musste!

Unser Häuschen hatte einen netten kleinen Vorgarten mit blühendem Hibiskus, und eine mannshohe Mauer gab mir die Freiheit, nicht immer mit Kopftuch rausgehen zu müssen.

Die Küche war modern eingerichtet, die Essecke geräumig, jedes Schlafzimmer hatte ein eigenes Bad. Vom Balkon aus konnte man das Qara-Gebirge sehen.

»Oh, Karim, das ist wundervoll! Ich werde die Terrasse gemütlich einrichten und den Garten bepflanzen, dann können wir die Nächte draußen genießen!«

»Ganz, wie du willst, *Habibi*. Der Sheikh übernimmt die Kosten für die Möbel, du darfst dir alles selbst aussuchen.«

Die Behördengänge waren mühsam wie in jedem Land, aber durch den Arbeitsvertrag hatten wir erst mal eine Aufenthaltsgenehmigung. Sogar einen omanischen Führerschein bekam ich ausgehändigt, der für zehn Jahre gültig war.

Es war übrigens sehr hilfreich und auch unabdingbar, dass wir Papiere vorweisen konnten, die uns als rechtmäßig verheiratet auswiesen. Im Oman galt zwar das Recht der Scharia, aber das mündliche Versprechen vor Allah in der Moschee reichte nicht aus. Nur gut also, dass wir bei unserer Stippvisite in Dubai mal eben schnell standesamtlich geheiratet hatten.

Karim war nach Maskat gefahren, um seine Familie abzuholen. Anschließend würde er auch erst mal ein paar Tage bei ihnen sein, um den Umzug, den Behördenkram und die Einschulung zu regeln.

An mir sollte es nicht scheitern. Ich würde ihn entlasten und schon mal gute Vorarbeit leisten. Er war so stolz auf meine Selbstständigkeit und mein Organisationstalent! Wenigstens ich wollte ihm keine Last sein und die ganze Arbeit ihm überlassen.

Und so ging ich an meinem ersten Allein-Tag tatendurstig in mein Büro und bestellte erst mal bei Mosa, dem indischen Waiter, einen Tee.

Mosa trug sein Schicksal mit Gelassenheit: Wie ich bald herausfand, bekam er nur alle zwei Jahre für einen Monat frei, um seine Familie zu besuchen. Seine wirklich bescheidene Bezahlung reichte kaum, um die bevorstehende Hochzeit seiner Tochter und ihre Aussteuer zu bezahlen. Karim steckte ihm oft ein paar Rial zu, die er stets mit großer Dankbarkeit entgegennahm.

Okay, dachte ich und rieb mir unternehmungslustig die Hände. Dann wollen wir mal!

Es gibt viel zu tun – packen wir es an, lautete damals ein beliebter Slogan.

Ich griff zum Telefon und rief den Hotelmanager an – so, wie es mir der Sheikh persönlich empfohlen hatte.

Obwohl der Mann ziemlich erstaunt war, dass ihn die Frau seines Vorgesetzten zu sprechen wünschte, vereinbarten wir sofort einen Termin. Jederzeit könne ich kommen, kam es ein bisschen verschnupft aus dem Hörer. Allerdings wolle er auch mit Karim sprechen.

Da der ja nun mal leider nicht da war, weil er ein Doppelleben führen musste, was ich dem Mann aber nicht auf die Nase binden wollte, marschierte ich allein los.

Auf mein Klopfen hin öffnete ein schmallippiger Tunesier mit hochgezwirbeltem Schnurrbart und Häkelkäppi und reichte mir die Hand.

»*Welcome, madam.*«

Wollte er mich testen? Oder seinerseits beweisen, dass er ein Mann von Welt und durchaus westlich geprägt war – *handshake* inbegriffen?

Fragen über Fragen! Bestimmt passte es ihm so oder so nicht, dass sich nun eine fremde Frau in seine Angelegenheiten einmischte und an seinem Stuhl sägte.

»*What can I do for you?*«, schleimte er, während ich mir heimlich die Hand an meiner Abaya abwischte.

Er zeigte mit der Hand auf einen Stuhl vor seinem Schreibtisch, und ich sank mit halber Pobacke darauf. Er selbst nahm hinter seinem wackeligen Schreibtisch Platz.

»Bitte verzeihen Sie meine Neugierde«, gab ich zuckersüß zurück, »aber warum steigen denn keine Touristen in diesem Hotel ab?«

Vorwurfsvoll warf er die Hände in die Luft. »*Madam*, Sie sehen doch, was hier los ist!«

»Ja, nämlich gar nichts!«

»*Madam*, es gibt keinen Alkohol. Das Hotel liegt nicht am Meer, und wie Sie bereits festgestellt haben dürften, sind die

Zimmer miserabel.« Er griff in seine Schreibtischschublade und zauberte leider keine goldene Uhr, sondern meine sorgfältig erstellte Mängelliste hervor. Oje! Wir beide würden keine engen Freunde werden.

»Aber das kann man doch ändern!«, hob ich eifrig an. »Mit einigen wenigen Eingriffen. Ich hab da schon ein paar Ideen …«

Mit einer wegwerfenden Geste brachte er mich zum Schweigen.

»Sparen Sie sich die Mühe! Die Hauptsaison ist gerade vorbei, und unseren Umsatz machen wir in den sechs bis acht Wochen der *Khareef*-Saison, wenn es hier regnet.«

»Wie?«

»Na, in der Herbstsaison! Die Sie gerade erlebt haben.«

»Sie meinen, weil es ein paarmal getröpfelt hat?«

»Genau. Die Leute aus den heißen Emiraten fliegen entweder nach Europa, wenn sie es sich leisten können, oder aber zu uns. Es gibt sogar ein Festival, auf dem arabische Musik gespielt wird. Dann sitzen die Leute im Regen und sind glücklich. Die Umsätze, die wir in dieser Zeit machen, müssen fürs ganze Jahr reichen.«

»Ja, und danach versinkt das Hotel wieder im Dornröschenschlaf? Sollte man da nicht gegensteuern? Mit Europäern etwa? Die finden die fünfundzwanzig Grad, die hier im Winter herrschen nämlich toll!«

Der Hotelmanager sprang auf und lief nervös auf und ab. Ich hingegen saß züchtig auf meinem Stuhl und hatte auch nicht vor, so schnell wieder zu gehen.

»Was glauben Sie, was ich hier mache?«, ereiferte sich der Tunesier.

Ups. Er hatte meinen Vorstoß wohl als Kritik aufgefasst.

»Man könnte die Grünflächen am Pool aufhübschen, Palmen und Blumen pflanzen, die Teppiche und Vorhänge erneuern und das Personal anleiten, aufmerksamer zu sein. Haben Sie sich mal die schmuddligen Tischdecken und Servietten angesehen? Und die kinderfaustgroßen Staubflusen unter den Sofas?«

Er winkte ab und hielt unsere Besprechung damit für beendet.

»Ich werde das alles mit Mr. Karim besprechen.«

Ich habe aber auch eine Birne auf dem Hals und einen Mund im Gesicht, kann lesen und schreiben und ein Telefon bedienen, wollte ich ihn schon anblaffen, beherrschte mich aber.

Er zuckte arrogant die Achseln und begleitete mich hinaus. Diesmal gaben wir uns nicht die Hand.

Wieder in meinem Büro, verbuchte ich diese meine erste Aktion als Misserfolg.

Meine Gehirnzellen arbeiteten fieberhaft. So ein arroganter Miesling! Was tat der eigentlich für seine Superbezahlung? Man müsste sämtliche Reiseveranstalter kontaktieren … Auf der ITB in Berlin, der jährlich stattfindenden Messe der Internationalen Tourismusbranche, gab es einen eigenen Stand für den Oman! Unser Hotel bekam jährlich eine Einladung, wie ich sah, aber Mr. arrogantes Arschloch hielt es nicht mal für nötig, darauf zu antworten! Andere Hotels im Oman hatten eine ganze Seite in den Urlaubskatalogen und warben mit ihren Wellnessoasen!

Von dem Blödmann würde ich mich ganz bestimmt nicht entmutigen lassen. Nach einer stärkenden Tasse Tee klopfte ich an Mr. Yussefs Bürotür. Der Mann war »die rechte Hand« des Sheikhs. Alle hatten Respekt vor ihm, und was er sagte, wurde sofort in die Tat umgesetzt.

Nach ein paar höflichen Floskeln kam ich gleich zur Sache. »Mein Mann ist, wie Sie wissen, in Maskat, und ich möchte mit meiner Arbeit beginnen.«

»Nur zu, meine Liebe. Wo drückt der Schuh?«

»Bitte lassen Sie mich das Hotel verschönern.«

Ich blickte auf den Boden, denn ihn direkt anzusehen war ja nicht schicklich.

»*Madam,* das ist eine glänzende Idee! Sagen Sie mir, was Sie brauchen, ich werde es sofort veranlassen!«

Na bitte, grinste ich in mich hinein. Geht doch!

Ich erklärte Mr. Yussef, an welche Pflanzen und Palmen ich gedacht hatte, zeigte ihm im Möbelprospekt passende Liegestühle mit Polsterauflagen und erklärte ihm, welche Steine in Verbindung mit blühenden Büschen aus dem Wadi man zu einer interessanten Gartenlandschaft arrangieren könnte.

»Ich möchte auch Weihrauchpflanzen und die Wüstenrose, die ich an der Grenze zum Jemen gesehen habe!«

Zu meiner großen Freude ließ der wunderbare Mr. Yussef in den nächsten Tagen alles ankarren. Landschaftsgärtner begannen zu buddeln, und ich ging ganz in meinem neuen Paradiesgarten auf, zeigte dies und das, lobte die Fleißigen und ermunterte die eher Bequemen. Ich brachte Wasserkaraffen herbei und reichte jedem Arbeiter einen Plastikbecher, was diese erstaunt, aber freudig zur Kenntnis nahmen.

Außerdem bestellte ich forsch neue Vorhänge, Bett- und Tischwäsche. Alles von feinster Qualität, farblich perfekt aufeinander abgestimmt.

Na, da würde Karim aber staunen! Insgeheim rieb ich mir schon die Hände vor Vorfreude und malte mir seinen überraschten Blick aus.

Doch da hatte ich mich schwer verrechnet.

Ich schwirrte gerade, umgeben von Gärtnern und Dienern, im Garten herum, als Karim wenige Tage später wütend auf mich zumarschierte.

»Hast du etwa mit denen geredet?«

»Nein, wir haben uns in Gebärdensprache unterhalten. Natürlich habe ich mit ihnen geredet, Karim! Ich wollte dir Arbeit ersparen. Schau doch nur, wie schön das schon geworden ist!«

Karims Miene versteinerte. »Du hast mit MR. YUSSEF geredet?«

»Ja, *Hayati!* Er war total hilfsbereit und hat mir das ganze Zeug bestellt! Hast du schon die neuen Tischdecken im Restaurant gesehen? Und die Kellner haben nicht mehr diese zerschlissenen Uniformen, sondern ganz neue, moderne ...«

»Du warst bei ihm im Büro?! ALLEIN?«

»Ja, aber, Liebster, er kannte mich doch schon! Er hat uns doch vom Flughafen abgeholt. Ich hab ihm auch nicht ins Gesicht geschaut!«

»Du warst sogar bei dem schmierigen Hoteldirektor?! ALLEIN?! Und hast ihm die HAND gegeben?!«

»Na ja, das war echt nicht so angenehm, der ist ein hinterlistiger ...«

»Ja, GENAU«, brüllte mich Karim nun genervt an. »Der hat mir das nämlich alles erzählt!«

»Er hat gepetzt, der Arsch.« Verlegen rieb ich mir die Handgelenke. Hatte ich's mir doch gedacht!

»Er hat es mit Sicherheit dem ganzen Hofstaat erzählt«, zürnte Karim aufgebracht. »Nadia, ich WILL das nicht! Wie oft muss ich dir das denn noch sagen! Du tust NICHTS ohne mich, kapiert?«

Fassungslos stand ich da. Die Gärtner buddelten weiter und taten so, wie wenn nichts wäre.

»Karim, bitte, beruhige dich!«

»Wiederhole, dass du das verstanden hast. Du tust NICHTS ohne mich, und du sprichst mit NIEMANDEM.«

»Aber ich kann doch nicht tagelang rumsitzen und Däumchen drehen!«

»DOCH! DAS WIRST DU! Bis ich wieder da bin!«

»Karim, ich habe eine ganze Abteilung geleitet! Ich hatte vierzig Leute unter mir, habe organisiert und delegiert …«

»Das war in deinem früheren Leben!« Wütend fuhr sich Karim über die Stirn. »Jetzt lebst du mit mir, in einem islamischen Land! Du bist MEINE FRAU!! Und als solche tust du das NICHT mehr!« Er schnaubte. »NIE mehr, verstanden?!«

29

Salalah, Weihnachten 1999

»Diana, Liebling! Willkommen im Oman!« Aufschluchzend zog ich meine Tochter an mich und drückte sie, dass sie kaum noch Luft bekam. »Es ist hier im Dezember nicht so heiß – gutes Timing, mein Schatz!«

»Mami! Du erdrückst mich ja!«

»Ich freu mich nur so, dass du da bist. Wie war dein Flug?«

»Lauter schwarze Kegel saßen um mich herum.« Meine große, schöne, weibliche blonde Tochter grinste schief. »Ich kam mir richtig nackt vor!«

»Aber, Liebes, du bist genau richtig angezogen.«

Diana trug Jeans, ein weißes T-Shirt und darüber einen hellen Blazer.

»Bedeckt, hast du gesagt. Ich bin komplett bedeckt!«

»Ja, Liebes, das passt schon. Komm, dahinten steht Karim!«

Beglückt zog ich meine Tochter zum Parkplatz, wo Karim im langen weißen Nachthemd neben seinem Auto stand und ungeduldig aufs Dach trommelte.

Ehe er sichs versah, war Diana ihm schon freudig um den Hals gefallen.

Er lachte überrascht und begrüßte sie mit immerhin drei Wangenküsschen! Karim war heute anscheinend besonders locker drauf.

Hinten im Auto plapperten wir auf Deutsch los, dass Karim die Ohren wackelten. Er verstand natürlich kein Wort.

»Wir haben schon so viel geschafft in unserem Hotel, du wirst es ja gleich sehen!«

»Bin schon riesig gespannt! Und was ist mit dem fiesen Hoteldirektor? Krieg ich den auch zu sehen?«

Natürlich hatte ich Diana ausführliche Briefe geschrieben und an besonders einsamen, Karim-freien Tagen stundenlang mit ihr telefoniert. Die Sehnsucht nach meiner einzigen Tochter war manchmal so groß, dass ich es fast nicht aushalten konnte.

»Nee, der hat sich nach Saudi-Arabien vertschüsst. Karim hat einen jungen Inder eingestellt, mit dem ich sehr gut klarkomme.«

Karim spitzte die Ohren, das konnte ich genau sehen. Aber jetzt spürte er mal, wie das war, wenn andere sich in einer Fremdsprache bestens unterhielten, ohne ihn mit einzubeziehen. Der Mann lenke das Auto und schaue geradeaus.

»Wir haben den Tennisplatz wieder aktiviert«, frohlockte ich. »Der war komplett vertrocknet, und das Netz hing in löchrigen Fetzen herunter.«

»Sag bloß, du spielst in dieser Montur Tennis.«

»Ja, Liebes, ich hab es Karim sogar beigebracht! Er stellt sich sehr geschickt an. Nicht wahr, *Hayati*?« Ich streichelte meinem Liebsten den Nacken.

»Wie muss ich mir das vorstellen?« Diana zog eine Grimasse.

»Karim erlaubt mir, ab zweiundzwanzig Uhr mit ihm Tennis zu spielen, und zwar mit langer Hose, langärmeligem T-Shirt und Kopftuch. Das ist bei knapp dreißig Grad nicht immer einfach, aber diese Freiheit lass ich mir nicht nehmen.«

»Ach, Mami!« Diana schüttelte den Kopf. »Du warst in deinem Verein Klubmeisterin! Weiß er das?« Sie zeigte mit dem Kinn nach vorn.

»Klar. Aber andere Länder, andere Sitten. Macht nichts, Liebes. Erzähl von dir!«

Diana erzählte von ihrem Studium, ihrem Tobias, mit dem sie glücklich zusammenlebte, und von ihrem Leben in Nürnberg, wo sie sich pudelwohl fühlte.

Karim brachte uns ins Haus, half Diana noch mit dem Gepäck und verabschiedete sich anschließend, weil er erst ins Büro und dann zu seiner anderen Familie musste.

»Schick doch die Kinder mal vorbei«, ermunterte ich ihn. »Die freuen sich bestimmt, Diana kennenzulernen!«

Diana trank ihren Begrüßungstee und nickte zustimmend. »Vor allem den kleinen Mohammed würde ich zu gern sehen!«

»Ihr Lieben, ich fürchte, Suleika macht wieder Ärger.« Karim schüttelte bedauernd den Kopf. »Sie will die Kinder nicht zu Nadia lassen. Hier wird ihr zu viel gelacht.«

Frustriert verabschiedete er sich und ging.

»Mami, wie haltet ihr das nur aus?« Diana sah mich besorgt an. »Wie geht es dir wirklich, Mami? Du bist blass und hast so einen traurigen Zug um den Mund.«

»Ach, Liebes, es ist nicht immer einfach.« Ich setzte mich neben sie und strich ihr über die glatten blonden Haare. »Karim und seine Familie haben oft Differenzen. Wenn er zu mir kommt, ist er anfangs meist gereizt und gestresst. Ich muss ihm dann erst mal zuhören und ihn trösten. Dann kommt er irgendwann wieder runter und hat ein Ohr für meine Belange. Ich muss ihn leider um jeden Handgriff bitten: Er muss jedes Telefonat für mich führen, ich muss immer warten, bis ich dran bin …« Müde rieb ich mir über die Augen. »Das zermürbt mich manchmal.«

»Mami, ich mach mir Sorgen um dich …«

Diana nahm mich in den Arm, und ich musste mich ganz fürchterlich zusammenreißen, nicht in Tränen auszubrechen. Das fehlte noch, dass mein Kind die weite Reise zu mir machte, und ich mich als Erstes bei ihm ausheulte!

»Das ist wirklich lieb von dir, aber wir wollen doch unsere

kostbare Zeit nicht damit verschwenden!« Ich straffte mich und blinzelte energisch ein paar Tränen weg. »Mein Schatz, wenn du ausgepackt hast und dich gut fühlst, hätte ich ein tolles Programm für uns! Du bist meine erste Touristin, und ich schleife dich jetzt wild durch die Gegend!« Mein Ton war betont munter, damit Diana nicht auf die Idee kam, weiter in meinen Wunden zu bohren.

»Darfst du denn Auto fahren?«, neckte sie mich. »Oder erlaubt das dein Gatte nicht?«

»Das lass ich mir nicht nehmen! Komm, steig ein!«

Genüsslich fuhren wir durch die herrliche Landschaft, nachdem wir Salalah in östlicher Richtung verlassen hatten.

»Mama! Der Wahnsinn! Kamele! O Gott, die haben winzige Babys! Oh, wie süüüüß!«

Mit einem sehr breiten Grinsen hielt ich an und ließ die Herde gemächlich an uns vorüberziehen. Diana griff nach hinten in ihre Tasche und zerrte den Fotoapparat heraus. Ich genoss ihre Freude und erzählte ihr alles, was der Sheikh uns über die Zucht dieser Tiere und die Kamelrennen erklärt hatte. Meine erste deutsche Touristin lauschte gebannt und hörte gar nicht mehr auf zu knipsen.

»Mami, halt an«, schrie sie nach einer weiteren halben Stunde. »Sieh dir die prächtigen Pferde an!«

Diana war ambitionierte Reiterin und völlig auf diese schönen Tiere fixiert.

»Was ist das für eine riesige Farm? Die sieht ja aus wie geleckt, so sauber und gepflegt!«

»Das ist die private Farm des Sultans.«

Diana blieb der Mund offen stehen. »DAS sind die Pferde des Sultans? Des Sultans vom Oman?!«

»Ja. Wenn er in Salalah ist, reitet er hier.«

»Oh, Mama, vielleicht ist er gerade hier? Lass uns aussteigen, lass uns fragen!«

Wie ich Diana kannte, hätte sie keine Hemmungen gehabt, mal eben beim Sultan anzuklingeln und sich selbst zum Kaffee einzuladen. Schmunzelnd folgte ich ihr.

Am Eingang der Farm, zu der eine prächtige Allee führte, befand sich ein kleiner Hofladen, der Milch, Honig, Eier und andere Produkte der vorbildlich geführten Farm verkaufte. Der kleine hutzelige Verkäufer, der auf einer Gemüsekiste hockte und Feigen sortierte, staunte nicht schlecht, als er hörte, was meiner blonden Tochter Begehr war.

Er lachte, dass sein Goldzahn aufblitzte: »Nein, nein, ausgeschlossen, das ist die private Farm des Sultans, da darf niemand rein, nur sein Gefolge und die Bediensteten!« Er schüttelte heftig den Kopf. »Kein Zutritt für Außenstehende, kein Einlass für Touristen!«

Diana machte ein enttäuschtes Gesicht. »Ich wollte doch nur mal die Pferde streicheln und fotografieren!«

»Keine Chance, Liebes. Komm, lass uns gehen. Ich bin froh, dass Karim nicht dabei ist, der hätte sich schon wieder schrecklich aufgeregt.«

»Worüber denn?« Diana ließ sich nur widerwillig fortziehen.

»Na, du hast mit einem Mann gesprochen und ihn dabei angesehen! Und ich auch!«

»Hä?«, machte Diana verärgert. »Sollen wir uns etwa mit Handzeichen verständlich machen?«

»Ach, Liebes, ich musste auch so viel lernen! Frauen reden hier mit Frauen und Männer mit Männern.«

»Aber Kinder kriegt man hier schon, oder?«, murrte sie, während sie sich wieder anschnallte. »Muss man ja nicht bei reden«, murmelte sie kopfschüttelnd.

Ich lachte. »Liebes, ich kenne einen wunderschönen Park, in dem wir picknicken können.«

Mitten in der kargen Landschaft lag ein schön angelegter

öffentlicher Park, durch den kleine Bäche plätscherten. Wir setzten uns an einen verträumten See mit unzähligen Seerosen.

»Geil!«, entfuhr es ihr. »Wieso gibt es hier so viel Wasser?« Sie zeigte auf die vielen Rinnsale, die aus dem Felsmassiv sprudelten.

»Diese Quellen entstehen, wenn der Monsun hier vorbeizieht. Die Berge saugen das Wasser regelrecht auf, das hier durch Nebel und Sprühregen entsteht. Sie speichern es und geben es das restliche Jahr über wieder ab. Die Menschen hier haben keinen Wassermangel wie in Maskat.« Ich erzählte meiner Tochter von der feuchten Saison, in der sich hier überhitzte Touristen aus den anderen Emiraten tummelten. Diana kaute beeindruckt auf ihrem Sandwich herum.

»Mama, du weißt echt schon wahnsinnig viel und kannst es gut erklären. Ich wüsste nicht, warum du hier nicht Scharen von deutschen oder europäischen Touristen herumführen solltest!«

»Alles braucht seine Zeit«, sagte ich wie Karim, wenn ich ihm zu ungeduldig wurde. »Eines Tages, so Gott will, wird es so kommen. *Inshallah.*«

Diana sah mich von der Seite an, sagte aber nichts mehr.

Später zeigte ich ihr noch den Weihrauch- und den Fischmarkt und am Endes des Tages mein Büro im Hotel. Freund Mosa servierte ihr sofort einen Tee.

Ich erzählte ihr von seinem kargen, eintönigen Leben und dass er all sein Geld für die Aussteuer und Hochzeit seiner Tochter spare. Das sei nämlich ausschließlich Aufgabe und Pflicht des Brautvaters und bestimme weite Teile seines Lebens.

»So gesehen ist für einen Inder die Geburt einer Tochter oft eine Katastrophe.«

Diana verdrehte die Augen. »Hauptsache, ich war für dich keine Katastrophe.«

»Liebes, du bist das Beste, was mir je im Leben passiert ist!«

Am übernächsten Tag war wieder Karim-Tag, und er brachte zu unserer freudigen Überraschung seinen zweitältesten Sohn Hamid mit. Der hatte sich von Suleika wohl nicht ausbremsen lassen. Der vierzehnjährige hübsche Junge, der in meinen Augen von allen am meisten Ähnlichkeit mit seinem Vater hatte, lächelte verlegen und gab Diana schüchtern die Hand. Dann setzte er sich vorn auf den Beifahrersitz.

Karim fuhr mit seiner kleinen Patchworkfamilie in die Berge, zum sogenannten Grab des Hiob. »Von dort hat man eine fantastische Aussicht über Salalah!«, rief er uns freudig zu.

»Ist das der mit der Hiobsbotschaft?«, fragte Diana, die neben mir auf dem Rücksitz saß. Natürlich war es unmöglich, dass Hamid neben Diana saß.

»Hiob ist eine Figur aus dem Alten Testament. Er war reich und hatte Frau und Kinder, doch dann hat Gott ihn prüfen wollen und ihm alles genommen, bis er einsam und krank auf dem nackten Boden saß und sich mit einer Scherbe kratzte«, dozierte ich. »Da zürnte er Gott und schrie: ›Warum tust du mir das an, was hab ich Böses getan? Bist du ein Rachegott?‹ Und Gott antwortete: ›Vertrau mir, ich bin kein Rachegott, warte ab, übe dich in Geduld und Demut, dann werde ich dich wieder segnen.‹ Das hatte ich im Religionsunterricht.«

»Genau. Und dann, als Hiob seinen Glauben trotz allem nicht verlor, sondern Gott weiter vertraute, bekam er wieder eine Frau, die ihm neue Kinder gebar. Und er gelangte wieder zu Reichtum und Wohlstand. Gott war ihm wohlgesonnen, und Hiob hatte gelernt, dass Geld nicht alles ist.« Wir kicherten.

»Was besprecht ihr da?«, fragte Karim neugierig.

»Wir haben auch eine Religion«, gab Diana keck zurück.

Wir gerieten in eine lange Diskussion darüber, was das Christentum mit dem Islam gemeinsam hatte, und Karim erklärte Diana, dass viele Figuren aus der Bibel auch im Koran auftauchten, so wie Hiob. »Bei uns heißt er Nabi Ayub.«

Wir stiegen auf dem Parkplatz aus und gingen hinauf zum Grabmal. Der Grabwächter, ein zerknitterter, kleiner, O-beiniger Mann mit Pluderhosen und einem orangefarbenen Tuch um den Kopf, musterte Diana und bedeutete ihr, dass sie so auf keinen Fall das Grab besichtigen könne.

Ich war ja gekleidet wie alle Frauen hier, aber Diana stiefelte immer noch in Jeans, T-Shirt und Strickjäckchen herum. Karim hatte das nicht weiter kommentiert, aber Hamid waren beim Anblick ihrer langen blonden Haare und ihres schönen Dekolletés schier die Augen aus dem Kopf gefallen.

Der Grabwächter wühlte in einer Kiste und überreichte Diana ein grünes Tuch mit der Aufschrift »Air Condition«.

»Das hat bestimmt mal eine Klimaanlange abgedeckt«, mutmaßte ich. »Viele Grüße an die Milben.«

»Die anderen Tücher sehen auch nicht besser aus.« Wir mussten lachen. »Ich will gar nicht wissen, wer die schon auf dem Kopf gehabt hat!«

Karim strafte mich mit einem wütenden Blick. Ich stupste Diana an und sandte ihr einen »Halten-wir-besser-die-Klappe, sonst-wird-er-sauer«-Blick.

Hamid stapfte verlegen vor uns her. Nach der andächtigen Grabbesichtigung, zu der wir uns ehrfürchtig die Schuhe ausgezogen hatten, genossen wir die Aussicht über die Stadt.

»Ich möchte so gern ans Meer fahren«, flehte Diana. »Bitte, Karim, das sieht so verlockend aus!«

Karim tat ihr den Gefallen. Der weiße traumhafte Strand war wie immer menschenleer, nur unzählige Krabben bevölkerten die »Uferpromenade«.

»Oh, Mami, der Sand bewegt sich. Überall wuseln diese kleinen Viecher herum …«

Kichernd zog sie die Zehen ein. »Da, schau mal! Hunderte krabbeln gleichzeitig ins Meer!«

Oh. Hoffentlich freute sie sich jetzt nicht zu laut. Karim saß mit Hamid etwas abseits auf einer Sanddüne. Aber es war ja weit und breit niemand zu sehen, den sie hätte brüskieren könnte.

Wir betrachteten eine Weile das bizarre Schauspiel. Der herrliche Bilderbuchstrand, der auf jede Titelseite eines Urlaubskataloges gepasst hätte, war ausschließlich für diese Krabbelviecher reserviert.

»Mami, ich möchte so gern baden! Da bin ich einmal am Indischen Ozean, das Wasser ist lauwarm und herrlich glasklar, und ich darf nicht rein?«

»Karim hätte was dagegen, Liebling. Wir gehen nur mit den Füßen rein, ja?«

»Aber wir sind doch eine Familie?«

»Schon wegen Hamid. Der kommt dabei womöglich – auf falsche Gedanken.«

»Wie? Der hat doch in Amsterdam gelebt! Och, Mami, ich fass es nicht! Ich hab extra einen Bikini druntergezogen!«

Ich seufzte. »Liebes, ich rede mit Karim.«

Schon während ich die Düne hinaufstapfte, wusste ich, dass es keinen Zweck hatte.

Das wurde hier gar nicht diskutiert, nicht vor dem Jungen! Karim rupfte Grasbüschel aus, und Hamid pulte in Sandmulden herum.

»Sie soll angezogen ins Wasser gehen.«

»Ja, aber dann hat sie nasse Klamotten an, mit denen sie ins Auto muss! Gönn ihr doch den Spaß! Sie kommt fast nie an ein solches Meer.«

Karim verdrehte die Augen und murmelte einige Allah beschwörende Floskeln.

Plötzlich sprang Hamid auf, riss sich seine Sachen vom Leib und stürzte sich nur in der Unterhose in die Fluten.

Diana lachte laut und stürmte hinterher – in voller Montur!

Wenigstens die Kinder hatten ihren Spaß! Karim und ich saßen nebeneinander und sahen ihnen beim Toben zu.

»Es ist so schwer, ihnen alles zu verbieten.«

»Ich drück ja schon ein Auge zu«, schmunzelte Karim.

Ich erzählte ihm von der schönen Zeit, die ich mit Diana bisher gehabt hatte, und berichtete von den schönen Pferden des Sultans, die sie leider nicht aus der Nähe hatte sehen dürfen. »Sie kann sich so begeistern, sie ist so beeindruckt von diesem schönen Land.« Verträumt blickte ich auf die schäumenden Wellen, in denen sich unsere Kinder tummelten. »Sie freut sich so mit mir, dass ich dich habe, *Hayati*. Sie gönnt mir mein Glück so sehr. Gönn ihr das ihre auch!«

Karim stand auf, stapfte davon und telefonierte mit dem Handy.

Na ja. Wahrscheinlich Suleika. Bestimmt fragte sie nach Hamid oder machte sonst irgendwie Stress.

Als wir wieder im Auto saßen, Diana in ein großes Hotelhandtuch gewickelt, das wir immer im Kofferraum hatten, lenkte Karim den Wagen plötzlich zu der Pferdefarm, setzte den Blinker und hielt am kleinen Hofladen vor der Schranke zur Prachtallee.

»Da können wir nicht rein«, sagte ich bedauernd. »Aber bestimmt willst du es Hamid mal von außen zeigen.«

Mit einem verschmitzten Gesicht verschwand Karim im Laden und telefonierte. Kurz darauf ging die Schranke auf!

»Wie jetzt?«

Diana spähte durchs Fenster. »Das ist jetzt aber nicht …?«

Ein Wachoffizier kam uns entgegen, grüßte militärisch zackig und bedeutete Karim, sich nach hinten zu setzen. Er selbst übernahm das Steuer unseres Wagens. Karim quetschte sich neben Diana, und ehe er sichs versah, war sie ihm nass, wie sie war, um den Hals gefallen.

»Oh, Karim, du bist der geilste Stiefvater der Welt …«

Ich musste mir auf die Lippen beißen, um nicht laut loszuprusten. Wenn das der Wachsoldat verstanden hätte ...

Du bist schon ein Guter, dachte ich und sah ihn liebevoll von der Seite an. Du willst allen immer nur eine Freude machen, reißt dir ein Bein aus, um es allen recht zu machen, und bekommst so oft Stress deswegen! Hinter Dianas Rücken drückte ich ihm dankbar die Hand.

»Wow, ist die Anlage riesig!« Diana ließ ihren Blick über das prominente Anwesen schweifen. »Mami, schau mal, die Kühe in den Stallungen sehen aus, als ob sie jeden Tag gebadet würden!«

»Wahrscheinlich zu klassischer Musik«, unkte ich.

»Kein Unkraut zu sehen in den riesigen Obst- und Gemüseplantagen!« Selbst Karim war beeindruckt.

Der Wachsoldat erklärte, das Wasser komme aus der Quelle Ain Razat und speise die ganze Farm. Karim übersetzte es uns ins Englische.

»Über das Kanalsystem, *falaj* genannt, fließt das kühle lebensnotwenige Nass zur Farm. Die Produkte der Farm werden auch in den Sultanspalast nach Maskat geliefert, wenn der Sultan dort weilt.«

»Und? Weilt er dort?«, wollte Diana wissen. Wahrscheinlich hoffte sie immer noch, er würde gleich um die nächste Ecke galoppiert kommen und sie zum Kaffee einladen.

»Er weilt gerade in Maskat. Wir dürfen uns hier frei umsehen.«

Wir schlenderten zu den Pferden hinüber. Selbst für mich sahen die Tiere prächtig aus – rassig und glänzend gepflegt. Emsige Wärter putzten und striegelten sie.

»Jedes von ihnen dürfte um die fünfhunderttausend Dollar wert sein«, meinte Karim.

Männer! Sofort müssen sie von allem den materiellen Wert schätzen. Wir Frauen dagegen können einfach nur staunen und genießen. Mir doch völlig wurscht, was so ein königlicher Gaul kostet, dachte ich insgeheim. Hauptsache, mein Kind hat Spaß.

»Darf ich die streicheln?« Hoffnungsfroh wandte sich Diana an den Wachmann, der uns herumführte.

Als der lächelnd nickte, flippte sie völlig aus. »Kannst du ein Foto machen, Karim? Mami muss mit drauf!«

»Jetzt wirst du dir nie wieder die Hände waschen«, unkte ich und knuffte sie freundschaftlich in die Seite.

Diana stieß ein lautes Lachen aus: »Juhuu! Ich hab den Hengst des Sultans gestreichelt!«

Sie drückte dem prachtvollen Pferd einen Kuss auf die Nüstern, dass es erfreut schnaubte. »Das glaubt mir zu Hause keiner! Schau nur, Mami! Er mag mich! Ob ich ihn reiten darf!?! Meinst du, Karim kann den Typen fragen ...«

Ich sah Karims warnenden Blick und legte sofort mahnend den Zeigefinger auf die Lippen. »Vergiss es, Liebling. «

Diana verstummte erschrocken.

30

Salalah, 29. Dezember 1999

Bevor Diana die Heimreise antrat, spendierte ich ihr noch eine Hennabemalung.

Von den Hochzeiten im Hotel kannte ich eine Einheimische namens Selma, die kunstvolle Hennabemalungen machte. Meistens verschönerte sie Bräute. Schwarz verhüllt begrüßte sie uns in ihrem Haus, einer Art Werkstatt, und Diana sollte sich sofort setzen. Dann ging das stundenlange Geschicklichkeitsspiel los.

Selma führte eine Art Spritztülle über Dianas Handrücken und schuf dabei wunderschöne Blumenranken, die sich bis zu den Fingerkuppen schlängelten.

»Wie lange hält das?«

»Sechs Wochen«, klärte uns Selma auf. »Dann verblasst es allmählich.«

Auch die Füße ließ sich Diana bemalen. Nach dreistündiger Prozedur durfte sie endlich aufstehen.

Am Abend zeigte sie Karim ihren Körperschmuck, und der freute sich für sie.

Dann kam unweigerlich der Tag von Dianas Abreise. Da es ein Karim-freier Tag war, brachte ich sie allein zum Flughafen.

»Liebes, es war so unglaublich schön mit dir! Ich werde noch lange von dieser traumhaften Zeit zehren!«

Fest drückte ich meine Tochter an mich, sog ihren Duft ein und wollte sie gar nicht wieder loslassen.

»Mami, es war toll, echt! Ich danke dir. Grüß Karim noch mal und sag ihm, er soll auf dich aufpassen.« Sie grinste. »Aber nicht zu doll!«

»Diana, er liebt mich, wie kein westlicher Mann eine Frau lieben kann, glaube mir!«

»Ich weiß, Mami. Mir wär's zu doll, aber wenn es für dich okay ist …«

»Ich gewöhne mich langsam an die Sitten hier. Für Außenstehende mag das befremdlich sein, aber …«

»Mami, ich hab jetzt viel begriffen. Ihr liebt euch aufrichtig. Und wenn du bereit bist, nach seinen Spielregeln zu leben …« Sie machte eine schelmische Miene. »Dann tu es. Und du weißt ja: Wenn's nicht mehr geht, kannst du jederzeit zurückkommen! Oma, Martin und ich – wir sind immer für dich da!«

»Ich besuch dich in Deutschland, Liebes! Sobald ich kann!«

»Mach das! Karim wird es dir doch nicht verbieten, oder?«

»Aber nein! Ich bin ein freier Mensch!«, hörte ich mich im Brustton der Überzeugung sagen. »Er zahlt mir sogar noch den Flug!«

Sie lachte. »Dein Wort in Allahs Ohr!«

Dann verschwand sie hinter der Absperrung, ich winkte, sie drehte sich noch einmal um und warf mir eine Kusshand zu. Als sich die Glastür schloss, war mir, als hätte ich einen Körperteil verloren.

Augenblicklich wurde mir das Herz schwer. Sie war so fröhlich und unkompliziert! Ich würde sie schrecklich vermissen.

Als ich wieder im Auto saß, kamen mir die Tränen. Meine Diana! Sie hatte ihren Tobias, und bestimmt würde sie mich eines Tages zur Großmutter machen. Es zerriss mir schier das Herz, als ich mir vorstellte, dass ich das Aufwachsen meines Enkelkindes nicht würde miterleben können. Doch, ermahnte ich mich. Diese Zeit werde ich mir nehmen. Karim wird mich fliegen lassen. Er muss! Er wird! Sonst hau ich ab!

Plötzlich wurde mir bewusst, welch inneren Dialog ich da führte. Ich würde doch nicht abhauen, ich liebte ihn doch!

Du hast eine sehr schwere Wahl getroffen, Nadia, ging es mir durch den Kopf. Eine wunderschöne, aber auch mitunter sehr schwere Wahl.

Wenn ich das alles gegeneinander aufwog – Diana und meine früheren Freiheiten gegen Karim und das orientalische Paradies hier, mit all seinen Schwierigkeiten –, wie würde ich mich vom heutigen Standpunkt aus entscheiden?

Meine Eingeweide zogen sich schmerzhaft zusammen.

Ich wusste es nicht. Mein Kopf war hohl und leer. Auf Karim verzichten? Niemals! Auf Diana? Das musste ich wohl oder übel für lange Zeit, denn Urlaub war nicht vorgesehen: Hier gab es kein Weihnachten und keinen Geburtstag, selbst die bevorstehende Jahrtausendwende war nichts, worauf ich mich freuen konnte. Ich würde einsam vor dem Fernseher sitzen.

Die Traurigkeit übermannte mich mit solcher Wucht, dass ich fast nicht mehr weiterfahren konnte, so sehr musste ich schluchzen.

Ich liebte sie beide so sehr! Und meine liebe, alte Mutter gab es ja auch noch in Fürth! Auch wenn sie noch fit war, würde sie mich doch eines Tages brauchen! Und ich war am anderen Ende der Welt. Wo ich große Teile meines Lebens einsam verbrachte, im Schatten einer mannshohen Mauer, mit nichts als Warten beschäftigt. Warten auf meinen Mann.

Hin- und hergerissen wie selten, hastete ich zurück in mein Büro, um mich mit Arbeit abzulenken. Mosa litt mit mir, das sah ich an seinem mitfühlenden Blick. Wenn mich hier einer verstand, dann dieser bescheidene Inder. Dankbar lächelte ich ihn an.

»*Life is not always easy, madam*«, sagte er leise, während er mir Tee aus der edlen Silberkanne einschenkte.

»*I miss my daughter,* Mosa«, entfuhr es mir.

»*I miss my daughter, too, madam.*«

Ja, dachte ich. Nur dass du hier schuften musst, um ihr ein schönes Leben zu bereiten. Du hast keine andere Wahl. Während ich aus freien Stücken hier bin. Niemand zwingt mich dazu.

Aber hatte ich wirklich noch eine Wahl? Ich wusste es nicht. Mitgehangen, mitgefangen, schoss es mir durch den Kopf.

Am Nachmittag schneite Karim herein: »*Habibi*, sei doch nicht traurig! Sei froh und dankbar, dass sie zu Besuch war! Sag *Alhamdulillah!* Allah sei Dank! Das Leben geht weiter, Nadia!«

Ich nickte und wischte mir tapfer die Tränen mit dem langen Ärmel meiner Abaya ab.

»Weißt du was, Nadia? Ich eise mich heute Abend bei Suleika los, und wir zwei fahren an den Strand. Dann kommst du auf andere Gedanken!«

»Wird Suleika auch keinen Ärger machen?«

»Ich sage ihr, ich habe wichtige Geschäftstermine.«

Später breitete Karim seinen Gebetsteppich am Strand aus, weil er noch keine Zeit gehabt hatte, in die Moschee zu gehen. Ich wollte auch meinen Teppich aus dem Kofferraum holen und meine Gebete verrichten, als mich sein zürnender Blick traf.

»So kannst du nicht beten. Du hast wieder keine Socken an.«

Das gab mir den Rest. »Aber ihr Männer dürft ohne Socken beten, ja? Scharenweise lauft ihr barfuß in die Moschee!«

»*Habibi*, setz dich ins Auto. Lass mich in Ruhe beten. Ich will jetzt keinen Streit.«

Ich gehorchte, wie immer. Zum Streiten fehlte mir die Kraft. So ein Schwachsinn, dachte ich. Wir sind hier ganz allein, außer Karim konnte ich niemanden von seiner Andacht ablenken mit meinen unlackierten Fußnägeln. Dabei kannte er doch ganz andere Körperteile von mir! Was sind denn das für bescheuerte Regeln? Wer hat die gemacht? Allah sicher nicht! Dem dürfte es völlig schnurz sein, ob ich Socken anhabe oder nicht! Dabei hätte ich heute Abend gern gebetet. Für mein Kind, dass es gut heimkommt und ein schönes Leben hat, auch ohne mich. Und für mich hätte ich gern gebetet. Um die Kraft, das hier auszuhalten. Um die Demut und Geduld, die eine gute Muslima braucht.

Ich lehnte meinen Kopf an die Scheibe und starrte tränenblind auf die Sterne und dann wieder auf meinen Mann, der in heiliger Andacht seine Stirn zu Boden brachte.

Da krabbelte ein Skorpion auf ihn zu. Ein handtellergroßes Vieh!

Sollte ich an die Scheibe klopfen und ihn warnen?

Bestimmt war das wieder voll daneben, Männer beim Gebet zu stören – so als Frau ohne Socken. Und Allah würde schon verhindern, dass ihm das giftige Vieh was tat. Oder?

Karim ging wieder in die kniende Position, hob die Augen zum Himmel, verschränkte die Arme vor der Brust und dankte Allah bestimmt gerade für die schöne Zeit, die seine Frau mit Diana haben durfte – *Alhamdulillah* –, als er die Stirn wieder senkte.

Panik glomm in seinen Augen auf. Jetzt war er nur noch einen Zentimeter von dem Riesenvieh entfernt! Er zuckte kaum merklich zurück, hob wieder die Augen zum Himmel und ließ das Vieh auf seinem Gebetsteppich hocken. Es krabbelte seitwärts und stellte die Hinterbeine auf.

Er unterbrach seine Andacht nicht, sondern beendete sein Gebet vorschriftsmäßig.

Dann stand er vorsichtig auf, schüttelte den Teppich aus und rollte ihn zusammen.

»Hast du ihn gesehen?«, fragte er ganz aufgeregt, als er seinen Gebetsteppich wieder in den Kofferraum legte.

»Wen?«

»Den Skorpion!« Er zeigte mit zwei Händen, wie groß er gewesen war.

»Nein«, hörte ich mich sagen. Ich hätte Karim ins offene Messer laufen lassen. Weil sein Allah ihn ja beschützte. In diesem Moment merkte ich, dass etwas in mir zerbrochen war.

31

Salalah, Januar 2000

Suleika hatte ihre ganz eigene Art, unserem gemeinsamen Ehemann zu zeigen, wo der Hammer hängt. An »unseren« Tagen rief sie wie schon in Amsterdam gern an und zwang Karim, nach Hause zu kommen, da sie noch dieses oder jenes aus dem Supermarkt brauchte oder die Kinder irgendwohin gefahren werden mussten. Madame Suleika setzte ja allein keinen Fuß vor die Tür, und da Hassan nicht zur Verfügung stand und Hamid auch schon pubertäre Verweigerung an den Tag legte, machte sich Karim oft fluchend auf.

»Das ist doch alles nur Schikane«, schimpfte er wütend.

Auch wenn ich das genauso empfand, sagte ich gönnerhaft: »Die Kinder brauchen dich. Tu es für sie. Du könntest dich sonst ohnehin nicht entspannen.«

»Ach, das hätte sie auch gestern erledigen oder auf morgen verschieben können! Sie will mich einfach nur aus deinen Armen reißen, Nadia!« Wo er recht hatte, hatte er recht. Suleika hatte bestimmt den siebten Sinn. Sie hatte ein ziemlich gutes Timing für ihre Anrufe, die immer häufiger wurden.

»Karim, das hättest du wissen müssen …«

»Ach, *Habibi,* ich dachte, wenn wir erst im Oman leben, fügt sie sich! Hier gibt es viele Vielehen, hier ist das normal …«

»Für Suleika aber offensichtlich nicht!« Stirnrunzelnd machte ich das Bett, in dem wir kaum verweilt hatten, und klopfte ein bisschen zu heftig die Kissen aus.

»Sie wird das nie akzeptieren, Karim. Ich werde immer der Stachel in ihrem Herzen sein.«

»Suleika sagt, es war ein Fehler herzukommen. Die Kinder fühlen sich in der Schule nicht wohl.« Ungeduldig knöpfte er sich sein Hemd zu. »Sie meint, sie waren in Amsterdam einen viel höheren Standard gewohnt. Hier sind sie mit rückständigen Inder-Kindern in einer Klasse, und ich vernachlässige meine Fürsorgepflicht, wenn ich das nicht ändere!«

»Was soll denn das heißen?«

»Sie will nach Maskat ziehen. Dort sind die Schulen besser. Aber das kann ich doch nicht machen!« Jetzt schluchzte er auf. »Ich habe hier einen Superjob, und ich habe – DICH!«

Ja, dachte ich insgeheim. Allah, mach, dass sie nach Maskat ziehen. Oder nach Timbuktu. Nur das würde leider bedeuten, dass Karim mitziehen musste. Und ich natürlich auch.

»Du Ärmster!« Beruhigend strich ich ihm über den Rücken und reichte ihm sein Jackett.

»Du kriegst das schon hin. Soll ich mit dem Essen auf dich warten?«

»Ach verdammt, Nadia, ich weiß nicht, wie das weitergehen soll …«

Wütend schnappte er sich seine Autoschlüssel. »Denen werde ich das Gestell putzen – auch Hamid! Der muss mich vertreten, das ist seine Aufgabe als ältester Sohn, und sie haben meine Entscheidungen zu akzeptieren …«

Ich stand am Mäuerchen und winkte ihm müde nach. Ja, die Situation spitzte sich zu.

Immerhin durfte ich an Karim-freien Tagen selbstständig einkaufen. Da machte mein Herr Gemahl großzügig eine Ausnahme – die Annehmlichkeiten meiner Selbstständigkeit passten ihm nämlich sehr wohl in den Kram. Allah drückte bestimmt ein Auge zu!

Als ich wieder vor meinem Computer saß, fand ich eine Mail meiner Freundinnen Conny und Siglinde vor – und sofort hüpfte mein Herz wieder aus dem Kellerloch! Sie wollten kommen! Im Frühling! Also nur noch sechs Wochen! Ich sollte eine tolle Rundreise für sie zusammenstellen. Und ihre Männer wollten auch mit.

Sofort machte ich mich daran, all meine Kontakte spielen zu lassen, und organisierte einen Flug nach Maskat für sie, wo sie von meinem Agenturpartner Faisal abgeholt und zuerst im Norden des Landes herumgefahren werden würden.

Ende März war es so weit, und sie standen am Flughafen von Salalah! Lachend und weinend fielen wir uns um den Hals. Conny und Siglinde hatten sich schon an das Land gewöhnt und trugen Kopftücher und lange Kleidung. Ihre Männer Wolfgang und Georg filmten begeistert jeden Stein und waren bester Stimmung.

»Shalalala lala la!«, intonierten sie im Auto, frei nach einem ähnlich klingenden Schlager.

Lachend fuhr ich sie in unser Hotel. Meine Seele hatte diese Aufmunterung dringend nötig.

»Leute, hier gibt's aber keinen Alkohol!«

»Macht nix, shalalala«, grölten die zwei und zogen grinsend ein paar Bierdosen aus dem Handgepäck. »Wir kommen schon klar!«

»Bitte etwas diskreter, Karim sitzt im Büro!«

Karim begrüßte unsere Gäste herzlich und mit seiner überschwänglichen Art. Conny und Siglinde waren auf Anhieb begeistert von meinem gut aussehenden Mann. »Der ist ja der Hammer! Warum hast du uns das nie gesagt?«

»Hab ich doch immer.«

Ich gluckste still in mich hinein. Endlich! Endlich konnte ich meinen Mädels mein Paradies zeigen!

Gleich am nächsten Tag fuhr Karim mit uns mit dem Jeep in ein abgelegenes Wüstendorf, nahe der jemenitischen Grenze.

Wolfgang und Georg ließen sich hinten auf der Ladefläche durchschütteln. Mit ihren Tüchern auf dem Kopf fühlten sie sich wahrscheinlich wie Großwesire. Ich saß neben Karim, der sich (noch!) königlich amüsierte, und verrenkte mir den Hals nach Conny und Siglinde, die unter ihren Kopftüchern aus dem Staunen nicht mehr herauskamen.

»Wir bewundern dich, Nadia! So eine mutige Entscheidung! Wow, du hast das einfach durchgezogen, du lebst hier, weißt so viel über das Land, sprichst immer besser Arabisch …«

Stolz drückte ich Karim heimlich die Hand. Die dunklen Wolken am Horizont hatten sich verzogen. Jetzt schwelgte ich in Glück.

Karim lenkte unseren Jeep über die Serpentinenstraße in das Qamar-Gebirge. Gut gelaunt rumpelten wir dem verschlafenen Dorf Dhalkut entgegen. Vereinzelt wuchsen Drachenbäume auf dem ockerfarbenen Felsgestein.

»Oh, Straßensperre!« Karim bremste so abrupt, dass die Männer fast von der Ladefläche kullerten. Plötzlich standen schwer bewaffnete Milizen auf der Schotterpiste.

»Verdammt. Was hat das zu bedeuten?«

»Hilfe, was wird das … Ich hab Angst!«, wimmerte Conny.

»Ganz ruhig, ich regle das.« Karim stieg aus, ging beherzt auf die Soldaten zu, und mein Herz beruhigte sich etwas. »Mit Karim KANN uns gar nichts passieren«, tröstete ich die verstörten Mädels auf der Rückbank.

Karim kam zurück. »Das ist militärisches Sperrgebiet. Wir haben keine Durchfahrtgenehmigung nach Dhalkut.«

»Uff, und ich dachte schon, die halten uns an, weil es verboten ist auf der Ladefläche mitzufahren und dabei Bier aus der Dose zu trinken.« Der blass gewordene Wolfgang wischte sich mit einem Tuchzipfel den Schweiß von der Stirn.

»Ach, das ist denen egal.« Karim grinste schief. »Ihr seid ja Ungläubige. Was machen wir jetzt mit dem angebrochenen Tag?«

»*Hayati,* schau!« Eifrig breitete ich die Karte vor ihm aus. »Das Fischerdorf Rakhyut liegt hier, nur wenige Fahrstunden entfernt. Wir müssen ihnen doch was bieten! Dort machen wir Picknick!«

Karim nickte. »Einverstanden. Aber du musst sie entertainen.«

»Okay, Leute, ich erzähl euch jetzt mal vom Sultan: Bis 1970 herrschte hier noch der völlig rückständige Sultan Said ibn Taimur. Er blockierte den Fortschritt und ließ die Leute hier wie in der Steinzeit leben. Beduinen schleppten sich mit ihren Kamelen tagelang durch die Wüste, um Trinkwasser zu finden, wie im Alten Testament. Aber sein Sohn Qabus hat in London studiert und seinen Vater mithilfe der Briten vom Thron gestürzt. Es wird gemunkelt, dass sich der alte Sultan so sehr wehrte, dass er sich versehentlich selbst in den Hintern geschossen hat.«

Die Mädels lachten, und ich dachte an das Gewehr, das im Auto des Sheikh die ganze Zeit neben MEINEM Hintern gelegen hatte.

»Der Vater wurde nach England verbannt, wo er zwei Jahre später starb. Nach einem Bürgerkrieg, der bis 1975 dauerte, konnte der Aufbau des Landes vor allem hier im Süden mithilfe vieler befreundeter Staaten beginnen. «

»Haben hier Frauen eigentlich das Wahlrecht?«, wollte Siglinde wissen.

»Ja, seit 1994 haben die Frauen das Wahlrecht für den *Shura*-Rat.«

»O mein Gott, KAMELE!«

»Oh, sie haben BABYS dabei, nein, wie SÜÜÜÜÜSSSS!«

»Georg, hast du das gefilmt?«

»Karim, kannst du anhalten? Können wir Fotos machen?«

Karim hielt bereitwillig an, denn dass Frauen beim Anblick von Kamelbabys ausflippten, daran hatte er sich inzwischen gewöhnt. Grinsend stand er am Straßenrand und wartete, bis die Mädels mit ihren Entzückensschreien fertig waren.

Wolfgang und Georg rannten um die gleichgültig dreinschauenden Kamele herum, um sie – und uns – von allen Seiten zu filmen.

Nach einer – *Alhamdulillah!* – letzten Kurve auf der endlos bergab führenden Serpentinenpiste lag das hellblaue Meer vor uns, und in einer versteckten Bucht das verschlafene Dorf. Wie aus der Zeit gefallen, schmiegten sich die weißen Lehmhäuschen aneinander. Kein Maler hätte sich das schöner ausdenken können!

Geschafft, verschwitzt und mit steifen Gliedern stiegen wir aus. Die Männer sprangen von der Pritsche.

»Wie kommen die denn in den nächsten Supermarkt?«, war Connys erste Frage.

»Die müssen durchs ganze Gebirge fahren. Da überlegen sie sich zweimal, was auf dem Einkaufszettel steht«, witzelte ihr Mann.

»Die Frauen verlassen ihre Häuser sowieso nicht«, mutmaßte ich. »Das ist Männersache.«

»Und von was leben die so?« Georg knöpfte schon sein Hemd auf, was Karim mit Grauen zur Kenntnis nahm.

»Das sind Fischer und Viehzüchter. Sie geben ihr Leben in die Hände von Allah.«

Ich nahm den Picknickkorb und die Decke aus dem Fußraum des Wagens und breitete Letztere am Strand aus. Erstaunlicherweise gab es hier kleine überdachte Pavillons, damit man der sengenden Sonne entgehen konnte.

Während wir Mädels die Köstlichkeiten ausbreiteten, ging Karim barfuß mit den Männern am Strand entlang. Ich sah ihn auf etwas in den Wellen zeigen.

»Delfine! Schaut nur! Ein ganzer Schwarm!«

»Mein Gott, Georg, hast du die Videokamera dabei?«, rief seine Frau sofort.

Ja, hatte er. Er filmte sich um Kopf und Kragen. Wir jubelten und klatschten in die Hände. »Genau wie bei einem Regenbogen: Jetzt dürft ihr euch was wünschen!«

»Echt? Nadia, was wünschst du dir?«

Ich starrte in die flirrende Gischt, in der die Delfine anmutig um die Wette sprangen.

»Das darf man nicht verraten«, murmelte ich. »Sonst geht es nicht in Erfüllung.«

Georg hatte sich von den anderen beiden Männern entfernt und stapfte ohne Hemd und Sandalen den Strand entlang. Plötzlich sah ich, wie Karim sich sein Hemd vom Leib riss und heftig damit winkte.

»Georg!«

»Was ist denn los?!«

»Er will baden.«

Mit Schrecken sah ich, wie Georg in der Ferne nun auch noch seine Hose auszog. Splitternackt rannte er in die Fluten. »Shalalalalah, oh, oh, oh!«

Karim erlitt einen mittleren Schock. Er brüllte sich die Kehle aus dem Hals und winkte panisch mit dem Hemd.

»O Gott, sind da Haie?« Conny schlug sich die Hände vor den Mund.

»Nein, aber Georg ist nackt.«

»Ja – ist das ein Grund zur Aufregung? Wir sind doch hier unter uns?«

Karim rannte auf den bereits panisch zum Ufer zurückschwimmenden Georg zu, hob dessen Hose auf und gab sie ihm, während Wolfgang seine Kamera draufhielt.

»Karim meint, wenn das ein Dorfbewohner sieht, kriegen wir voll Ärger! Hier in diesem zutiefst islamischen Land ist es strikt verboten, nackt zu baden«, kommentierte er seine Aufnahmen.

»Mein Gott, hier ist doch weit und breit niemand! Ich hab jetzt wirklich gedacht, hier gibt es Haie!« Conny fasste sich ans Herz.

»Kinder, ihr glaubt gar nicht, wie sehr sich Karim über so was aufregen kann«, gab ich zu bedenken. »Hoffentlich ist es jetzt nicht vorbei mit der guten Stimmung.«

Karim kam mit einem schuldbewussten Georg zurück. Dass er ihm nicht die Ohren lang zog, war auch schon alles. Diese Szene entbehrte nicht einer gewissen Komik.

Insgeheim dachte ich, dass Karim bei dieser Affenhitze bestimmt auch gern nackt ins Wasser gesprungen wäre. Tja, mein Lieber: deine Regeln. Oder die von deinem Allah.

Es wäre so ein Traum gewesen, jetzt gemeinsam schwimmen zu gehen! Wir kannten uns seit dreißig Jahren und hatten uns alle schon mal nackt gesehen – schließlich hatten wir oft genug bei Conny in der Sauna gesessen.

Wir picknickten erst mal schweigend, tranken unseren Kardamomtee und bestaunten die grandiose Kulisse. Dann beruhigte sich Karim insoweit, als dass er bereit war, mit den Männern mit nacktem Oberkörper, aber in Hosen ins Wasser zu springen.

»Vergesst es!«, raunte ich meinen Mädels zu. »Träumt nicht mal davon.«

Und so spazierten wir Damen gesittet mit langen Röcken und alle mit Kopftuch – ich sogar mit meinem Mantelumhang – den Meeressaum entlang, der unsere Füße lauwarm umspülte.

»Nadia, wie schaffst du das nur, wie hältst du das aus?«

»Ich würde verrückt werden bei so viel Prüderie und falscher Scham.«

»Es ist nicht immer leicht, aber es ist der Preis für all das hier …« Ich breitete die Arme aus. »Wenn man glücklich ist, kann man vieles ertragen.«

»Aber du darfst es ja gar nicht richtig genießen!«

»Doch. Aber auf andere Weise.«

» Immer nur gucken«, schmollte Siglinde. »Und das in unserem Alter!«

»Aber die Männer, die dürfen!«, stellte Conny fest. »Die nehmen sich alle Freiheiten heraus.«

»Lasst uns aufbrechen«, mahnte ich mit einem Blick auf die Uhr. »Hier geht die Sonne um punkt sechs Uhr abends unter, und es gibt keine Straßenlaternen.«

»Müssen wir über das ganze Höllengebirge zurück?«

»Leider ja. Vor den Menschen hier habe ich keine Angst, aber es stehen oft Kamelherden im Dunkeln auf der Straße. Und wenn man dann in die Schlucht schlittert, dann gnade uns Allah!«

Auf dem Rückweg stimmte Karim eine herzzerreißende arabische Ballade an. Entweder um zu zeigen, dass er jetzt wieder entspannt war – oder um zu vermeiden, dass die Ballermänner auf der Ladefläche wieder mit ihrem »Shalalala« anfingen.

Vermutlich zogen sie schon wieder die nächste Dose Bier aus ihren Rucksäcken.

Ich musste grinsen und sah ihn verliebt von der Seite an. Mein geliebter Karim! Ich legte die Hand auf sein Bein. Plötzlich spürte ich, wie Conny von hinten ihre Hand auf meine Schulter legte und diese fest drückte. Ich nahm ihre Hand und erwiderte die Geste. Wir verstanden uns auch ohne Worte.

Am letzten Abend vor ihrer Abreise saß ich mit meinen Freunden allein im Vorgarten unseres Hauses. Ich hatte arabisch gekocht. Da Karim nicht da war, hatte ich es gewagt, ohne Kopftuch hier zu sitzen. Ich genoss den Wind in meinem Haar.

»Du siehst ja wieder aus wie eine von uns!« Georg hielt gleich die Kamera auf mich.

»Oh, lass das, Karim würde das nicht erlauben! Den Film dürfte ich ihm nie zeigen!«

»Wo ist dein Göttergatte heute eigentlich?«

»Oh, er ist geschäftlich in Maskat.«

Ich konnte unmöglich sagen: Er ist gerade bei seiner anderen Frau.

Meine Mädels wussten, dass er noch eine andere Familie hatte. Ob die es ihren Männern gesagt hatten? Eine eigentümliche Stimmung machte sich breit. Georg räusperte sich.

»Nadia, wenn du von alldem hier mal eine Pause brauchst … Unser Gästezimmer ist immer für dich frei.«

32

Ein reichliches Jahr im Oman war vergangen, und wir steckten bis über beide Ohren in Arbeit, aber auch im Stress. Ich tat alles, um Karim zuzuarbeiten, hielt mich im Hintergrund und tröstete ihn, wenn er mit Suleika wieder mal Zoff hatte. Eines Tages stürzte er völlig aufgewühlt in mein Büro.

»Nadia, *Habibi,* ich kann bald nicht mehr! Sie fängt wieder dauernd damit an, dass wir nach Maskat ziehen! Und da war ich gestern auch und hab mich nach passenden Schulen umgesehen.«

Ich starrte ihn an und schluckte schwer. »Du warst in Maskat?« Plötzlich zog sich mein Herz schmerzhaft zusammen. »Mit IHR?«

»Sie hat mich gezwungen, *Habibi!* Wir haben uns schon eine Villa angesehen! Sie will uns mit allen Mitteln auseinanderbringen!«

Schwer atmend stützte er sich auf meinen Schreibtisch und fasste sich ans Herz. »Hilf mir, *Habibi!* Was soll ich nur tun? Ich liebe doch nur DICH!«

Das waren schon sehr private Töne fürs Büro. Mosa schloss dezent die Durchgangstür.

Ich lehnte mich auf meinem Stuhl zurück und verschränkte die Arme vor der Brust.

Ja. Was sollte mein armer Mann da machen? Sie saugte ihn aus. Hatte Allah ihn auch damals vor dem Skorpion gerettet –

vor Suleika rettete er ihn nicht! Eine Scheidung war ausgeschlossen. Und das hätte ich auch nie von ihm verlangt. ICH hatte mich ja mit unserer Ehe zu dritt arrangiert. SIE aber nicht.

Er saß in der Zwickmühle. Er wurde die Frau einfach nicht los.

Andererseits: Durfte ich überhaupt so denken? ICH war hier der Eindringling, ICH störte den Familienfrieden. ICH war der giftige Stachel in Suleikas Fleisch.

Die Einzige, die diese Situation ändern konnte, war ich. Nach über fünf Jahren einer weitgehend glücklichen Ehe! Die Erkenntnis traf mich wie ein Keulenschlag: Lieber ein Ende mit Schrecken als ein Schrecken ohne Ende.

Plötzlich sah ich Dianas liebes Gesicht vor mir: »Mami, du kannst jederzeit zurück.«

Und die Gesichter meiner Freunde: »Unser Gästezimmer ist immer für dich frei.«

Ich hörte die Stimme meiner alten Mutter: »Ich habe nicht das Recht, dein Leben zu verurteilen. Aber ich werde die Arme weit ausbreiten, wenn du zurückkommst.«

Ich merkte, wie alle Farbe aus meinem Gesicht gewichen war. Meine Beine zitterten, als ich mich sagen hörte:

»*Hayati,* ich werde gehen. Ich geh nach Deutschland zurück.«

Karim fuhr hoch, als hätte ihm jemand einen Dolch ins Kreuz gerammt.

»Ist das dein Ernst, Nadia?« In seinen Augen glomm Panik. Er tat mir so leid!

»Liebster, ich liebe dich, aber ich kann dich nicht länger so leiden sehen. Suleika kann nicht gehen, also muss ich gehen.«

»Nadia! Du willst mich verlassen?!« Mein Mann wurde so weiß wie die Wand. »Bitte tu mir das nicht an, *Habibi!*«

Seine Augen schwammen in Tränen, und seine Stimme brach. Seine geliebte Stimme, die so sanft und warm sein konnte.

»Bitte, ohne dich kann ich das alles nicht ertragen!« Er sah sich hilflos im Raum um. »Du wirst hier gebraucht! ICH brauche dich, *Habibi!*«

»Ich weiß, Karim. Ich brauche dich auch. Aber so können wir beide nicht weiterleben.«

Traurig schüttelte ich den Kopf und senkte den Blick. Jetzt kamen mir auch die Tränen.

»Es scheint mir die beste Lösung zu sein, *Hayati*. Du hältst deine Ehe aufrecht, kaufst das Haus in Maskat, und die Kinder bekommen eine neue Chance«, presste ich tapfer hervor. »Deine Frau ist nicht länger unglücklich, und vielleicht findet ihr auch sonst wieder zusammen. Das wäre doch schön.«

Er rannte um meinen Schreibtisch herum und rüttelte mich an den Schultern.

»Du verrennst dich, Nadia! Abhauen ist keine Lösung. Wir müssen da gemeinsam durch!«

Ich schüttelte nur den Kopf und starrte zu Boden. »Gemeinsam zerstören wir nur noch mehr.«

Er stieß ein schnaubendes Lachen aus, und sein Tonfall kippte. »Du willst tatsächlich gehen? Glaubst du etwa, ich finde keine andere Frau mehr? Na, da täusch dich mal nicht!«

Ich starrte ihn fassungslos an. Was war DAS denn für ein Argument? Darum ging es doch gar nicht! Da hatte ich ihn aber schwer in seinem männlichen Stolz getroffen!

»Mit einer anderen Frau würde es auch nicht besser, fürchte ich. Da kämst du vermutlich vom Regen in die Traufe«, sagte ich mit ruhiger Stimme.

Er riss mich an der Schulter. »*Habibi*, ich WILL keine andere Frau! Ich will DICH! Ich habe dich gefunden und danke Allah jeden Tag dafür! Bitte, hilf mir doch! Du bist meine Ruheinsel, meine blühende Oase, bei der ich Trost und Hilfe finde!«

»*Hayati*, rede keinen Unsinn. Ich will dir doch nur helfen, indem ich gehe. Glaub mir, es ist das Beste für uns beide.«

»*Habibi,* ich flehe dich an!« Karim raufte sich die Haare und rang die Hände. Tränen rannen ihm über das Gesicht.

»Hör zu, Karim. Du fährst jetzt mal mit deiner Familie nach Maskat und versuchst, dich dort einzuleben. Und ich mache einfach mal – sagen wir, einen ausgedehnten Urlaub in Deutschland. Ende offen. Wir werden sehen. Allah wird es uns weisen.«

»Verlass mich nicht«, wimmerte er mit erstickter Stimme.

Mir zerriss es das Herz. Er tat mir so leid! Von meiner eigenen Verzweiflung gar nicht zu reden! Aber unsere Liebe drohte an unseren Problemen zu ersticken, und ich konnte irgendwann auch nicht mehr.

»Lass uns eine Trennung auf Probe versuchen. Nichts ist endgültig.«

Ich war selbst erstaunt über meine Stärke und Entschlossenheit.

»Liebling, du redest Unsinn. Wir gehören zusammen. Das weiß Allah, und Allah ist groß.«

»Dann wird Allah auch eine Lösung finden«, gab ich gefasst zurück. Ich gab ihm einen Kuss auf die Stirn und drückte das Kreuz durch. Ich weiß auch nicht, woher ich die Kraft zu diesem Entschluss nahm.

Damit verließ ich das Büro.

33

Fürth, Winter 2000

Ich verbrachte ein paar Wochen bei meiner Mutter in Fürth, besuchte meine Freunde und Diana in Nürnberg und irrte einsam durch die grauen Straßen. Ohne Kopftuch und bodenlangen Mantel kam ich mir nackt vor. Ich senkte den Blick, sah keinem Mann ins Gesicht und drückte mich an den Hausmauern entlang, als hätte ich keine Daseinsberechtigung mehr.

Was sollte ich tun? Wo mir einen Job suchen? Jetzt hatte ich doch erst recht keine Chance mehr! Wo dauerhaft wohnen? Von was leben?

Ich hatte meinen Karim schmählich im Stich gelassen, mein Versprechen gebrochen, in guten und in schlechten Zeiten treu zu ihm zu halten. Dabei liebte ich ihn so sehr! Ich vermisste ihn, seine warme, liebevolle Stimme, sein glucksendes Lachen, seine dunklen Augen mit den rehbraunen Sprenkeln darin! Seine Zärtlichkeiten, seine Unternehmungslust und das Leben im Orient, das ich lieben gelernt hatte. Ich vermisste die Rufe des Muezzins, die rauschenden Wellen, die vornehm schreitenden Menschen in ihren langen Gewändern und den Duft nach Weihrauch und Blüten. Die Sonne, die jeden Abend pünktlich um sechs glutrot hinter dem Gebirge unterging, und die warmen Nächte.

Wie hatte ich das bloß alles aufgeben können? Unser großes Glück, unsere aufrichtige Liebe – nach über fünf Jahren? Hier wollte und konnte ich nicht bleiben. Ohne Sonne und Wärme würde ich eingehen.

Der Zufall kam mir zu Hilfe, beziehungsweise meine liebe Mutter, die sich wohl am Telefon ein bisschen für mich umgehört hatte.

»Der Martin sucht eine neue Sekretärin. Für sein Tonstudio. Eine Empfangsdame, die seine Gäste bewirtet und ein bisschen bemuttert. Du weißt schon.« Sie drückte mir den Arm. »Dein Bruder arbeitet jetzt mit namhaften Schlagersängern, er braucht ein professionelles Management.«

»Oh, Mutter, du bist die Beste … Aber brauchst du mich nicht hier bei dir?«

Sofort quälte mich wieder ein schlechtes Gewissen. Aber die Vorstellung, bei meinem älteren Bruder zu sein, in der Wärme von La Palma, wo es das ganze Jahr blühte und um die fünfundzwanzig Grad hatte … Dort gebraucht zu werden und mein Organisationstalent einsetzen zu können – ja das würde meine Seele vielleicht vor dem Erfrieren retten.

»Nadia, ich seh doch, wie du leidest! Hier in meiner Seniorenwohnung kannst du auf Dauer nicht bleiben. Ich habe liebe Nachbarinnen, die sich um mich kümmern.«

Sie nickte mir aufmunternd zu.

»Flieg nach La Palma, mein Kind! Ich freu mich, wenn meine Kinder zusammen sind. Eines Tages werde ich nicht mehr sein, aber dann habt ihr euch immer noch.«

Aufschluchzend fiel ich meiner tapferen Mutter um den Hals.

Um wenige Tage später zur Abwechslung mal im Vorzimmer meines Bruders zu sitzen!

Oberhalb von Santa Cruz de La Palma besaß er ein schönes großes Haus mit Meerblick, und ich saß an meinem Schreibtisch und schaute sehnsüchtig auf die tosenden Wellen des Atlantiks, die sich unten an den Klippen brachen. Die Gischt spritzte in den blauen Himmel, und manchmal entstand ein Regenbogen. Dann verschwammen die Wogen vor meinen Augen, und ich sah mich wieder am Indischen Ozean sitzen – Schulter an Schulter mit Karim auf unserer Picknickdecke, eins mit der Natur und eins miteinander. In solchen Momenten musste ich mich schwer zusammenreißen, nicht laut loszuheulen.

Zum Glück hatte Martin wirklich interessante Künstler, mit denen er arbeitete, und es machte mir Freude, mich um sie zu kümmern. Wir lachten viel, und abends nach den gelungenen Aufnahmen fanden Grillpartys auf der Terrasse statt, bei denen der kanarische *vino tinto* ausgeschenkt wurde. Martin kannte einen musizierenden Winzer, der bei ihm auf der Terrasse mit seinem Akkordeon für Stimmung sorgte.

Ich fühlte mich immer noch sündig, wenn ich mal verstohlen einen kleinen Schluck Wein trank. Und nackt, wenn ich ohne Kopftuch und Abaya bei fremden Männern saß. Geradezu obszön, wenn ich von meinem Bruder den herrlich duftenden Grillteller mit Schweinenackensteaks in Empfang nahm. Ob Allah mich in eine Felsspalte stürzen würde?

Aber die anderen auf der Terrasse lachten, lagen spärlich bekleidet in ihren Liegestühlen und Polstersesseln und sangen die spanischen Ohrwürmer mit.

Plötzlich reichte mir Martin das Telefon: »Dein Mann.«

Ich hatte gerade die Teller abgeräumt und blieb wie angewurzelt stehen. Mein Herz polterte so laut, dass ich glaubte, alle müssten es hören. Aber sie lachten und sangen einfach weiter, als würde meine Welt nicht in diesem Moment aufhören, sich zu drehen.

»Karim?«

Zwei Monate war ich jetzt von ihm weg. Ich wischte mir die fettigen Hände an meinen Jeans ab und zog mich ins Innere des Hauses zurück. Meine Stimme versagte ihren Dienst, ich musste einen Riesenkloß wegräuspern.

»Nadia! Oh, *Habibi,* ich höre dich! Wie geht es dir? Deine Mutter sagte mir, du bist bei deinem Bruder. Das ist gut, *Habibi,* alles andere wäre *haram.*«

»Es geht mir auch gut, Karim. Und wie ist es bei euch?«

»Liebste, bitte, komm zurück …« Oh, diese geliebte Stimme! Ich musste mich setzen, denn es zog mir die Beine weg vor lauter Sehnsucht.

»Karim, ich …«

»Hör zu, *Habibi!* Es gibt Neuigkeiten«, sagte er mit der üblichen Begeisterung.

»Suleika ist zu ihren Eltern zurückgezogen! Nach Jordanien!«

In meinen Ohren rauschte es. Sie war weg? Sie hatte aufgegeben? Aber das ging doch nicht, das durfte gar nicht sein! Sie hatte ältere Rechte, sie durfte doch gar nicht …

»Mit den Kindern, mein Herz! Dort sind moderne Schulen, sie sind schon eingeschult, es läuft alles fantastisch!

»Aber du willst sie doch nicht – verlassen?«

»Wir haben uns geeinigt, dass ich sie alle vier Wochen besuche!«

Ich schluckte. Das konnte doch nicht wahr sein. Das wäre die Lösung aller Probleme. Das wäre – ein Traum! Aber ich hatte doch eben erst hier … Das Rauschen in meinen Ohren schwoll zu einem schrillen Pfeifton an.

»*Habibi,* bist du noch dran?«

»Ich habe hier gerade einen Job angenommen …«

»Du hast HIER noch einen Job! Wir BEIDE haben noch einen Job«, jubilierte er. »Der Sheikh will uns wiederhaben! Das Hotel läuft wunderbar. *Habibi,* wir brauchen dich hier!«

Ich schluckte. Und schaute auf den Atlantik hinaus.

»Martin braucht mich auch …«

»*Habibi,* du hast das alles hier in Salalah aufgebaut, das ist DEIN WERK. Willst du jetzt nicht den Erfolg genießen? Wir können hier endlich in Frieden leben. *Habibi,* ich flehe dich an! Ich liebe dich und ich brauche dich!«

Plötzlich sah ich wieder sein gequältes Gesicht vor mir. Wogen der Sehnsucht schlugen über mir zusammen wie die Wellen da draußen. Auf einmal stand da ein gigantischer Regenbogen. Ich hatte mir doch damals was gewünscht! War das jetzt die Antwort? War das ein Zeichen Allahs?

Ich war Karims Frau! Ich gehörte an seine Seite! Und er hatte unsere Probleme gelöst.

»Karim, lass mich erst mit Martin sprechen …«

»Ich habe schon mit ihm gesprochen, mein Herz.« Wieder dieses triumphierende Glucksen.

»Du hast was?«

»Er ist natürlich einverstanden. Er muss dich gehen lassen.«

»Darf ich vielleicht auch noch ein Wörtchen …?«

Typisch Karim. Er hatte schon Vorarbeit geleistet. Martin wusste bereits Bescheid. Würde er mir böse sein?

»*Habibi,* dein Flug geht über Madrid und Maskat nach Salalah! Morgen um zwölf! Übermorgen steh ich am Flughafen und erwarte dich!«

34

Salalah, Februar 2001

Meine Auszeit war somit nach zwei Monaten beendet.

Gegen fünf Uhr früh betrat ich wieder omanischen Boden, saugte die warme, würzige Luft ein und trat meinem Mann entgegen, der sich nur schwer beherrschen konnte, mich nicht an sich zu reißen und mit stürmischen Küssen zu bedecken.

»*Allahu akbar,* Allah ist groß und hat mir meine geliebte Frau zurückgebracht!«

Strahlend führte er mich zum Auto. Es war noch komplett dunkel, und die wenigen Fluggäste dieser Nachtmaschine flatterten in ihren langen schwarzen und weißen Gewändern davon wie Fledermäuse.

»Karim, darf ich mir was wünschen?«

»Alles, was du willst, mein Herz.« Seine warmen Augen ruhten so voller Liebe auf mir, dass ich in diesem Moment wusste: Es war richtig zurückzukommen.

»Ich wünsche mir einen Sonnenaufgang am Meer.«

»Das ist großartig, mein Herz. Ich habe noch nie einen Sonnenaufgang gesehen!«

»Nein?« Verdutzt starrte ich ihn an.

»Nein. Ich hab mich nach dem Beten immer wieder hingelegt.«

Ich schüttelte unmerklich den Kopf. Diese Sitten waren einfach sehr sonderbar.

»Lass uns nach Mughsayl fahren, wo wir an unserem ersten Tag mit Sheikh Rashid waren. Heute ist wieder ein erster Tag.«

Schweigend fuhren wir durch die sternklare Nacht. Bei einem Seitenblick auf Karim sah ich, dass ihm Freudentränen über die Wangen liefen. Fast schüchtern legte ich meine Hand auf sein Bein, und er drückte sie voller Dankbarkeit. Mein Herz klopfte unrhythmisch, als wir in der Dunkelheit den schmalen Pfad bis zum Plateau hinaufstiegen. Unter uns rauschte beruhigend das Meer. Eine zarte graulila Färbung zog sich über den Horizont.

»Willkommen zurück, *Habibi!*« Feierlich breitete Karim unsere Gebetsteppiche aus, die er aus dem Kofferraum geholt hatte. »Zeit fürs Morgengebet.«

Erfüllt von einer unbeschreiblichen Ehrfurcht und Dankbarkeit, knieten wir nebeneinander und beteten. Karims Stimme brach, so glücklich war er. Mich überkam eine tiefe Ruhe, das Gefühl vollkommener Geborgenheit. Hier war ich richtig, hier gehörte ich hin. Auch ich dankte Allah, dass er das Schicksal so gnädig gewendet hatte.

Der Arabische Golf blitzte und blinkte, als wollte er mir zuzwinkern: Schön, dass du wieder da bist, Nadia! Und *by the way:* Ich hatte Socken an!

Nach dem Gebet setzten wir uns und harrten, was da kommen sollte.

Es war ein prächtiges Naturschauspiel, als die Sonne zaghaft ihre ersten rötlichen Strahlen übers Wasser schickte. Majestätisch schien sie sich aus dem Arabischen Golf zu erheben, um einen glänzenden Neubeginn einzuläuten. Dazu hätte jetzt noch das Wahnsinns-Orchesterwerk *Also sprach Zarathustra* von Richard Strauss gepasst. Aber es war auch so wunderschön.

»*Welcome back, Habibi.* Es ist Allahs Wille.«

In diesem Moment war ich felsenfest davon überzeugt, dass dem so war.

Karim nahm meine Hand und drückte sie: »*Habibi,* ich danke dir so. So etwas habe ich noch nie erleben dürfen. Immer werde ich diese Stunden in meinem Herzen tragen.«

»*Allahu akbar!* Allah ist groß!«

Karim war ganz aus dem Häuschen, dass mir so etwas Wild-romantisches zur Gestaltung unseres Neuanfangs eingefallen war.

»Suleika macht NIEMALS Vorschläge für gemeinsame Unternehmungen, geschweige denn für einen Überraschungsausflug oder ein Picknick. Wenn es nicht gerade um Alltagsdinge geht, fragt sie mich ständig, was sie tun soll, und ich muss dann entscheiden«

»Sie hat es nicht anders gelernt, *Hayati!*« Bedauernd lächelte ich ihn an.

Erst war sie die folgsame Tochter ihrer Eltern – bei denen sie jetzt wieder lebt, dachte ich fast mitleidig –, und dann war sie übergangslos die folgsame Frau ihres Gatten, den sie für jeden Pups um Erlaubnis bitten musste.

Wie langweilig für eine Ehe! Die Männer schadeten sich im Grunde nur selbst, wenn sie die Frau nicht auf Augenhöhe agieren ließen.

»Ja, es stimmt schon, *Habibi.* Du bist die Einzige, die Eigeninitiative entwickelt. Du glaubst gar nicht, wie ich das vermisst habe, als du weg warst.«

Ich lächelte still in mich hinein und freute mich, dass ich wohl doch vieles richtig gemacht hatte, auch wenn ich immer wieder Grenzen überschritten hatte.

Inzwischen hatten wir in unserem Hotel sämtliche Zimmer renoviert. Die Lobby, die Büros – alles erstrahlte in neuem Glanz. Auf den Zimmern gab es blütenweiße Damastbettwäsche, bunte Kissen zierten Tagesdecken mit orientalischen Mustern. Ich hatte auch für eine entsprechende Beduftung gesorgt: Zart und betörend, lag ein exotischer Hauch in der Raumluft. Die Bäder waren ebenfalls modernisiert worden – kein Wunder, dass unser Hotel boomte wie nie zuvor!

Bei Mr. Yussef, der mich in jeder Hinsicht unterstützte, konnte ich jederzeit an die Bürotür klopfen, sogar von Karim aus! Die rechte Hand des Sheikhs hatte immer ein Ohr für mich und war offensichtlich sehr froh über meine Rückkehr.

»Nicht nur, weil ich es Mr. Karim gönne«, sagte er lächelnd und legte die Hand auf die Brust zum Zeichen seiner Sympathie. »Er wirkte sehr einsam und traurig ohne Sie. Sondern auch, weil Sie die Erste sind, die es geschafft hat, dieses Hotel mit Niveau und Leben zu füllen.«

Ich spürte, wie ich rot wurde vor Freude und Glück.

»Sheikh Rashid verbringt inzwischen jede Mittagspause im blühenden Hotelgarten, und zwar im Schatten neben dem Pool, *madam*. Er genießt diese farbenprächtige Oase sehr!«

Dann überreichte er mir feierlich eine Einladung zur diesjährigen Berliner Tourismusmesse ITB: »Diesmal gehen Sie hin!«, entschied Mr. Yussef. »Wir übernehmen die Flüge und den Aufenthalt in Berlin für Sie beide! Machen Sie sich eine schöne Zeit und bringen Sie uns viele Gäste!«

Auf einmal war alles so leicht! Seit Suleika ihr Gift nicht mehr verspritzte, fühlten Karim und ich uns so wohl wie in unserer Anfangszeit. Wochenlang kümmerten wir uns nur um uns und unser Hotel.

An den Freitagen lud Karim nun vermehrt Freunde zu uns nach Hause ein, und ich kochte arabische Köstlichkeiten auf, dass es eine Freude war.

Die Männer saßen lachend und laut diskutierend bei uns auf dem Wohnzimmerteppich, während ich als Köchin und Frau in die Küche verbannt war. Aber es machte mir Spaß und war mir eine Ehre, die Omanis zu ihrer Zufriedenheit zu bedienen. Mein Karim glühte vor Stolz, wenn seine – unsere – Gäste meine Kochkünste lobten.

»Das ist unglaublich, Karim, du Glücklicher! Wie kann es sein, dass deine Deutsche besser kochen kann als unsere arabischen Frauen? Aber sag das bloß nicht weiter!« Dann schallte eine Lachsalve zu mir in die Küche, und später, wenn wir wieder allein waren, lag ein glücklicher Karim neben mir, der mich mit Lobeshymnen und Zärtlichkeiten überhäufte.

»Musst du nicht zu Suleika?«, fragte ich eines Nachts, als er schnurrend bei mir lag. »Vier Wochen sind doch fast rum!«

»Ich hab noch ein paar Wochen bei dir gut! Allah will Gerechtigkeit, ihre Zeit ist noch nicht gekommen.«

Mir sollte es recht sein!

Am nächsten Wochenende nahmen wir eine Gegeneinladung bei einem omanischen Geschäftsmann an, dessen Familie im Qara-Gebirge lebte. Das umrahmte die Stadt Salalah, und in der grünen Hochebene grasten Kühe und Kamele einträchtig nebeneinander. Ich liebte dieses Idyll und genoss den erneuten Ausflug mit Karim in meine geliebte Natur. Abu Ali, der Vater unseres Gastgebers, begrüßte uns freundlich. Ich wurde ins Haus gebeten, und Karim setzte sich draußen zu den Männern auf eine Strohmatte. Die Hausherrinnen und einige Schwestern, Mütter und Tanten hatten es sich schon auf einem bunten Teppich im Wohnzimmer gemütlich gemacht und fieberten dem Besuch aus Deutschland sichtlich entgegen.

Karim hatte mir auf der Hinfahrt erzählt, dass Abu Ali mit zwei Müttern aufgewachsen sei.

»Sein Vater hatte auch zwei Frauen. Das war für die Kinder völlig normal. Sie betrachten sich als Geschwister, und auch die Frauen unterstützen sich gegenseitig. Das gibt einen wunderbaren Familienzusammenhalt.«

Tatsächlich saßen die Frauen und deren Kinder und Kindeskinder fröhlich beisammen. Plötzlich wurde mir klar, dass

Karim diese Einladung angenommen hatte, um mir zu zeigen: Schau, so kann es auch funktionieren!

Neugierig wurde ich von den Damen betrachtet. Eine Europäerin kam ihnen sicher sehr exotisch vor. Die Erstfrau – oder Zweitfrau? – stand auf und kam mit einem herrlich duftenden Weihrauchgefäß auf mich zu. Kurzerhand hob sie meinen Rock, und der aromatische Rauch durchdrang den Stoff. Das sollte wahrscheinlich heißen: »Willkommen, fühlen Sie sich ganz wie zu Hause.«

Jetzt wusste ich, warum die Kleider der Frauen immer so wunderbar rochen, wenn sie auf der Straße an mir vorbeigingen.

»Ganz schön clever«, sagte ich freundlich nickend. »So umgeht ihr das Verbot, euch außerhalb des Hauses zu parfümieren. Deshalb riecht ihr alle so gut bei der Hitze!«

Mit meinem bisschen Arabisch bedankte ich mich, und die Damen lachten sich kaputt über meine Aussprache. Sie sagten etwas in ihrem Dialekt, und ich versuchte es nachzusprechen, was große Heiterkeit erregte.

Das Essen war vorzüglich: Huhn, das in einem speziellen Topf langsam gegart worden war und einem auf der Zunge zerging, wurde mit Reis und gedünstetem Gemüse serviert – auf einer Plastikdecke auf dem Fußboden. Wir saßen im Kreis und aßen mit den Fingern. Zwar wollte mir die Erstfrau – oder Zweitfrau? – einen Löffel bringen, aber ich lehnte dankend ab. Nein, ich wollte dazugehören, wollte ihnen Respekt erweisen und diese Erfahrung nicht missen!

»Meine Mutter sagt immer: andere Länder, andere Sitten!«, erklärte ich mit fetttriefenden Lippen, und sie freuten sich und lachten, fanden die Deutsche auf ihrem Teppich wohl ganz okay.

Nach dem Essen gesellte ich mich mit meiner Teetasse zu den Männern. Die hatten inzwischen ein romantisches Lagerfeuer entzündet und übertrafen einander im Erzählen von wilden Geschichten. Ein Dutzend Vettern und Onkel waren auch noch aufgetaucht, weil sich herumgesprochen hatte, dass Hotelmanager Karim aus Salalah seine deutsche Frau mitgebracht hatte, die sie nun verlegen beäugten.

Ich setzte mich zu Karim auf die Strohmatte. Halb glühte er vor Stolz, halb war es ihm peinlich, dass eine Frau sich in die Männerrunde mischte. Das war schon wieder gegen die Spielregeln.

Doch die märchenhafte Atmosphäre dieser sternklaren Nacht vor der Kulisse des zerklüfteten Qara-Gebirges wollte ich mir nicht nehmen lassen. Es war wie bei »Ali Baba und die vierzig Räuber«!

»Was sagen sie da?«, flüsterte ich meinem Mann zu.

»Hier streunen wohl noch arabische Leoparden rum. Sie ziehen umher wie noch vor fünfzehn Jahren die Beduinenstämme dieser Region, die Raschids und Bait Kathirs. Auch sie kannten keine Grenzen, waren in den Weiten der arabischen Wüste – vom Jemen bis Jordanien – zu Hause. Mit ihren Kamelen wanderten sie oft tagelang von einer benachbarten Oase nach Osten, wo sie kostbaren Weihrauch gegen Gold eintauschten. Viele kamen nicht lebend dort an, aber wer es geschafft hatte, war ein gemachter Mann.«

Beeindruckt sah ich in die Runde und blickte in zerfurchte Gesichter mit tiefbraunen Augen.

Verstohlen musterten die Männer mich ihrerseits. Sie schienen mir imponieren zu wollen, und vor lauter Eifer, mir die aufregendste Geschichte ihrer Region zu erzählen, verfielen sie wieder in ihren Dialekt, sodass selbst Karim Mühe hatte, mir alles ins Englische zu übersetzen.

»Sie schmücken ihre Heldengeschichten blumig aus, wie alle arabischen Geschichtenerzähler, *Habibi*. Geh wieder ins Haus.«

»Aber es ist doch gerade so spannend! Bitte übersetz es mir!«

»Jetzt reden sie über Politik und die Belange der Omanis. Das ist nicht interessant für dich.«

Aha. Ich hatte verstanden. Ende der Vorstellung. Toleranzgrenze erreicht. Seufzend stand ich auf und gesellte mich wieder zu den Frauen, die inzwischen an einer primitiven Wasserstelle die fettigen Töpfe und Pfannen spülten.

Draußen am Feuer wurde palavert, gelacht, über das Weltgeschehen diskutiert. Hier wurde geschrubbt und geputzt. Aber auch gelacht!

Ich hütete mich, sie zu fragen, ob sie das hier gerecht fanden.

Sie kannten es nicht anders. Sie machten einen absolut zufriedenen Eindruck.

35

Berlin, März 2001

Kurz darauf flogen Karim und ich auf Kosten des Sheikh für eine Woche nach Berlin zur Touristikmesse ITB und präsentierten an unserem Stand stolz das Hotel.

Ich hatte inzwischen Kataloge drucken lassen, mit ansprechenden Fotos, die ich selbst geschossen hatte.

Die Leute blieben stehen und zeigten sich interessiert, besonders, als sie merkten, dass ich Deutsch sprach und im Oman lebte. Sie bombardierten mich mit Fragen, und Karim schwoll der Kamm vor Stolz. Auch er gab bereitwillig auf Englisch Auskunft über die Schönheit »unseres« Landes.

»Buchen Sie eine Reise!«, lockte er mit seinem singenden Bariton. »Sie werden es nicht bereuen! Bei meiner Frau sind Sie in den besten Händen!« Glucksendes Lachen.

Tatsächlich fuhr ich inzwischen in seinem Landrover Touristen durchs Land und zeigte ihnen voller Stolz die schönsten Flecken der Region.

»Aber Alkohol schenkt ihr nicht aus?«

Leider war das der Punkt, an dem interessierte Gäste erst mal weiterschlenderten.

»Trotzdem, Karim! Sie haben angebissen. Du wirst schon sehen. Die Leute sprechen von uns!«

»*Habibi,* du ziehst sie alle in deinen Bann. Ich habe ihre Blicke gesehen, sie bewundern dich!« War es ausschließlich Stolz, oder zuckte auch ein Funken Eifersucht in seinen Augen? Immerhin hatte ich mit Männern gesprochen und ihnen in die Augen gesehen!

»*Hayati,* wir sind einfach ein tolles Paar! Endlich können wir die Früchte ernten, die wir gesät haben. Weil wir nicht aufgehört haben, aneinander zu glauben!« Ich strahlte ihn verliebt an.

Wir verbrachten abwechslungsreiche Abende bei Folkloredarbietungen aus aller Herren Länder, kosteten uns durch die verschiedenen Spezialitäten und hatten eine wunderbare Woche. Wir waren verliebt wie am ersten Tag.

»*Habibi,* nie wieder werde ich dich gehen lassen!«

Ich wurde rot vor Freude.

»*Hayati,* ich wüsste jetzt überhaupt keinen Grund mehr, WARUM ich gehen sollte!«

Zurück in Salalah, machte ich mich sogleich ans Werk, unsere Kontakte auszuwerten.

Karim musste mal wieder nach Jordanien, und danach gleich geschäftlich nach Dubai. Natürlich bewarben wir auch dort unser Hotel, speziell in der Monsunsaison. Jetzt konnten wir mit der Konkurrenz mithalten.

Für einen der nächsten Abende hatte ich eine Einladung vom Tourismuscenter ins neu gestaltete Hotel *Hilton.* Ich freute mich sehr darauf, wollte ich doch nützliche Kontakte knüpfen und auch unser Hotel ins Spiel bringen.

Da Karim mit dem Wagen unterwegs war, nahm ich gern das Angebot unseres indischen Hotelmanagers an, bei ihm mitzufahren. Er war ganz zurückhaltend und reizend, spielte nach außen hin die Rolle des Managers, während bekanntlich ich im Hintergrund die Fäden zog.

Mr. Yussef wusste Bescheid und unterstützte dieses Arrangement.

Der Abend war zauberhaft, wie aus *Tausendundeiner Nacht.*

Wir genossen ein erstklassiges Essen, und ich lernte viele interessante Leute kennen. Aufgekratzt und begeistert, verabschiedete ich mich schließlich von meinen neuen Bekanntschaften, tauschte Visitenkarten aus und ließ mich vom Inder wieder nach Hause fahren.

»Karim, es war so zauberhaft, du hättest dabei sein müssen!«, schwärmte ich noch Tage später, als mein Mann endlich von seiner Geschäftsreise aus Dubai zurück war.

Ich hatte für ihn gekocht, wir saßen im Garten hinter unserem Haus, die Sterne funkelten, und das Qara-Gebirge zeichnete sich vor dem Abendhimmel ab.

Ich schenkte meinem gestressten Gatten gerade seinen Lieblingstee ein, als mich ein Klirren zusammenzucken ließ. Karim knallte seine Teetasse auf die Untertasse, dass es schepperte.

»Wie bist du denn ins *Hilton* gekommen?«

»Na, mit Tariq, unserem Hotelmanager!«

Karim sprang auf, fuhr sich durch die Haare und durchbohrte mich mit Dolchblicken.

»Du bist mit einem fremden MANN im Auto mitgefahren?«

»Aber, Karim, er ist unser Mitarbeiter! Er ist doch kein Fremder!«

»Weiß Mr. Yussef davon?«

»Ich denke schon.« Jetzt war ich auch irritiert. »Was ist denn los, *Hayati*? Ich denke, diese Probleme hätten wir hinter uns gelassen?«

Mir wurde plötzlich kalt, und ich rieb mir fröstelnd die Arme.

»Bist du verrückt?«, schrie Karim mich an. »Das spricht sich herum! Du beschmutzt meine Ehre! Du bist eine Muslima! Das ist absolut *haram!*«

»Karim, ich …«

»Wer hat das gesehen?«

»Wer hat was …? Ich meine, ich bin ausgestiegen und reingegangen. Natürlich standen draußen vor dem Hotel ein paar Omanis, aber was sollen sie groß gesehen haben?«

»Sie haben gesehen, dass NICHT ICH am Steuer saß!« Seine Stimme überschlug sich vor Zorn. »Sie reden darüber, Nadia! Die ganze Stadt weiß jetzt, dass MEINE FRAU mit anderen Männern ausgeht!«

»Karim, beruhige dich!« Jetzt wurde ich aber langsam sauer. »DU bist in Jordanien und in Dubai gewesen, und ich darf noch nicht mal innerhalb von Salalah eine geschäftliche Einladung zum Thema Tourismus wahrnehmen? Ich habe tolle Kontakte geknüpft!«

»Das ist überhaupt kein Vergleich!«, brüllte Karim mich an. Wieder sprang er wutentbrannt auf. »Ein MANN macht außerhalb des Hauses Geschäfte, eine Frau NICHT! NIEMALS!«

Seine Halsader war geschwollen, sein Blick eiskalt. »Wann akzeptierst du endlich das arabische Leben einer Frau, deine dir zugedachte Rolle an meiner Seite? Wir sind hier nicht in Europa! Warum verstößt du immer wieder gegen meine Richtlinien? Das hatten wir doch schon so oft! Hast du nichts daraus gelernt? Du denkst einfach nicht nach, handelst, wie es dir passt!«

Mir schossen Tränen in die Augen. »Lass uns nicht wieder davon anfangen, Karim. Wir waren doch schon so viel weiter …«

Er stieß ein Schnauben aus. Angewidert spuckte er auf den Boden.

»Hast du dich von diesem Inder vielleicht auch noch anfassen lassen?« Wütend wirbelte er zu mir herum. »Hat er dir die Tür aufgehalten? Hat er dir die Hand gegeben? Hat er dich angeschaut?«

»Karim! Jetzt reicht's aber!!«

»Bist du wenigstens hinten gesessen?!«

»Nein, ich … Wir haben uns unterhalten!«

Stöhnend fasste er sich an die Schläfen. »Du begreifst es einfach nicht, Nadia!«

Nein. Nicht schon wieder. Ich war nicht mehr bereit, mir das anzuhören.

»Bei dieser Gelegenheit sage ich dir auch gleich, dass ich nächste Woche beim deutschen Botschafter in Maskat zu einem Brunch mit Kollegen eingeladen bin! Kann sein, dass auch Männer dabei sind.«

Ich war jetzt endgültig auf Krawall gebürstet.

Karim erstarrte. Langsam drehte er sich um, in seiner Stimme lag ein gefährlicher Unterton. »Das wagst du nicht. Niemals werde ich das zulassen!«

Warum war mir das nicht schon vorher klar gewesen?

Das Weib, das unsichtbare Schattenwesen!

Zornig sagte ich: »Ich bin eine erwachsene Frau mit denselben Bedürfnissen wie du! Menschliche Kontakte sind ein Muss, ich bin doch hier nicht in Einzelhaft! Und wenn doch, sag es mir hier und jetzt! Dann geh ich sofort – und diesmal für immer!«

Ich war selbst total erschrocken über das, was ich da sagte. Erschüttert lauschte ich dem Nachhall meiner Worte und sah, wie er litt. Ihm noch mal mit Trennung zu drohen, kam einem Dolchstoß gleich. Er sah alt aus, gespenstisch.

Karim rieb sich die Augen. Weinte er? War er so verzweifelt? Dabei liebte ich ihn doch so! Aber ich konnte mich doch nicht völlig aufgeben.

»Ist es wirklich so schlimm, wenn ich möchte, dass du meine Sicht der Dinge verstehst? Ein bisschen Einfühlungsvermögen würde vielleicht nicht schaden. Wenn du mich ein bisschen mehr als Mensch sehen würdest und nicht nur als Erweiterung deiner selbst«, sagte ich tapfer.

So. Das musste er doch irgendwann mal schlucken! Schließlich hatte er mich doch damals in Fürth als emanzipierte Frau

kennengelernt. Ich hatte ihm doch keine Klosterfrau vorge-
spielt!

Er entspannte sich langsam ein wenig und ließ die Schultern
sinken.

»Tatsache ist, dass du durch die Gesetze der Scharia an mich
gebunden bist wie an deine inneren Organe!«, flüsterte Karim.
»Verstehst du, mein ganzes Leben mache ich die Dinge auf eine
bestimmte Art, in dem Wunsch, ein anständiger Mensch zu
sein. Alle machen das so! Ich habe es nicht anders gelernt. Und
ich möchte, dass du das auch lernst!« Sein Blick wurde flehentlich. »Nicht mir zuliebe, sondern deinem Glauben zuliebe!«

Nicht IHM zuliebe? MEIN Glaube? Er tat so, als wüsste er
besser, was in mir vorging, als ich selbst.

Was war mein Glaube? Hatte er ihn mir nicht übergestülpt
wie eine Käseglocke? Andererseits hatte ich mich auch freiwillig darunter begeben, nur um in seiner Nähe zu sein. Ich
war ihm freiwillig in den Orient gefolgt. Und hier galten nun
mal andere Gesetze. An meinem Verhalten wurde auch er ge-
messen.

Ich stand da wie gelähmt. Er nahm meine Hand, küsste sie
und legte sie wieder zärtlich auf meinen Schoß

»Nadia, ich LIEBE dich!« Auf einmal kniete er vor mir und
umfasste meine Beine. »Bitte, hör endlich auf, mir solche Schwierigkeiten zu machen …« Seine Stimme wurde weich.

Ich spürte seine Angst, mich erneut zu verlieren, und plötzlich wollte ich ihm nicht mehr wehtun.

Eben noch wären meine Hände zurückgezuckt, jetzt lagen
sie auch schon tröstend auf seinen verspannten Schultern. »Ich
dich doch auch«, murmelte ich mit zittriger Stimme. »Ich dich
doch auch.«

36

29. Juli 2001

»*Happy birthday,* liebste Mami«, schallte es singend aus dem Hörer. »Wie fühlst du dich? Sicher lässt du dich super feiern?«

»Oh, mein Liebes! Danke, dass du an mich denkst«, sagte ich gerührt. »Hier feiert man nicht so.«

»Aber Karim ist doch bei dir? Bestimmt geht ihr heute Abend schön essen.«

»Er ist in Dubai, geschäftlich.«

»An deinem Geburtstag lässt er dich allein?«

»Ach, Süße. Geburtstage bedeuten im Islam nichts. Karim sagt immer, jeder Tag ist ein Geschenk Allahs, man muss jeden Tag dankbar annehmen und genießen.«

»Ja, und was – genießt du gerade?«

Bestimmt hatte Diana immer noch so eine Art Mädelsparty vor Augen, im Foyer des *Hilton.*

»Wenn ich ehrlich sein soll, Liebes: Ich sitze ganz allein im ummauerten Hof.«

»Das ist doch nicht dein Ernst, Mami!«

»Ach, es macht mir nichts aus, Diana. Ich habe ein paar Katzen, die mir Gesellschaft leisten. Die spielen hier ganz allerliebst zu meinen Füßen.«

»Katzen.«

»Ja, eine Katzenmutter mit ihren vier Kindern. Sie tollen hier ganz tollpatschig umher.«

Ich versuchte, so munter wie möglich zu klingen. »Liebes, es geht mir wirklich gut. Und wie geht es DIR?«

»Mami, ich mach mir Sorgen um dich.«

Ihre Stimme war angespannt.

»Du bist nicht glücklich, oder?«

Nein, wenn ich ehrlich sein sollte, war ich es nicht. Das hatte auch noch einen anderen Grund.

Erst gestern, als ich ins Büro gehen wollte, hatte ich Mr. Yussef getroffen, der mir freundlich den Weg verstellte. »*Good afternoon, madam!* Schon wieder allein?«

»Karim ist in Dubai, Sir.«

»Schon wieder?«

»Soviel ich weiß, kümmert er sich jetzt auch noch um das Hospital des Sheikhs. Er hat dort die Personalabteilung übernommen und versucht, noch ein paar gute Ärzte nach Salalah zu holen.«

Mr. Yussef musterte mich eine Sekunde zu lang. Dann ließ er die Bombe platzen. »Man könnte meinen, er hat dort eine andere Frau.«

Dann verbeugte er sich respektvoll vor mir, wandte sich ab und stieg in sein Auto.

Der Stachel saß tief. Er hatte sich in mein Herz gebohrt wie der Giftstachel eines Skorpions, und seitdem trug ich eine furchtbare Ahnung mit mir herum. Er würde doch nicht … Er hatte doch nicht … Das war doch vollkommen unmöglich, nach allem, was wir zusammen durchgemacht hatten!

Quatsch. Ich sah ja schon Gespenster!

»Diana, Schatz, es geht mir wunderbar. Ich genieße die Wärme und das Alleinsein.«

Ich schluckte. Jetzt bloß keine Tränen. Nicht am Telefon. Nicht meiner Tochter gegenüber.

»Wie geht es Mutter?«, lenkte ich ab.

Allzu gern ließ ich mir von Diana Neuigkeiten von zu Hause

erzählen. Später riefen mich auch noch Conny und Siglinde an, Mutter und mein Bruder Martin. Alle wünschten mir von Herzen das Allerbeste und gingen selbstverständlich davon aus, dass ich an meinem Ehrentag gebührend gefeiert wurde.

Tage später erschien Karim. Er machte einen gehetzten Eindruck und konnte sich gar nicht entspannen. Immer mehr verliefen meine Bemühungen, ihm einen heiteren Empfang zu bereiten, im Sand. Zwar gab es von meiner Seite aus immer noch das volle Verwöhnprogramm, aber unsere Innigkeit war eher einer Routine gewichen, die wir bei jedem Wiedersehen abspulten. Waren wir jetzt schon so weit?

»*Hayati,* liebe Grüße von meiner Familie und meinen Freunden. Sie haben alle zu meinem Geburtstag angerufen!«

»*Nice for you.*« Karim hob noch nicht mal den Kopf, so sehr war er mit seinen Mails beschäftigt. Er hatte seinen Laptop aufgeklappt und starrte stirnrunzelnd darauf.

»Liebster, stress dich doch nicht so! Bald stehen doch drei freie Tage an, zu den Geburtstagsfeierlichkeiten des Sultans.« Eingewickelt in ein flauschiges Frotteehandtuch, kam ich aus der Dusche und setzte mich neben ihn.

»Wir könnten doch mal wieder verreisen. Weißt du, was ich mir wünsche?«

»Sekunde, *Habibi.* Ich muss nur noch eben die Personalakte eines Bewerbers …«

»Karim! Ich wünsche mir so sehr, dass wir nach Dhalkut fahren, nur wir zwei! Weißt du noch, wie wir damals mit unseren Freunden nicht durchgekommen sind wegen der Grenzposten? Du hast doch inzwischen den Passierschein über einen Geschäftsfreund …« Ich streichelte seinen verspannten Nacken. »Wir könnten dort drei Tage herumfahren, picknicken, entspannen … Dort soll auch ein farbenprächtiges Festival zu Ehren des Sultans abgehalten werden!«

»Nadia, wir werden meinen Bruder in Dubai besuchen.«

Karim klappte den Laptop zu, stand auf und schob mich von der Bettkante, um ins Bad zu gehen.

»Deinen Bruder? Amir? In Dubai? Aber warum …?«

»Ich muss dort für meine Familie Besorgungen machen. So können wir das Nützliche mit dem Angenehmen verbinden.«

»Aber …« Mir blieb der Mund offen stehen. Dubai war jetzt glühend heiß, während in Dhalkut ein angenehmes Klima herrschte. Dort blühten die wilden Kakteen, und Bergquellen speisten kühle Bäche. Dubai war schlicht die Hölle um diese Jahreszeit!

Karim hatte mir die Badezimmertür vor der Nase zugeschlagen. Ich hörte ihn duschen. Niedergeschlagen lehnte ich meine Stirn an die Tür.

»*Hayati*, muss ich mir Sorgen machen?«

Karim ließ sich Zeit. Endlich erschien er wieder, ein Handtuch um die Lenden.

»Was redest du denn da für einen Unsinn?«

»Weißt du, ich habe Mr. Yussef getroffen, und er meinte doch glatt, du hättest in Dubai vielleicht eine andere Frau …«

Er stieß ein gekünsteltes Lachen aus, das hörte ich sofort.

»Nadia, du glaubst doch nicht jeden Blödsinn, den man dir erzählt?«

»Keine Ahnung, ich hoffe nur, dass es wirklich Blödsinn ist!«

Barsch stieß er mich zur Seite und verzog sich ins Wohnzimmer, wo er ans Sofa gelehnt Löcher in die Luft starrte.

»*Hayati*, was ist denn los? Du wirkst so abwesend und traurig?«

»Ich vermisse meine Kinder.«

Ich sah ihn forschend an. »Das hast du doch noch nie gesagt!«

»Nadia, ich sag dir vieles nicht, um dir nicht wehzutun.«

»Ich vermisse Diana auch.« Ich schluckte einen Riesenkloß

hinunter. »Du fliegst doch in zwei Wochen wieder nach Jordanien, aber ich sehe Diana dieses Jahr bestimmt nicht mehr!«

»Lass mich einfach in Ruhe nachdenken, ja? Bitte, mach die Tür hinter dir zu.«

Bei Amir und Saida in Dubai gab es ein großes Festessen, das ich wie immer bei den Frauen der Familie in der Küche einnahm, während Karim bei den Männern im Wohnzimmer saß.

»Danke, Ihr Lieben, echt, ich kann nicht mehr!« Mit beiden Händen wehrte ich ab, als die Frauen mir den vierten süßen Nachtisch auf den Teller häuften: Pudding, Eis, Milchreis und jetzt auch noch in Zuckersirup getränkter Blätterteig mit Pistazien – es war einfach kein Ende in Sicht.

Es galt als unhöflich, nicht aufzuessen, besonders als Gast, der das beste Stück Fleisch, die größte Portion Fisch und die mächtigste Baklava aufgetischt bekam.

Wie Karim das alles schaffte, wusste ich nicht. Ich sah ihn ja nie beim Essen.

»Karim?« Ich floh zu den Männern, wollte endlich einen Verdauungsspaziergang machen.

»Nadia, ich muss sofort weg.«

»Wie? Wir sind doch gerade erst angekommen?«

»Ich muss für meine Familie Besorgungen machen.«

»Aber du fährst doch erst in zwei Wochen zu ihnen! Kannst du mir nicht das Gefühl geben, ein paar Tage nur für mich da zu sein?« Heimlich zog ich ihn beiseite. »Wollen wir nicht ins Hotel gehen, nur du und ich …? Wir haben doch jetzt drei freie Tage nur für uns!«

»Du vielleicht, Nadia, aber ich kann's nicht ändern: Ich muss meinen Verpflichtungen nachkommen.«

Ohne mich eines weiteren Blickes zu würdigen, zog Karim sich bereits die Schuhe an, riss eine Einkaufsliste Suleikas aus seinem Aktenkoffer und hielt sie mir unter die Nase.

»Glaubst du, das erledigt sich alles von ganz allein?«

Ich sah nur verschwommen arabische Schriftzeichen und zuckte mit den Schultern. Ich überlegte kurz, ihn zu begleiten, aber bei fünfundvierzig Grad im Schatten über die Märkte zu hetzen hatte für mich keinen Reiz.

So blieb ich ratlos und traurig bei Amir und seiner zum Glück reizenden Saida zurück. Sogar der Bruder schüttelte nur den Kopf über Karims Verhalten. »Er hat sich sehr verändert, Nadia. Ich weiß auch nicht, was ich dazu sagen soll.«

Fürsorglich brachte er mich in unser Hotel. Dort saß ich bei runtergelassenen Rollos ganz allein in der Kälte der Klimaanlage und versuchte, mich auf einen Spielfilm zu konzentrieren.

Kein Wort der Entschuldigung war meinem Mann über die Lippen gekommen, kein bisschen Verständnis für meine Situation, geschweige denn Komplimente und Versprechungen wie früher!

Ich hatte wieder mal hinzunehmen, was er entschied. Was er ansagte, wurde gemacht. Nur dass ich diesmal gar nicht mehr dabei war bei seinen Unternehmungen!

Meine Alarmglocken schrillten immer lauter.

Als Karim spätabends ins Hotelzimmer kam, kehrte ich ihm beleidigt den Rücken zu. Falls er Zärtlichkeiten erwartete – von mir würde er sie heute nicht bekommen. Sollte er ruhig mal über sein Verhalten nachdenken. Ich war wütend und tief verletzt!

Doch er ließ sich nur in seine Betthälfte fallen und schlief sofort ein. Offensichtlich hatte er keinerlei Bedürfnis nach Streicheleinheiten.

Am letzten Tag wollte er noch spätabends Geschäftsfreunde treffen. Endlich war es nicht mehr brüllend heiß, und ich hatte gehofft, wir würden noch mal auf den Spuren unserer ersten Dubaireise wandeln so wie damals, als alles noch so roman-

tisch war: der Hafen, die Altstadt, der Goldbasar, die Wasser-
taxis. Darauf hatte ich mich am allermeisten gefreut!

»Bitte, *Hayati*, du hattest überhaupt noch keine Zeit für mich,
und …«

»Nadia, ich treffe noch einen irakischen Augenarzt, der für
den Sheikh gearbeitet hat und nun kündigen will. Du würdest
bloß stören.«

STÖREN?? Ich war jetzt schon ein Störfaktor? »Du meinst,
du musst dich gar nicht mehr anstrengen, was? Früher hast du
um mich geworben, mir Komplimente gemacht, mich mit Ge-
schenken überhäuft. Aber jetzt bin ich einfach nur noch deine
Zweitfrau. Der Lack ist ab, und ich geh dir auf den Geist. Du
parkst mich, wie du Suleika geparkt hast.«

»Red kein dummes Zeug, Nadia. Schau dir einen Film an,
und ich beeile mich. Aber mach mir jetzt bitte keinen Stress!«

Er war schon an der Tür, als ich ihn am Arm zurückhielt. »Karim, was redest du da auf einmal von einem irakischen Augenarzt? Was soll das?«

»Auch wenn es dich nichts angeht, Nadia: Ich treffe jetzt
einen irakischen Geschäftsfreund, dessen Schwester bei uns in
Salalah als Augenärztin anfangen wird. Ich hab sie auf Probe
eingestellt.«

37

Salalah, November 2001

Von Neuem stand der Ramadan vor der Tür. Mein Gott, dachte ich, wie schnell schon wieder ein Jahr vergangen ist.

Ein emsiges Treiben herrschte auf den Märkten. Berge von Fleisch und Fisch wurden lautstark angepriesen. In den Supermärkten quollen die Regale über. Großfamilien hasteten durch die schmalen Gänge und deckten sich mit Lebensmitteln ein, als stünde ein Krieg vor der Tür. Jeder wollte genug Essen im Haus haben, wenn der Ramadan begann. Manche Familien verschuldeten sich sogar dafür. Denn nachts wurde ja bekanntlich groß aufgekocht und geschlemmt, während tagsüber gefastet wurde.

In meinen Augen aßen die Gläubigen während des Ramadan mehr als während des restlichen Jahres, was der eigentlichen Botschaft des Korans gründlich widersprach:

Der gläubige Muslim sollte in sich gehen, fasten und beten, Körper und Seele reinigen und später demütig und dankbar das Essen würdigen, das Allah ihm schenkte. Nach Sonnenuntergang sollte er zum Beten in die Moschee gehen und sein Essen mit den Armen teilen. Das waren die Pflichten jedes Moslems, das war eine der fünf Säulen des Islam!

Und nicht, dass die Gläubigen nachts Fressorgien abhielten, die jeden Schlaf unmöglich machten.

Für Karim und mich war es ein Unding, vollgestopft ins Bett zu gehen, was jede Leidenschaft im Keim erstickte. Und auch vor dem Morgengrauen nahmen wir kein opulentes Frühstück ein, sondern aßen nur noch ein paar Nüsse und Datteln, dazu etwas Tee. Dann beteten wir und legten uns wieder ins Bett, allerdings ohne miteinander zu kuscheln. Den Tag verbrachten wir im Büro, wo noch nicht mal ein Schluck Wasser oder Tee zu haben war, und kämpften mit Kopfschmerzen.

Abends wurden wir während des Ramadan oft eingeladen und mit üppigen Portionen »beglückt«. Inzwischen war es mir kein Rätsel mehr, warum viele Frauen unter ihrer Verschleierung so korpulent waren. Manche konnten sich kaum noch bewegen. War das der Sinn des heiligen Ramadan?

Der Jahreswechsel stand unmittelbar vor der Tür.

Karim war für die zweite Hälfte des Ramadan zu seiner Familie nach Jordanien geflogen und hängte sogar noch ein paar Wochen dran, während ich ganz allein bei uns zu Hause saß und in den Fernseher starrte.

Die ersten Menschen, die das neue Jahr mit einem grandiosen Feuerwerk begrüßten, waren die Australier. Ein tolles Ereignis, wie gern hätte ich es mit Karim erlebt! Wir hätten natürlich nicht mit Sekt darauf anstoßen, es aber durchaus mit einem innigen Kuss beginnen können.

Im *Hilton* gab es zwar ein Festtagsmenü (wenn auch ohne Feuerwerk und Alkohol), aber Karim hatte mir strengstens untersagt, dort hinzugehen. Hätte ich es heimlich gewagt und wäre es ihm zu Ohren gekommen, wäre er ausgerastet, und ich hatte einfach keine Kraft mehr für solche Szenen. Aber war ich wirklich schon so weit, dass ich mich widerstandslos all seinen Beschlüssen fügte? War eine zweite Suleika aus mir geworden, während die echte Suleika stets mehr Macht zu gewinnen schien?

Auch um Mitternacht blieb es totenstill, und so saß ich stumm und traurig vor dem Fernseher und zählte die Stunden, in denen es auch in Deutschland zum Jahreswechsel kommen würde.

Diana, meine Mutter, Martin und meine Freunde riefen an und wünschten mir ein gutes neues Jahr. Keiner von ihnen ahnte, was wirklich in mir vorging.

Es klopfte. Wie immer stand die Durchgangstür zu Karims Büro offen.

»Ja, bitte?« Noch ganz vertieft in einige Tabellen auf meinem Bildschirm, fuhr ich auf meinem Drehstuhl herum.

Eine elegante dunkelhaarige Dame mit auftoupierter Frisur schwebte im engen Kostüm auf hohen Pumps herein und strahlte mich gewinnend an. Sofort fielen mir ihre tiefrot geschminkten Lippen und ihr grell blauer Lidschatten auf.

»Was kann ich für Sie tun?« Plötzlich kam ich mir vor wie eine graue Maus in meiner bodenlangen Abaya und mit meinem Kopftuch.

Die Lady legte mit lackierten Fingernägeln eine große Schachtel Pralinen auf meinen Schreibtisch sowie ein verziertes Kästchen aus Holz. Dabei klapperte sie übertrieben mit den Augendeckeln.

Auch ich blinzelte verwirrt. »Für mich?«

»Eine Freundin in Dubai hat geheiratet, und das sind nur ein paar kleine Geschenke …«

Und was habe ich damit zu tun, hätte ich am liebsten gefragt, was mir die Höflichkeit natürlich verbot. Deshalb sah ich sie nur ratlos an und hob fragend eine Augenbraue.

In diesem Moment war Karim bereits nebenan von seinem Schreibtisch aufgesprungen und winkte die Dame in sein Büro. Um unsere Durchgangstür prompt zu schließen.

Ich hörte sie dahinter lachen und plaudern. Sofort stellten sich mir alle Nackenhaare auf. Wäre ich eine Katze gewesen, hätte ich meine Krallen ausgefahren und gefaucht. Was machten die da drin? War Karim wahnsinnig? So eine Dreistigkeit! Karim sollte einfach so in seinem Büro mit einer fremden Frau sprechen dürfen? Unter vier Augen? Selbst wenn Allah nichts dagegen hatte, würde ich das keinesfalls tatenlos hinnehmen!

Nach einem kurzen Klopfen trat ich ein und sah ihn mit einem »Was-will-die-Schlampe-hier?«-Blick herausfordernd an. Konsterniert prallte ich zurück.

Sie rauchte. Das durfte doch nicht wahr sein! Karim hasste rauchende Frauen! Nicht einmal sein missratener Sohn Hassan durfte in seiner Anwesenheit rauchen.

Doch er hatte ihr bereits beflissen einen Aschenbecher unter die lackierten Krallen geschoben. Sie saß doch tatsächlich mit übereinandergeschlagenen Beinen vor seinem Schreibtisch und wippte mit dem Schuh!

Ich traute meinen Augen nicht. So was war *haram,* so viel wusste ich inzwischen. Karim zeigte auf die Sünde in Person.

»Nadia, darf ich dir Dr. Halima vorstellen? Sie wird hier einen Monat lang zur Probe arbeiten.«

Aha! Die Augenärztin aus Dubai! Dass wir keine innigen Freundinnen werden würden, wusste ich sofort.

Ich nickte reserviert und murmelte höflich einige Dankesfloskeln für die »Geschenke«, die ich nicht wollte.

Karims Blick forderte mich auf, das Zimmer zu verlassen. Als ich nicht gleich reagierte, sagte er: »Wir haben hier Geschäftliches zu regeln, Nadia. Bitte, bestell uns einen Kaffee.«

»Kaffee?« Ich stellte die Ohren auf. »Karim, du trinkst doch nur Tee.«

»Kaffee, Nadia. Bitte!« Er entließ mich mit einer Geste, die er sonst nur für Bedienstete übrig hatte.

Ich reagierte wie eine aufgezogene Puppe, so perplex war ich. Gehorsam und geradezu unterwürfig, zog ich mich zurück. Mein Puls raste. Ich war auf hundertachtzig. Diese Demütigung! Diese Schmach, dieser Verrat! Was war mit der Schnepfe? Wieso waren die so vertraut und geradezu – obszön privat miteinander? Ich fühlte mich wie eine westliche Ehefrau, die gerade ihren Mann mit einer anderen in flagranti auf dem Schreibtisch erwischt hatte!

Aufgewühlt starrte ich auf meinen Bildschirm, wo die Tabellen und Zahlen vor meinen Augen verschwammen.

So eine Unverschämtheit! Im wahrsten Sinne des Wortes! Ich durfte mir die Lippen nicht anmalen, noch nicht mal mit meinem farblosen Fettstift, den ich schwer vermisste. Und diese dreiste Kuh hatte einen ganzen Farbkasten im Gesicht!

Die Tür flog auf, die beiden waren offensichtlich im Abmarsch.

»Nadia, bleib bitte im Büro! Ich habe mit Frau Dr. Halima in der Klinik zu tun.«

Die Augenärztin würdigte mich kaum eines Blickes, als Karim ihr dienernd die Tür aufhielt und sie zum Aufzug geleitete. Ein aufdringliches Parfüm begleitete ihren Abgang. Aber was machte Karim denn da? Er schickte sich doch nicht etwa an … Nein. Das würde er niemals tun. Sie war eine verheiratete muslimische Frau. Mit zwei Kindern, die im Moment noch bei ihrem Vater und dessen Eltern lebten, wie ich erfahren hatte. Mein Mann ging nicht allein mit ihr in einen Aufzug! Doch. Tat er sehr wohl.

Das war im Grunde so, als würde er bei uns im Westen mit einer Fremden in der Umkleide verschwinden. Ein schlimmerer Affront mir gegenüber war kaum vorstellbar!

Ich sprang auf und spähte aus dem Fenster. Unten auf dem Parkplatz schaute er kurz zu mir nach oben, als erwarte er, gleich von einem Regenguss überrascht zu werden. Dann stieg er zu ihr ins Auto.

Haram. Sünde. Warum stieg er nicht gleich vor meinen Augen mit ihr in die Badewanne?

Sie fuhren davon. Fassungslos starrte ich auf den Fuhrpark unter mir. Eifersucht loderte in meinen Eingeweiden wie ein Höllenfeuer.

Er würde mir das nicht antun. Nicht mir! Nicht nachdem er mich mit Lockungen und Versprechungen in den Oman zurückgeholt hatte.

Warum hatte er das überhaupt getan? Wo er doch offensichtlich schon SIE hatte?

Nein, so durfte ich nicht denken. Er würde ihr jetzt sagen, dass sie sich als seine Geschäftspartnerin anders zu verhalten habe. Anständig. Und wenn er es ihr nicht sagte, würde ICH es tun!

O Gott, war mir schlecht. Wann hatte er die Hexe kennengelernt? Als ich auf La Palma war? Aber warum brauchte er mich dann so dringend hier? Als Vorzimmerdame? Die seinen Neueroberungen Kaffee brachte?

Diese Frau war verheiratet. Sie hatte zwei Kinder. Das hatte Karim mir bereits über sie erzählt.

Um mich im Vorfeld zu beruhigen? Er beschmutzte ihre Ehre!

Und sie beschmutzte meine!

Aber ich würde nicht kampflos aufgeben! Er war MEIN Mann! Nicht ihrer! Diese Hexe sollte sich verpissen, wie Diana gesagt hätte. Ich biss mir auf die Lippen.

Aber was sollte ich denn jetzt denken?

Karim hatte mir eine moralisch heile Welt versprochen, in der nur gute, von Allah geleitete Menschen lebten. Ich bewegte mich in einem geschützten Umfeld ohne Neid und Missgunst. Hier, in diesem Kulturkreis, galten Werte und Traditionen noch was! Nach denen mich zu richten ich gewillt war. Auch wenn ich dafür hart an mir arbeiten musste. Aber es fühlte sich gut und richtig an.

Karim gehörte nicht zu den gewalttätigen Ehemännern, von denen man hinter vorgehaltener Hand immer wieder hörte: Männer, die ihre Frauen schlugen, einsperrten, missbrauchten. Solch arme Frauen konnten ihre Männer nicht verlassen, erfuhren keinerlei Rückhalt durch ihre eigene Familie. Scheidung war *haram* und stürzte alle in Schande. Außerdem standen den Männern nach einer Scheidung die Kinder zu. Sodass diesen armen Frauen nichts anderes übrig blieb, als in diesen unglücklichen Ehen auszuharren.

Aber ICH doch nicht! Ich war doch freiwillig hier, aus tiefer Liebe, die doch von meinem Mann zu hundert Prozent erwidert wurde. Er liebte mich wie einen Augenstern! Wir führten doch eine Ehe auf Augenhöhe, partnerschaftlich, gleichberechtigt ... Na ja, nach hiesigen Grundsätzen sogar mehr als das!

Mein Karim war doch ein mustergültiger, zuverlässiger Ehemann! Meine große Liebe! Ein einmaliger Glücksgriff! Wie konnte er da plötzlich so handeln?

Ich gab ihm doch alles, was er brauchte, ich liebte ihn doch rückhaltlos und war immer für ihn da! Aber fand er mich überhaupt noch prickelnd?

Plötzlich kam mir eine kleine Szene in den Sinn, die ich schon ganz vergessen hatte.

Vor einiger Zeit war ich auf Dianas Hochzeit gewesen, ohne Karim, da dieser nicht mitkonnte. Aus geschäftlichen Gründen, wie er sagte.

Als ich ihn damals von Deutschland aus angerufen hatte, um ihm meine Ankunftszeit im Oman mitzuteilen, hatte er sich mit den Worten gemeldet: »Da bist du ja endlich, ich hab schon den ganzen Tag versucht, dich zu erreichen.«

Ich hatte geschmeichelt gelacht und gesagt, dass er mich ja am nächsten Tag wiederhaben werde.

Seine Reaktion war merkwürdig gewesen. »Ach, du bist es!«, hatte er gesagt und dann ganz schnell aufgelegt.

Meine Finger glitten an der kühlen Scheibe herunter und hinterließen feuchte Schlieren. Mit welchen Illusionen lebte ich eigentlich? Wie blind war ich denn gewesen? Plötzlich sah ich in meinem Spiegelbild Suleikas Gesicht von damals. Unter dem Kopftuch: blass, freudlos, spitz. Und plötzlich hörte ich wieder ihre Worte, die sie mir beim Geschirrspülen zugezischt hatte.

»Jetzt hat Karim die Tür zur Vielehe aufgestoßen. Glauben Sie ja nicht, dass er sie hinter Ihnen endgültig schließen wird.«

Ich hatte sie damals einfach ignoriert.

Doch jetzt hallten sie mir umso lauter in den Ohren.

Vier ganze Wochen lang betete ich täglich zu Allah, die Augenärztin möge ihre Probezeit nicht bestehen und bald nach Dubai zurückkehren.

Ich betete, dass Karim sich besinnen und wieder mein fürsorglicher Mann sein würde, dem ich vertraute und den ich liebte.

Doch es schien, als habe er einen Film zurückgespult – in dem ich jetzt die Rolle Suleikas spielte.

Heute war unser Tag. Heute würden wir in Ruhe über alles reden. Ich bereitete mich auf unseren gemeinsamen Einkauf vor und knöpfte den Mantel zu.

»Nadia, können wir die Augenärztin zum Einkaufen mitnehmen?«

Karim stand vor mir und spielte mit dem Autoschlüssel.

»Du willst – WAS?« Ungläubig hielt ich beim Kopftuchbinden inne.

Er tat so, als hätte er vorgeschlagen, noch ein Kilo Reis mehr zu kaufen.

»Sie kennt sich hier noch nicht aus, und du weißt, dass eine anständige Frau nicht allein auf den Basar geht.«

»ANSTÄNDIG?« O Gott, war ICH das, die so schrill keifte? Ich verspürte eine unbändige Eifersucht, nichts als Hass, Verachtung und Wut! Bestimmt hörte ich mich genauso an wie damals Suleika bei MIR!

Sofort riss ich mich zusammen.

»Bleibt sie etwa? Ich meine, hast du sie fest angestellt?« Mein Herz drohte einen Schlag auszusetzen.

Karim nickte lässig.

»Natürlich. Sie arbeitet ausgezeichnet. Ich hab schon alles in die Wege geleitet.«

Mir war, als hätte mir jemand ätzende Säure ins Gesicht gespritzt.

»Aber, Karim, ich will diese Frau nicht in deiner Nähe haben!« Wütend fuhr ich zu ihm herum. »Sie bedroht unsere Ehe!« Ich zog den Knoten unter meinem Kinn so fest, als wollte ich die Augenärztin mit meinem Tuch erdrosseln. »Sie drängt sich zwischen uns! Ja, merkst du das denn nicht?«

Karims Gesicht wurde zur Maske.

»Nadia, sei eine gute Muslima und hilf deiner Glaubensschwester, sich hier zurechtzufinden.«

»Glaubensschwester!«, sagte ich verächtlich. »Sie will was von dir, Karim!«

»Das ist völliger Blödsinn, Nadia. Sei nicht so hysterisch. Sie ist verheiratet und Mutter von zwei Kindern. Es wäre eine Schande, sie allein einkaufen gehen zu lassen. Reiß dich zusammen, Nadia!«

»Wieso darf sie dann überhaupt im Oman allein eine Praxis führen? Kannst du mir das bitte mal erklären? Hm? Behandelt sie etwa auch MÄNNER?«

»Weil ICH mich um sie kümmere! Wage nicht, dich in meine beruflichen Kompetenzen einzumischen!«

So hart und kalt hatte Karim noch nie mit mir gesprochen. Sein Ton kam mir trotzdem bekannt vor. Klang er nicht genauso, wenn er Suleika maßregelte?

O Gott, wohin sollte das nur führen! Im Grunde war ich finanziell und existenziell komplett von Karim abhängig.

Ich beschloss, tapfer über den Dingen zu stehen. Wenn ich

die Augenärztin nicht unnötig aufbauschte, würde sie vielleicht auch nicht übermäßig viel Raum einnehmen.

Gut. Wir helfen einer Schwester im Glauben. Natürlich. Mehr aber auch nicht. Und du bist ihr Aufpasser in der Augenklinik. Natürlich nur übergangsweise. Bis ihr Mann kommt.

Das hatte Karim mir ja bereits alles erklärt.

Stumm ließ ich mich auf die Rückbank fallen, die Karim mir unzweideutig zuwies, damit die gnädige Frau vorn sitzen konnte! Mir kam die Galle hoch, aber ich spürte, dass er jetzt unbedingt seine Macht demonstrieren wollte.

Lieber die Situation entschärfen und gelassen reagieren, befahl ich mir. Ruhig durchatmen. Karim soll sich nicht einbilden, dass mir das etwas ausmacht. Das ist wie mit jungen Stieren: Wenn man sie reizt, werden sie immer aggressiver.

Zähneknirschend ließ ich zu, dass wir sie von ihrem Apartment abholten. Sie thronte vor mir auf dem Beifahrersitz, und ich durfte in ihre Betonfrisur sagen: »Willkommen, Schwester im Islam, ich werde dir helfen, dich hier zurechtzufinden.« Wie einstudiert, murmelte ich emotionslos jene Worte, die Suleika damals zu mir gesagt hatte, als ich in Amsterdam passenderweise über ihr auf der Haushaltsleiter gestanden hatte.

Dr. Halima warf den Kopf in den Nacken und lachte hochmütig.

»Vielen Dank, aber ich komm schon zurecht.«

Genervt lief ich hinter Karim und ihr her, während sie mit ihren spitzen Krallen Obst und Gemüse betatschte, das Karim ihr auch noch trug!

Sogar ich wurde mit ihren Plastiktüten behängt und durfte sie tragen!

Das war wirklich eine schwere Prüfung meiner muslimischen Nächstenliebe. Uff!

Wie ich später erfuhr, war Karim bereits des Öfteren mit ihr einkaufen gewesen. Als Mann, nur sie beide! Dabei wäre es

MEINE Aufgabe gewesen, mit ihr einkaufen zu gehen – nach den Richtlinien, die er mir eingebläut hatte! Er, der tiefgläubige korrekte Muslim scherte sich einen Dreck um seine viel gepriesene Etikette!

Wir lebten im konservativen Salalah, und er war dort bekannt wie ein bunter Hund. Das war zumindest sein Argument, weshalb ICH keinen Schritt ohne ihn vor die Tür setzen durfte: SEIN GUTER RUF.

Und auf einmal war ihm egal, was die Leute über ihn dachten? Ich konnte nur immer wieder fassungslos schnauben.

»Wie war das gleich wieder mit deiner Ehre, Karim?« Verzweifelt warf ich die Hände in die Luft, als wir endlich wieder zu Hause waren. »Männer sitzen bei Männern, und Frauen sitzen bei Frauen?«

Karim spielte mit seinem Handy herum, auf das er dauernd schielte.

»Dein heiliges Weltbild gerät bei mir gerade ganz schön ins Wanken!« Ich stemmte die Hände in die Hüften und zeterte wie die Mutter eines missratenen Schuljungen.

»Das ist so eine verlogene Doppelmoral, da fällt mir wirklich gar nichts mehr zu ein. Was ist überhaupt mit ihrem Ehemann? Lässt der sich so was bieten?«

»Der kommt nach. Beruhige dich, Nadia! Es ist meine Pflicht als gläubiger Moslem, mich bis dahin um diese Frau zu kümmern. So ist es mit ihren Brüdern besprochen.«

Ich glaubte ihm kein Wort.

»Soso, ihre Brüder! Und warum kümmern die sich dann nicht um sie?«

»Sie leben in den Emiraten, haben aber wohl nicht die finanziellen Mittel, sie zu unterstützen.«

Ich stieß ein harsches Lachen aus. »Aber WIR haben sie, ja? Und du glaubst, dein Werk ist Allahs Wille.« Ich riss mir das Kopftuch herunter und schleuderte es vor ihn auf den Tisch.

»Was sollte das mit dem Hochzeitsgeschenk? Hast du ihr etwa das Eheversprechen gegeben?«

Karim rutschte unruhig auf seinem Stuhl hin und her. Gequält wich er meinem Blick aus. »Ach, Nadia, komm, lass gut sein ...«

Ich zuckte instinktiv vor ihm zurück, als er die Hand nach mir ausstreckte. Wieder hörte ich mich genauso keifen und zetern wie Suleika.

»Was würdest du sagen, wenn du so eine Geschichte über einen Freund hören würdest, na, Karim? Los, rede mit mir!«

Zerknirscht gab Karim schließlich zu: »Ich würde sagen, er und die Frau haben *haram* gehandelt.«

»DU handelst *haram!*« Ich schlug mit der Hand auf den Tisch. War ich es jetzt, die ihm seine eigenen Spielregeln erklären musste? »Karim, komm zu dir! Geh in die Moschee und rede mit deinem Imam, lass dir den Kopf zurechtrücken!«

Aufgewühlt rannte ich aus dem Zimmer. Dann eilte ich noch mal zurück und riss das Kopftuch an mich. Tränenblind stolperte ich davon.

Trotzdem: Ich hatte einen Entschluss gefasst. Einen unverrückbaren Entschluss. Das ließ ich mir nicht bieten.

38

Karim war bei seiner Familie in Jordanien, als mich die Augenärztin Wochen später in meinem Büro anrief.

»Können Sie mir die Personalakte für meine Krankenversicherung kopieren?«

»Nein, kann ich nicht. Das ist nicht mein Aufgabenbereich.«

»Es ist aber wichtig. Ich brauche das dringend.«

Gute Frau, dachte ich wutschnaubend, Sie werden mich jetzt nicht auch noch zu Ihrer Sekretärin degradieren.

»Wenden Sie sich an Mr. Yussef, ich bin mit den Klinikbelangen nicht befasst.«

»Nein, zu Mr. Yussef gehe ich nicht. Das schickt sich nicht.«

Wie bitte? Ich glaubte, mich verhört zu haben.

»Sie müssen schon warten, bis MEIN MANN von SEINER FRAU zurück ist«, hörte ich mich spitz kontern. Und merkte gleichzeitig, wie irrsinnig sich das anhörte.

»Leiden Sie darunter, dass er nicht da ist?«, fragte sie gespielt mitleidig.

»Offenbar scheinen SIE darunter zu leiden, dass er nicht da ist«, giftete ich zurück. Aber er ist MEIN Mann, und alles andere können Sie sich abschminken! Samt ihrer grässlichen Kriegsbemalung, fügte ich in Gedanken hinzu.

Wutschnaubend legte ich auf. Ich musste mich erst mal beruhigen. Wie dreist von ihr, hier anzurufen und mich auch noch um einen Gefallen zu bitten! Im LEBEN würde ich ihr keine Unterlagen kopieren.

Kurz darauf knallte die Tür auf, und der grell geschminkte Drache stand da. Ebenfalls wutschnaubend.

»Wie kommen Sie dazu, mich so zu behandeln?!«

O Gott, dachte ich. Gleich schlagen wir uns.

»Ich bin doch nicht blind, Sie Schlange«, rief ich. »Ich sehe doch, wie Sie sich an meinen Mann ranschmeißen und ihm schöne Augen machen! Was sagt denn IHR Mann dazu?«

»Oh, ich bin froh, weit weg von ihm zu sein!« Sie lachte kalt. »Aber meine Kinder werde ich bekommen – mit Karims Hilfe! Und dazu brauche ich jetzt diese Krankenakte, für die Versicherung!«

Schon wollte sie an mir vorbei in Karims Büro stiefeln.

»Ich hole Mr. Yussef!« Wie ein Erzengel stand ich zwischen ihr und der Tür. »Wagen Sie es nicht!«

Schwungvoll riss ich den Hörer vom Telefon.

Da machte sie eine abrupte Kehrtwendung und verließ fluchtartig mein Büro.

Mein Herz raste. Plötzlich spürte ich, wie mir die Beine wegsackten. Gegen diese Frau würde ich nicht ankommen! Sie war böse und bereit, sich wie ein Falke auf meinen Karim zu stürzen und ihn mir wegzunehmen!

Tränen rannen mir über die Wangen, und ich wollte nach einem Kleenex greifen. Doch die Packung war leer. Mist! Wie in Trance stand ich auf, um mir eines von Karims Schreibtisch zu holen.

Doch da standen keine Kleenex. Nur der verhasste Aschenbecher, von Mosa frisch poliert.

Mit zitternden Fingern wühlte ich in seinen Schubladen, was ich noch nie zuvor getan hatte. Noch nie hatte ich Karim hinterherspioniert, weder in seine Jackentaschen geschaut noch Nachrichten auf seinem Handy gelesen.

Aber jetzt kannte ich kein Halten mehr. Denn ich entdeckte einen Umschlag, aus dem ein Blatt Papier mit einer roten Rose hervorblitzte. Ich konnte nicht anders, ich musste den Briefbogen herausnehmen.

Tränenblind starrte ich darauf. Verführerischer Weihrauchduft. Eindeutig ein Liebesbrief. Eine winzige Sekunde lang hoffte ich, seine Tochter hätte ihm das geschrieben – in verschnörkelter arabischer Schrift: *Lieber Papa, ich vermisse dich so.*

Aber so was tat Leila nicht.

Der Brief war mit *SARAB* unterschrieben und datiert auf die Zeit, als ich bei Dianas Hochzeit gewesen war!

Auf einmal fügte sich das Puzzle zusammen.

Aufschluchzend riss ich den Brief an mich und stapfte damit in Mr. Yussefs Büro. Okay, dieser Schritt war gewagt, aber jetzt war sowieso schon alles egal.

»*Madam,* Sie weinen ja …«

»Mr. Yussef, bitte übersetzen Sie mir diesen Brief, ja?«

»Das ist … Das ist ein privater Brief. Ich fürchte, das geht mich nichts an.«

»Mr. Yussef, dieser Brief ist an meinen Mann gerichtet. Wenn mich nicht alles täuscht, ist er von Dr. Halima.«

Der arme Mann nestelte verlegen am Kragen seines blütenweißen Gewandes herum. Er las. Und wurde rot.

»Ja, nun, er – beinhaltet Schmeicheleien …«

»Was bedeutet *SARAB?*« Energisch tippte ich mit dem Zeigefinger darauf.

»Nun, es bedeutet ›Illusion‹. Ja, so könnte man es übersetzen.«

»Sie unterschreibt mit Illusion?«

»Ähm, *madam,* ich glaube, das sollte Ihnen Mr. Karim selbst übersetzen. Der Brief ist an ihn gerichtet, und ich finde, das hier steht uns nicht zu.«

»Mr. Yussef, gehe ich recht in der Annahme, dass mein Mann mich betrügt?« Zitternd stand ich vor ihm, rote Flecken im Gesicht. Auch er errötete, und seine Mundwinkel zitterten.

»Das müsste ich dem Sheikh melden, aber ich tue es ungern, *madam,* es würde auch bedeuten, dass Ihrer beider Job gefährdet ist, und ich würde Sie nur ungern verlieren.«

Verzweifelt riss ich ihm den Schrieb aus der Hand und bedankte mich unter Tränen.

»Überlegen Sie es sich bitte noch mal«, rief mir Mr. Yussef begütigend hinterher. »Bitte klären Sie diese Dinge privat!«

Doch in Fahrt geraten, wie ich war, stürmte ich kurz darauf die Klinik.

Immer zwei Stufen auf einmal nehmend, flog ich mit meinen langen, wallenden Gewändern in ihre Praxis – ob da nun ein Patient mit aufgerissenen Augen unter ihrem Laser lag oder nicht!

»Was bedeutet dieser Brief?!« Wutschnaubend knallte ich ihn auf ihren Schreibtisch.

Allah sei Dank war sie allein. Mit so einem Auftritt hatte sie offensichtlich nicht gerechnet. Sie zuckte regelrecht vor mir zurück, alle Farbe wich aus ihrem Gesicht.

Panik flackerte in ihren Augen.

»Übersetzen Sie ihn mir!«, forderte ich sie auf. »Mr. Yussef hat nur Andeutungen gemacht. Männer halten ja bekanntlich zusammen, was für Frauen in diesem Land wohl leider nicht gilt.«

Sie war sichtlich geschockt. Mr. Yussef war auch für sie die oberste Instanz.

Kleine Sternchen tanzten vor meinen Augen. Aber ich durchbohrte sie mit meinem Blick und wich keinen Zentimeter zurück.

»Ich liebe Karim«, brach es schließlich aus ihr heraus. »Und er liebt mich. Aber meine Familie würde mir niemals erlauben, ihn zu heiraten, weil er schon zwei Frauen hat.«

Mein Herz setzte einen Schlag aus.

»So?! Haben Sie nicht selbst auch schon einen Mann? Schämen Sie sich denn für gar nichts? Ein solch mieses Spiel zu spielen!«

Dr. Halima war sichtlich verstört über meinen mutigen Auftritt. Mein harmloses Aussehen hatte sie wahrscheinlich veranlasst zu glauben, ich würde klein beigeben und mich fügen, so, wie ich das von Suleika gedacht hatte.

»Ich komme gerade von Mr. Yussef, und ich bin sicher, er wird diese Angelegenheit beim Sheikh thematisieren!«

»Oh, bitte, machen Sie mir keine Scherereien!«

Plötzlich glomm nackte Angst in ihren stark geschminkten Augen. »Ich brauche diesen Job, bitte! Mr. Karim hat mir nur geholfen, mich hier zurechtzufinden. Ab sofort komme ich allein klar, versprochen!«

»Wenn Sie nicht augenblicklich die Finger von meinem Mann lassen, kriegen Sie es mit mir zu tun!«

»Bitte, lassen Sie es gut sein!« Beschwichtigend hob sie die Hände. Aber ich war so in Rage, dass ich unbedingt noch einen draufsetzen musste.

»Das ist doch nach euren Regeln ganz klarer Ehebruch«, bellte ich sie an. »In Saudi-Arabien steht doch auf so was die Steinigung!«

Nicht, dass ich das gutheißen würde – im Gegenteil, ich fand das absolut schrecklich. Aber in diesem Moment wollte ich sie mit ihren eigenen Waffen schlagen.

Sie wurde weiß wie die Wand. »Bitte – beruhigen Sie sich!«

»Ich werde Karim anrufen«, sagte ich schnaubend und verließ türenknallend ihre Praxis. »Sie hören von uns.«

Dass ich vor Verzweiflung fast in ihrem Flur zusammenbrach, musste sie ja nicht wissen.

»Bitte, *Habibi*, lass mich alles erklären, wenn ich zurück bin. Es ist nicht so, wie du denkst!«

Karim WUSSTE schon alles, die irakische Schlange hatte ihn bereits informiert!

»Es ist nicht so, wie ich denke?«, zischte ich ins Telefon. »Diesen dämlichen Spruch habt ihr Männer wohl schon seit der Steinzeit abonniert!« Mit diesen Worten legte ich auf.

In Wahrheit war ich das reinste Wrack. Und was das Schlimmste war: Mit niemandem konnte ich reden! Nur mit meinen kleinen Kätzchen, die mir schnurrend um die Beine strichen.

Drei ganze Wochen lang musste ich auf Karim warten, weil er wieder mal in Jordanien bei seiner Familie weilte beziehungsweise geschäftlich unterwegs war.

Vielleicht hatte er sich aber auch einfach nur aus dem Staub gemacht, weil ihm Salalah im Moment zu heiß geworden war. Ich erkannte meinen Mann gar nicht mehr wieder. Bedingungslos hatte ich mich Karim ausgeliefert, seinen Versprechungen geglaubt, mich seinen Regeln gebeugt, die angeblich von Allah waren und doch nur ihm Vorteile brachten. Doch eines wollte Allah mit Sicherheit nicht, nämlich dass sich Männer wie Karim der hemmungslosen Vielweiberei hingaben und dabei ausgerechnet diejenigen verletzten und demütigten, die ihnen anvertraut waren.

Früher hatte ich mich so sicher und geborgen bei ihm gefühlt! Und trotz oder gerade wegen seiner ersten Ehe geglaubt, wir wären gleichberechtigt.

Manchmal hatte ich seinen Besitzanspruch sogar insgeheim genossen, ihn für große Liebe gehalten. Und seine frommen Sprüche für tiefen Glauben.

Doch nach und nach dämmerte mir, dass er nur seine eigenen Interessen im Blick hatte – ohne Rücksicht auf Verluste. Und das tat verdammt weh.

Das Einzige, was dagegen half, war, wütend zu werden. Doch auf Dauer war diese Wut einfach nur lähmend. Mutterseelenallein hockte ich in meinem heißen, zugemauerten Hof und starrte in die Dunkelheit. Kein Lüftchen regte sich. Meine Zunge klebte am Gaumen. Mit schmerzenden Gliedern stand ich auf und steuerte die Küche an, um mir ein Glas Saft zu holen. Nur das Summen des Kühlschranks leistete mir Gesellschaft. Ich hämmerte mit den Fäusten dagegen, obwohl meine Schläge IHM galten, meinem treulosen Mann. Beziehungsweise ihr, der Schlange. Ich wollte ihn zerstören, ihren künstlichen Augenaufschlag, der meinem Mann so gefiel. Wie hatte ich nur so naiv und vertrauensvoll sein können! Wochenlang war mein Mann unterwegs, und mir fiel nichts anderes ein, als brav zu Hause auf ihn zu warten? Während er … Ja, was eigentlich? Arbeitete und betete?

Eine ungeheure Wut auf mich selbst erfasste mich. Ich schlug mit dem Kopf gegen die Kühlschranktür, bis der Schmerz erträglich wurde. Lehnte die Stirn an das kühle Metall, in dem sich mein vom Weinen verquollenes Gesicht spiegelte.

Wann hatte er eigentlich aufgehört, mich zu lieben? Wann hatte er mich heimlich auf die Ersatzbank geschoben? Mich ausrangiert, ausgetauscht? Als ich nach La Palma ging, zu meinem Bruder? Als ich auf Dianas Hochzeit war? Oder schon viel früher? War das immer sein Plan gewesen? Hatte er Nummer drei schon in petto gehabt, als ich noch glaubte, mit ihm im Liebesglück zu schwelgen? Oder glaubte er, seine Probleme würden sich legen, wenn er sich eine weitere Frau zulegte? So nach dem Motto: Wenn zwei sich streiten, erfreue ich mich an einer Dritten?

War er nur unsäglich naiv oder unfassbar berechnend? Die Vorstellung, mit einem Lügner und Blender das Bett geteilt zu haben, zerriss mir schier das Herz. Doch ich konnte nichts tun, außer auf ihn zu warten.

Wie hatte er damals in Dubai gesagt, als er Suleika telefonisch über seine Heirat mit mir informierte? »Wenn ich wieder zurück bin, hat sich die erste Aufregung schon gelegt.«

Kokettierte er auch bei mir damit, dass diese Rechnung aufging? Glaubte er allen Ernstes, dass ich mich an diesen Zustand gewöhnen würde? Daran, eine Sandwichfrau zwischen zwei anderen zu sein? Nun, da sollte er sich gründlich täuschen!

39

Um nicht völlig wahnsinnig zu werden, stürzte ich mich wie eine Wilde in die Arbeit. Meine Prüfung zum *International Tour Guide* stand an, und ich flog nach Maskat zum Ministerium für Tourismus. Es war mir egal, was Karim dazu sagen würde. Er konnte mich gernhaben! Ich hatte auch Rechte. Zum Beispiel, mich weiterzuentwickeln, mir selbst etwas aufzubauen!

Mit vor Aufregung schweißnassen Händen trat ich vor das Prüfungskomitee. Vier Herren erwarteten mich hinter einem mit weißen Tischdecken und Blumenarrangements geschmückten Tisch. Zwei davon trugen die *kumma,* das reich bestickte kleine Käppi, das man hier überall sah. Die beiden anderen Omanis hatten ein cremefarbenes Wolltuch um den Kopf drapiert, vermutlich handelte es sich dabei um etwas ranghöhere Beamte.

Sie begrüßten mich freundlich und fragten mich auf Englisch nach der Geschichte des Landes, den verschiedenen Provinzen des Oman, nach den Beduinen und Einreisebestimmungen. Offensichtlich gelang es mir, ihre Fragen zufriedenstellend zu beantworten, denn nach etwa einer Stunde händigte man mir den ersehnten *Tour-Guide*-Ausweis aus!

All das erlebte ich mehr wie in Trance. Der Verrat meines geliebten Karim ging mir einfach nicht mehr aus dem Kopf.

Wie benebelt flog ich wieder nach Salalah zurück.

Karim rief mich jeden zweiten Tag an und tat, als ob nichts wäre.

»Nadia, Allah sei mit dir! Ist alles gut?«

»Ich habe die Prüfung zum Tour Guide bestanden«, gab ich knapp zurück.

»Du bist allein nach Maskat geflogen? Du hast mit den Männern im Prüfungskomitee gesprochen? Darüber reden wir, wenn ich zu Hause bin.«

Seine eigenen Missetaten blendete Karim geflissentlich aus. Aber nicht mit mir!

»Ich denke, wir reden über so einiges, wenn du zu Hause bist!«

Die *MS Deutschland* hatte bei uns im Hafen angelegt – der weiße Luxusliner, der deutschen Fernsehzuschauern besser als *Traumschiff* bekannt war! Man hatte mich vom Fleck weg engagiert, um die Passagiere abzuholen und ihnen meine geliebte Heimatstadt zu zeigen.

Welch willkommene Abwechslung! Endlich kam ich raus aus meinem kleinen Hof, traf wieder Menschen, die meine Sprache sprachen, sah, wie ungezwungen sie miteinander umgingen und wie leger sie gekleidet waren.

Zu früher Morgenstunde standen wir im Hafen von Salalah und starrten auf das Schauspiel, das sich uns dort bot: Unzählige Sardinenschwärme zogen wie jedes Jahr an der südomanischen Küste vorbei. Zu Hunderten hatten die Fischer ihre Netze ausgeworfen. Knöcheltief standen sie im türkisfarbenen Wasser und zogen sie geschickt an Land.

Genauso komme ich mir auch vor, dachte ich. Wie eine dieser hilflos im Netz zappelnden Sardinen.

Die Fischer wuchteten ihren Fang auf einen bereitstehenden Pick-up, und ein Kollege, der in Gummistiefeln auf der Ladefläche stand, leerte rasch die Netze. Auf Arabisch schrie man sich Anweisungen zu. Es war laut und hektisch – der reine Wahnsinn.

»Wo fahren die hin?«, riss ein neugieriger Tourist mich aus meinen quälenden Gedanken.

»Wenn der Pick-up voll ist, geht es nach Osten zu den Trockenplätzen«, informierte ich meine begeistert filmenden Gäste. »Dort werden Millionen von Sardinen auf Strohmatten ausgelegt, um anschließend in gedörrter Form an Kamele, Ziegen und Kühe verfüttert zu werden.«

Die Gruppe hing begierig an meinen Lippen. »Vor allem in der Trockenzeit, wenn frisches Gras Mangelware ist, sind diese Sardinen eine gute Nahrungsergänzung für die hiesigen Nutztiere. Aber schauen Sie!« Ich führte die Gruppe weiter auf den Fischmarkt. »Natürlich wird ein Teil des frischen Fanges auch so verkauft! Sie dürfen diese jahrhundertealte Tradition gern fotografieren.«

Ich nahm einen besonders Vorwitzigen dezent beiseite. »Bitte fotografieren Sie aber keine Frauen. Respektieren Sie, dass gläubige Muslimas nicht fotografiert und nicht gefilmt werden wollen.«

»Sind Sie selbst gläubige Muslima?«, wollte eine dicke Berlinerin wissen.

»Ich habe einen Moslem geheiratet und bin zum Islam übergetreten, ja.«

Sie starrten mich unverhohlen an. War das nur Neugier? Oder auch Mitleid?

»Und wie geht es Ihnen damit?«

Verlegen biss ich mir auf die Unterlippe.

»Es ist wunderbar, in diesem herrlichen Land zu leben.«

»Und lässt er Ihnen die Freiheiten, die wir westlichen Frauen gewohnt sind?« Eine besonders Penetrante stocherte ahnungslos in meinen Wunden herum.

»Natürlich!«, behauptete ich und zupfte mir das Kopftuch

zurecht. »Sonst könnte ich gar nicht berufstätig sein und Sie hier herumführen.« Ich lachte angestrengt.

»Lassen Sie mich jetzt von der Haifischjagd berichten!«

Ich scheuchte meine Gruppe wieder in den Bus, der mir zur Verfügung stand.

»Wir fahren jetzt nach Mirbat. Im Hafen von Mirbat, dem einst so berühmten Weihrauchhafen, findet gerade ein riesiges Spektakel oder, besser gesagt, ein regelrechtes Abschlachten der Haie statt.«

Zwei Dutzend sonnenbebrillte Gesichter unter ziemlich lächerlichen Sonnenhüten musterten mich sensationslüstern. Einige Unverbesserliche richteten Videokameras auf mich.

»Die Wanderungen der Sardinenschwärme, wie wir sie gerade gesehen haben, rufen selbstverständlich auch Raubfische wie Haie auf den Plan. Die sonst im offenen Ozean lebenden Tiere kommen gefährlich nahe an die Küste heran, um Abertausenden Sardinen entgegenzuschwimmen«, referierte ich souverän.

»Mit großen Holzbooten, hier *dhaus* genannt, gehen die Fischer auf Haifischjagd! Ein sehr lukratives Geschäft für die Omanis. Wenn die traditionellen Boote dann nach getaner Arbeit gegen Mittag wieder in den kleinen idyllischen Hafen einlaufen, sind sie voll mit getöteten Haien.«

Mit offenem Mund starrten mich die Touristen an.

»Bitte steigen Sie jetzt aus und sehen Sie sich das Schauspiel an.«

Mit schweren Eisenhaken wurden die leblosen Kadaver vom Boot gezerrt und am Kai zur Schau gestellt. Die stolzen Jäger der Meere – Tigerhaie, Schwarzspitzen-Riffhaie, ja sogar Hammerhaie, lagen fein säuberlich aufgereiht in ihrem eigenen Blut. Brutal getötet und ihrer Würde beraubt.

Ich musste mich abwenden, um einen Würgereiz zu unterdrücken.

Die Touristen bedrängten mich mit Fragen. Leider auch mit Fragen zu meinem Privatleben!

»Wie können Sie hier leben? Was vermissen Sie am meisten? Dürfen Sie nach Hause fahren? Wie kommen Sie mit den islamischen Regeln klar?«

Immer wieder versuchte ich, die Neugierigen abzulenken.

»Schauen Sie, die Auktion beginnt!« Ich führte meine Gruppe in den Schatten einer Auktionsbude, hinter der sich Katzen um Fischreste balgten.

»Was bringt so ein toter Hai?«, wollte ein schwitzender Sachse wissen.

»Ich würde sagen, so vierhundert bis fünfhundert Rial. Die Flossen sind das Wertvolle! Sie werden überwiegend nach China verkauft.«

»Und das Haifischfleisch?«

»Das landet auf dem einheimischen Fischmarkt und wird in Streifen geschnitten getrocknet. Schmeckt übrigens wunderbar, mein Mann kauft es manchmal.« Zum ersten Mal an diesem Morgen musste ich lächeln.

»Ihr Mann?«

»Wo ist er?«

»Was macht er?«

»Hat er mehrere Frauen?«

Ich senkte den Kopf. »Kommen Sie, meine Damen und Herren. Wir haben noch ein langes Programm!«

Als ich heimkam, begrüßten mich meine Kätzchen freudig. Natürlich, ich roch nach Fisch! Schnurrend strichen sie mir um die Beine und konnten es kaum abwarten, dass ich sie fütterte. Wieder verbrachte ich den Abend allein in meinem heißen Innenhof, aber ich hatte wenigstens gearbeitet! Ich war unter Leuten gewesen, hatte ein Erfolgserlebnis gehabt und freute mich schon auf das nächste Schiff.

Am nächsten Morgen verabschiedete ich mich von der Katzenmutter. »Na, Buschbusch, wo sind denn deine kleinen Racker? Lassen sie dich heute mal in Ruhe?«

Ich rief nach den Kleinen, denn sie flüchteten sich gern in den Schatten unter meinem Auto. Bevor ich einstieg, bückte ich mich und schaute nach. »Nein, Buschbusch. Keiner da. Dann kann ich ja losfahren.«

Ich ließ den Motor an und drückte aufs Gas.

Ein jämmerliches Miauen drang aus der Motorhaube, das nach einem schrillen Schrei erstarb. Sofort machte ich den Motor wieder aus. Das Herz schlug mir bis zum Hals. Meine Beine waren wie Pudding. Nein, bitte, lieber Gott, jetzt nicht auch noch das!

Eines der süßen Kätzchen, der kleine Kater Blacky, war unter die Motorhaube gekrochen und in den Kühlerpropeller geraten! Ich sah nur noch Blut und Fellfetzen! Es war grauenhaft. Weinend stürzte ich ins Haus zurück. »Buschbusch, es tut mir so leid!«

Aber ich durfte jetzt nicht hysterisch werden, sondern musste klug und besonnen handeln. Tränenblind fuhr ich zu unserer Werkstatt. Ein unheimliches Geräusch begleitete mich. *Ratatak! Ratatak!*

Plötzlich bremste der Fahrer vor mir abrupt. Ein Kamel überquerte gemächlich die Straße. Ich konnte nicht mehr reagieren und knallte gegen seine Stoßstange. Mein Kopf prallte auf den Airbag, der sich plötzlich wie ein riesiger Luftballon aufblähte. Der Aufprall ließ mich vollends die Fassung verlieren. Ich schrie und heulte, meine Nerven lagen blank.

Ein Polizist riss den Wagenschlag auf: »Alles in Ordnung, *madam?«*

Weinend schleppte ich mich in den Schatten. Mehrere Damen kümmerten sich um mich, während die Polizei mein Auto abschleppte. Der Propeller musste ausgebaut und gereinigt werden.

Nachdem ich mich etwas beruhigt hatte, ging ich zu Mr. Yussef und erstattete ihm Bericht. Ich war nur noch ein Häuflein Elend. In seinem Blick lag tiefes Mitgefühl. Er wusste, dass es nicht einfach ein Unfall gewesen war. Ich war ein seelisches Wrack.

»Es war nicht Ihre Schuld, *madam*. Gehen Sie nach Hause und ruhen Sie sich aus.«

Der Tag war gelaufen, ich war total fertig, und Karim war nicht da. Weinend saß ich auf dem Sofa und starrte tränenblind ins Leere.

Die Gäste des Kreuzfahrtschiffes warteten währenddessen vergeblich auf mich. Ich war nicht mehr in der Lage, meinen Job zu machen.

Buschbusch saß auf der Gartenmauer und rief nach ihrem Jungen, wir beide weinten um die Wette.

Abends rief Karim an: »*Habibi*, Nadia, ich habe schon von dem Unfall gehört. Weine nicht, es ist ja nicht deine Schuld. Es war Allahs Wille! Allah möge dir beistehen!«

Blablabla! Ich war einsam, traurig und verzweifelt, und das lag nicht nur an dem Kätzchen oder dem kaputten Auto! Endlich kam der Tag seiner Rückkehr, und ich holte meinen Mann am Flughafen ab. Wir begrüßten uns reserviert. Da konnte er lange warten, dass ich meine Hand auf sein Knie legte! Diese Zeiten waren vorbei.

Nach einer gefühlten Ewigkeit brach Karim endlich das Schweigen.

»Du siehst blass aus, *Habibi*, und dünn bist du auch geworden.«

Ich schwieg und schaute geradeaus.

»*Habibi*, wegen des Unfalls – ich habe mir große Sorgen um dich gemacht! Allah sei Dank ist dir nichts passiert!«

Innerlich war ich kurz davor zu platzen. Ich zwang mich, tief Luft zu holen und nicht zu schreien.

»Ja, ich bin derzeit mit dem Kopf nicht richtig bei der Sache. Es hätte deutlich schlimmer ausgehen können.«

Karims aufmunterndes Lächeln wirkte angestrengt. Und ich schaute stur geradeaus und fror innerlich, obwohl es draußen über dreißig Grad hatte.

Zu Hause stellte ich ihn zur Rede.

»Karim, was bedeutet das alles?«

»Nadia, *Habibi,* lass mich bitte erst mal ankommen, ja? Lass uns Tee trinken.«

Nervös ließ er sich aufs Sofa fallen und nestelte an seinem Jackett. Aufgewühlt ging ich in die Küche und griff mechanisch zur Teedose.

Karim zog mich leicht an sich, als ich den Tee abgestellt hatte. »Nadia, sei nicht dumm.«

»ICH bin dumm?« Sofort schnellte ich zurück. Mit zittern-den Fingern schenkte ich ihm Tee ein. Die Tasse klapperte auf der Untertasse. Am liebsten hätte ich ihm das kochende Ge-bräu ins Gesicht geschüttet! ICH war also DUMM!

»Was soll das mit dem Liebesbrief? Was ist das für ein Ge-fasel, dass sie dich liebt? Das musste ich mir alles während dei-ner Abwesenheit anhören, Karim, und seitdem habe ich keine ruhige Minute mehr.«

»Nadia, reg dich nicht künstlich auf. Diese Frau hat viel durchgemacht, ich will ihr nur helfen.«

»Ich kann das alles nicht mehr ertragen, Karim. Es ist so quälend, ich halte das nicht länger aus!«

Seufzend stützte er den Kopf in die Hände.

»Karim, ich fühle mich einfach nur von dir allein gelassen, verraten und belogen!«

Er grübelte eine Weile vor sich hin und sagte dann: »Wir alle geraten manchmal in die Fallen dieser Welt und strampeln in einem Netz, an dem wir selbst mitgewebt haben. Auch das ist Allahs Wille.«

Aha. Wow. Da hatte er sich aber einen weisen Spruch zurechtgelegt!

»Welch hehre Einsicht«, fuhr ich ihn an. »Willst du diese Situation etwa mir zum Vorwurf machen? Bitte. Gern. Ich mach sie mir selbst zum Vorwurf. Aber ich kann sie nicht länger ertragen.«

Karim sah mich trotzig an. »Nadia, ich liebe dich, aber ich lass mir von dir keine Vorschriften machen.« Er nahm einen Schluck Tee, und ich sah zu, wie er die Lippen spitzte und seine Barthaare ins schwarze Gebräu tunkte. Früher hatte ich diesen Anblick geliebt, heute widerte er mich an.

Seine Gleichgültigkeit stand zwischen uns wie eine Wand.

Wieder versuchte ich, ihn mit seinen eigenen Waffen zu schlagen.

»Wo sind deine Prinzipien geblieben, du Moralapostel? Frau Dr. Glupschauge ist verheiratet! Wo ist dein korrektes Verhalten einer verheirateten Muslima gegenüber geblieben? Was sollen nur die Leute sagen, hm? Das ist doch immer dein Totschlagargument!«

Seine Miene wurde starr. »Nadia, ich verbiete dir, so mit mir zu reden!«

Karim fühlte sich in die Enge getrieben. Das konnte er nicht auf sich sitzen lassen. Sein Ton wurde deutlich schärfer. »Ich tue, was ich für richtig halte, und es ist mir egal, was die Leute denken.«

Ich stieß ein höhnisches Lachen aus. »Jetzt ist mein Glanz verblasst, ja? Jetzt hast du dein Spielzeug kaputt gemacht und brauchst ein neues.«

Er wandte das Gesicht ab, aber ich schrie ihm in den Nacken: »Wart's ab, aus ihr ist ebenfalls bald die Luft raus, Karim, denn du wirst ihr die Farbe aus dem Gesicht wischen und sie verhüllen, damit sie zu deinem ausschließlichen Besitz wird wie Suleika und ich!«

»Nadia, wenn du nicht sofort still bist, dann gehe ich!«

»Geh doch! Geh zu ihr!«, schnaubte ich.

Karim starrte mich wortlos an. So hatte noch nie eine Frau mit ihm gesprochen.

»Du darfst viermal ›würfeln‹, Karim«, setzte ich mit kalter Stimme nach. »So lauten eure Spielregeln. Genieß es!«

Ich war müde. Ausgelaugt und kaputt. Dementsprechend schleppte ich mich die Treppe hinauf und knallte die Schlaf-zimmertür hinter mir zu.

40

Am nächsten Morgen strebte Karim gleich in die Klinik. Er hatte auf dem Sofa geschlafen.

»Ich will mir die Augen lasern lassen. Halima sagt, dass ich dann beim Lesen nie wieder eine Brille brauche.«

Aha. Da hatte er sich ja wieder eine seiner schlauen Karim-Strategien zurechtgelegt. Jetzt hatte er natürlich einen Grund, mehrmals in die Klinik zu gehen. Spitzenvorwand, Karim, dachte ich. Dagegen konnte ich noch nicht mal argumentieren.

Die mitleidigen Blicke von Mr. Yussef und unserem indischen Hoteldirektor Tariq stachen mich wie mit tausend Nadeln. Selbst Mosa, unser Teeboy, senkte den Blick, wenn er an mir vorbeihuschte. Im Büro wurde getuschelt, und ich erfuhr zu meinem Entsetzen, dass Karim sogar den Wohnungsschlüssel von dieser Schnepfe hatte! Er ging bei ihr ein und aus! Die Frau des Sheikhs empörte sich zutiefst über dieses unmoralische Verhalten.

Es war ein ungeheuerlicher Skandal, und es fehlte nicht viel, und wir würden entlassen. Karim und ich hatten jahrelang das Hotel aufgebaut, und nun machte er alles kaputt!

Die Augenärztin wagte es nicht nur, ständig bei uns im Büro anzurufen, sondern auch abends bei uns zu Hause. Oft weit nach zehn Uhr am Abend. Sie hatte keine Manieren und wusste genau, was sie tat. Ich kannte diese Spielchen bereits von Suleika und fand sie einfach nur billig.

Wenn man sich schon einen Mann teilt, dann sollte man es wenigstens fair tun, dachte ich inzwischen abgeklärt. Ich selbst hatte es immer respektiert, wenn Karim bei seiner ersten Frau und den Kindern war. Nie hatte ich ihn dort angerufen. Immer hatte ich brav gewartet, bis er Zeit für mich hatte.

»Karim, was soll das? Wie kann sie es wagen, unsere Privatsphäre zu stören?«

Längst waren wir einander nicht mehr in leidenschaftlicher Liebe zugetan, sondern saßen jeder vor seinem Fernseher. Er im Wohnzimmer und ich im Schlafzimmer. Jetzt stand ich mit funkelnden Augen in der Tür und brach in sein Revier ein.

Karim zuckte nur müde mit den Schultern: »Ich kann es nicht ändern!« Ich spürte seine Angespanntheit, seine Abwehr gegen mich.

»Doch«, zürnte ich aufgebracht. »Verbiete ihr das! Das hier ist unser Leben! Unser Haus, unser Friede! Das toleriere ich nicht!«

Ich wollte sie verjagen wie eine Wespe, die uneingeladen ins Zimmer geschwirrt war.

Klar wollte sie meinen Mann, den gut aussehenden, erfolgreichen General Manager, der er jetzt war. Er war eine gute Partie. Er konnte ihr was bieten – nicht zuletzt durch mich!

Ich war so mit meinem Schmerz beschäftigt, dass ich kaum noch arbeiten konnte.

»Lassen Sie den Trottel doch gehen«, murmelte Mr. Yussef betreten. »Bleiben Sie uns aber bitte erhalten. Wir brauchen Sie hier!«

»Aber wie soll ich das machen, als Frau allein?«

»Ich werde mich um Sie kümmern, wenn Sie männlichen Beistand brauchen! Ich bin Ihr Bruder im Islam!«

Ich schüttelte den Kopf. »Ach, Mr. Yussef, Sie wissen doch selbst, dass das nicht geht!« Traurig lächelte ich ihn an, obwohl ja sogar schon das verboten war. »Sie dürfen nicht mit mir einkaufen gehen, Sie dürfen auch nicht in meine Wohnung kommen, um etwas zu reparieren, geschweige denn mit mir Auto fahren. Bitte machen Sie sich keine Schande!«

Die Spielregeln. Er nickte traurig. »Es tut mir so leid für Sie, *madam*. Das haben Sie nicht verdient.«

Nein. Oder vielleicht doch? Ich hatte mich schließlich freiwillig in diese Situation hineinmanövriert.

Ich konnte jetzt gehen und alles aufgeben, was wir uns aufgebaut hatten. Meine Liebe, mein Leben, meine Träume. Und auf La Palma wieder bei null anfangen. Ganz zu schweigen von dem Spott, dem ich mich aussetzen würde: Wir haben es dir ja gleich gesagt, Nadia. Diese Schmach, diese Schande!

Oder bleiben. Und die Spielregeln akzeptieren. Es war wie die Wahl zwischen Cholera und Pest. Eine fürchterliche Zwickmühle, aus der es kein Entkommen gab.

So lebte ich gezwungenermaßen weiter an Karims Seite, der kam und ging, wann es ihm passte.

Monatelang ging das so weiter, und mein Selbstbewusstsein hatte inzwischen die Größe einer Erbse angenommen.

Eines Abends, es war UNSER Tag, rief gegen elf die Augenärztin an.

»Karim! Sag ihr, dass das nicht geht! Sie soll morgen im Büro anrufen, wenn sie was will!«

Ärgerlich stand ich im Nachthemd auf der Treppe und rieb mir die Augen. Gerade hatte ich mithilfe einer Schlaftablette etwas Ruhe gefunden!

Karim saß wie versteinert im Wohnzimmer. Plötzlich kam mir sein Gesichtsausdruck seltsam bekannt vor: So hatte er damals auf dem Mäuerchen vor Mutters Haus gesessen. Die Augenärztin war doch nicht etwa – schwanger?

»Nadia, mein Gott, das ist die Strafe Allahs!« Kalkweiß im Gesicht starrte er mich an. Wollte er etwa mein Mitleid?

»Du bist für dein moralisches Versagen ganz allein verantwortlich!« Ich verschränkte die Arme vor der Brust. »Was ist passiert?«

»Ihr Mann ist gestorben, mit dreiundvierzig Jahren, an Herzversagen!«

Diese Nachricht traf mich wie ein Keulenschlag. Das bedeutete …

Erst dachte ich sogar, sie könnte ihn umgebracht, aus dem Weg geräumt haben. Mit einer vergifteten Spritze. Mit irgendwelchen Hintermännern, die sie bestochen hatte. Womöglich mit Karims Geld. Aber diesen Gedanken verbot ich mir sofort. Er war *haram*. Nein, der arme Mann war gestorben, weil er den Machenschaften seiner Frau nicht mehr gewachsen war. Weil sie ihm Schande gemacht hatte.

»Was wirst du jetzt tun?« Ich stand wie ein Gespenst im Zimmer.

»Ich werde sie heiraten müssen …«

Es war, als hätte er mir einen Krummdolch in die Eingeweide gebohrt.

Karim senkte demütig den Kopf wie einst Hiob auf seinem Scherbenhaufen und tat so, als müsste er sich ins Unvermeidliche fügen.

Ich starrte ihn an. Mir blieb die Spucke weg.

»Karim, denk nicht mal dran! Sie ist eine böse Frau!«

Karim holte seinen Koran hervor und las mir andächtig vor:

»*Sure zwei AL BAQARAH, Vers 235–236: Und wenn welche unter euch sterben und Gattinnen hinterlassen, so sollen diese in Bezug auf sich selbst vier Monate und zehn Tage warten. Haben sie dann das Ende ihrer Wartepflicht erreicht, so soll euch keine Schuld treffen für irgendwas, das sie mit sich selbst nach Billigkeit tun, und Allah achtet wohl eurer Taten. Und es soll euch kein Vorwurf treffen, wenn ihr diesen Frauen gegenüber auf eine Heirat anspielt oder in eurem Herzen verborgen haltet. Allah weiß ja doch, dass ihr an sie denkt. Doch macht nicht heimlich einen*

Vertrag mit ihnen, außer dass ihr ein geziemendes Wort sprecht. Und entscheidet euch nicht für die Ehe vor Ablauf der vorgeschriebenen Frist. Und wisset, dass Allah weiß, was in eurem Herzen ist: Also hütet euch davor und wisset, dass Allah allverzeihend langmütig ist.«

»Das heißt?« Ich ließ mich auf die Sofakante sinken und starrte ihm auf die Glatze.

»Nadia, jetzt wo ihr Mann gestorben ist, braucht sie eine Stütze. Es ist sehr schwer, mit Kindern und ohne Mann in dieser Gesellschaft zu bestehen.«

»Aha. Die Kinder übernimmst du also auch noch.« Ich schnaubte ungläubig. »Du Guter! Bestimmt darfst du im Himmel in der ersten Reihe sitzen.«

Oh, ich war inzwischen zynisch. Zynisch und respektlos. »Heirate sie, Karim. Werde glücklich mit ihr.« Ich warf die Arme in die Luft. »Aber ohne mich. Wenn du diesen Schritt machst, bist du mich ein für alle Mal los.«

Er sah mich geschockt an: »Bitte, Nadia, gib mir Zeit. Ich muss darüber nachdenken. Ich brauche dich! Du musst mir beistehen!«

Wahrscheinlich erwartete er, dass ich ihm jetzt liebevoll den Rücken tätschelte.

»ICH soll DIR beistehen? Spinnst du?!«

»Sie braucht mich, sie ist hilflos, es ist meine Pflicht als Moslem ... «

Unterschätze nie die Macht der Hilflosigkeit! Die hatte ich schon bei seiner ersten Frau reichlich unterschätzt, bei der Augenärztin würde ich nicht mehr drauf reinfallen.

Aufgebracht sprang ich auf. »Hör auf mit dem Gejammer! Geht es dir eigentlich am Arsch vorbei, wie ICH mich dabei fühle?« Ich wanderte ruhelos auf und ab. »Immer geht es nur um dich! ICH lebe in einer anderen Kultur, in einem anderen Glauben, habe mir völlig andere Regeln überstülpen lassen, führe mein Leben in einer fremden Sprache, habe niemanden, keinen einzigen Menschen außer dir. Ich habe ALLES aufgegeben, Freunde, Familie, Heimat! Für DICH, Karim, für meine große Liebe! DU warst mein Anker, Karim, DU warst mein Halt! Brauche ICH vielleicht auch mal Trost? Bin ICH vielleicht auch mal hilflos?«

Jetzt überschlug sich meine Stimme, und ich brach in Tränen aus.

Karim rieb sich gequält die Augen.

»Nadia, das ist wirklich pietätlos, mir jetzt eine Szene zu machen ... Ich muss allein sein, ich mache noch einen Spaziergang ...«

»Geh. Geh beten«, fauchte ich verächtlich. »Bestimmt sagt dir Allah die Lösung. Wo du doch so ein Guter bist. KARIM, DER GUTE!«

41

Karim ging nach außen hin zur Augenärztin auf Distanz. Sie arbeitete nicht mehr in der Klinik und musste ihre Trauerzeit einhalten. Sie trug nun eine schwarze Abaya und einen schwarzen Schleier. Oh, wie fromm! Karim durfte vier Monate und zehn Tage lang nicht mehr in ihr Haus, denn in das Trauerhaus einer Witwe geht ein fremder Mann nicht. Dennoch richtete er ihr die Trauerfeier aus. Wie ungemein großzügig! Er verstieß eindeutig gegen alle Prinzipien, die er mir eingebläut hatte! War das nicht die Aufgabe ihrer Brüder oder ihres Vaters? Was hatte mein Karim damit zu tun?

»Was sagt denn Suleika dazu, dass du Nummer drei heiraten wirst?« Zu solchen Argumenten verstieg ich mich schon! »Jetzt, wo wir alle unseren Rhythmus gefunden haben, sie und die Kinder in Jordanien leben und für uns alle eine gewisse Ruhe eingekehrt ist!«

Karim saß da, das bärtige Gesicht in seine frommen Hände vergraben.

»Karim, wir haben so lange daran gearbeitet, endlich in Zweisamkeit leben zu können!« Ich versuchte, ihm buchstäblich die Augen zu öffnen, indem ich seine Hände in meine nahm. Doch er entriss sie mir.

»Bitte, Nadia! Alles, worum ich dich bitte, ist Zeit!«

Na gut. Ich atmete aus. Die sollte er haben.

Schließlich konnte und würde die Zeit für UNS arbeiten.

Das war meine einzige Hoffnung. Er sollte selbst merken, dass diese Situation für alle untragbar war.

Er liebte mich doch! Wir hatten es traumhaft schön gehabt!

Je weniger ich auf ihm herumhackte, desto eher würde er hoffentlich selbst zu dieser Erkenntnis kommen. Ich wollte wieder die verständnisvolle Kameradin auf Augenhöhe sein, die er früher so geschätzt hatte. Nur dann konnte ich es schaffen, Karim zurückzugewinnen. Ich schrieb es der sprichwörtlichen Midlife-Crisis zu. Westliche Männer gingen heimlich fremd, hier wurde jedes noch so leise Begehren ein öffentlicher Akt. Fast tat er mir schon wieder leid.

Ich ließ ihn in Ruhe, versuchte, mich auf meinen Job und den Haushalt zu konzentrieren. Dachte viel nach. Geißelte mich mit Selbstkritik. Liebäugelte jeden Tag mit dem Gedanken, abzuhauen. Beschloss genauso häufig, meinem Mann zur Seite zu stehen, ihn vor sich selbst zu beschützen.

Doch all mein Verständnis und Engagement nützten nichts. Im Gegenteil! Kaum war die Trauerzeit um, erfuhr ich von Freunden, bei denen wir zum Essen eingeladen waren, hinter vorgehaltener Hand: »Nadia, die Augenärztin hat bereits Einladungen verschickt! Karim richtet ihr eine offizielle Hochzeitsfeier aus, jeder in Salalah soll wissen, dass sie jetzt Karims Frau ist!«

Das versetzte mir den Todesstoß. Ich musste es von ANDEREN erfahren, dass Karim ernst machte! Er hatte nicht mal mehr den Mumm, es mir selbst zu sagen! Was für ein jämmerlicher Feigling!

Was wäre gewesen, wenn ich gerade zufällig mit einer Touristengruppe im Foyer des *Hilton* gestanden hätte, wo die Gäste immer zu Mittag aßen, und im benachbarten Ballsaal hätte gerade eine Hochzeit stattgefunden? Die Hochzeit MEINES MANNES mit einer anderen Frau? Das hätte durchaus passieren können. Er hätte mich eiskalt ins offene Messer laufen lassen. Das wäre ja ein so schlechter Film gewesen!

Aber – genauso war er mit Suleika verfahren. Er hatte mich heimlich geheiratet. Und sie vor vollendete Tatsachen gestellt. Ich wusste also, dass er zu so was in der Lage war! Damals hatte ich dumme Kuh mich noch geschmeichelt gefühlt. Hatte es aufregend gefunden, exotisch, spannend! Jetzt wusste ich, wie entsetzlich sie sich dabei gefühlt hatte. Wie sehr musste sie mich gehasst haben! Und das war jetzt meine gerechte Strafe.

Als Karim das nächste Mal bei mir am Küchentisch saß, riss ich den Koran aus dem Bücherregal, blätterte, suchte und fand.

Mit Bitterkeit in der Stimme zitierte ich Sure sechsundsechzig, Vers sechs, der an jene Frauen gerichtet ist, die sich scheiden lassen wollen: »*Vielleicht wird sein Herr ihm, wenn er sich von euch scheidet, an eurer statt bessere Frauen geben, gottergebene, gläubige, gehorsame, reuige, fromme, fastende – Witwen und Jungfrauen!*« Schnaubend warf ich den Koran neben seinen Teller.

»Nadia! Das ist *haram!*« Entsetzt hob Karim den Koran auf und drückte ihn an seine Brust.

»Ja, Karim, ich weiß, ich bin keine würdige Muslima! Du hast es versucht, aber ich habe versagt! Such dir im Ersatzteillager passendere Frauen, die dein Handeln nicht infrage stellen, die brav Mäh und Muh sagen, die sich in die Ecke schieben und nach Belieben wieder hervorholen lassen.«

Karim reagierte erstaunt und gekränkt.

»Nadia! Dieser Vers passt überhaupt nicht auf dich, du warst immer eine gute Frau, ich habe nichts zu bemängeln!«

»Oh, da bin ich aber froh!« Ich spuckte die Worte verächtlich aus. »Ja, ich war eine gute Frau! Weil ich an unsere Liebe geglaubt habe.« Ich wirbelte herum und schrie meinen Frust heraus: »Ich habe meine Identität aufgegeben, um eine GUTE Frau zu sein!«

»Aber ich glaube doch auch noch an unsere Liebe, Nadia!«

Karim packte mich am Handgelenk, doch ich entwand mich ihm und stieß ein bitteres Lachen aus.

»Aber zu deiner nächsten Frau passt die Sure, nicht wahr? Immerhin verschleiert sie sich inzwischen und ist nicht mehr geschminkt und raucht nicht mehr. Demütig, gehorsam, anständig! So, wie du sie haben willst!«

»Nadia, dein Sarkasmus ist hier unangebracht!« Karims Ton wurde wieder schärfer. Er griff zu einem altbekannten Argument, das mich einfach außen vor ließ: »Halima ist mein Problem, und wie ich mein Leben mit dieser Frau führen werde, geht dich nichts an.«

Meine Güte, war das armselig. Ich war am Ende meiner Kräfte. Was sollte ich tun? Man kann eine Ehe nur aufgeben, wenn man nicht mehr liebt. Aber ich liebte ihn noch. Vielleicht sogar mehr denn je! Er brauchte mich. Wenn ich ihn verließ, würde er jämmerlich stranden. Diese Frau war eine Hexe. Er war ihr nicht gewachsen. Aber sollte ich wirklich bleiben, nur um ihn vor sich selbst zu schützen? Wie krank war das denn?

»Ich weiß, es ist hart für dich, Nadia«, sagte Karim schon etwas versöhnlicher. »Vielleicht kannst du das eines Tages verstehen.«

Ich schüttelte den Kopf.

»Nein, Karim. Wenn du sie heiratest, verlierst du mich. Ich werde wieder zu meinem Bruder gehen. Diesmal für immer.«

Karim war viel zu müde und ausgelaugt, um mich zurückzuhalten.

»Ich lass dich gehen, *Habibi*. Ich werde immer für dich sorgen. Ich bin und bleibe dein Mann.«

Das war's. Er ließ mich gehen. Ich war frei.

Frei wie eine Gefängnisinsassin, die nach Jahren Haft plötzlich auf der Straße steht.

Bei Mr. Yussef musste ich nun offiziell »aus privaten Gründen« kündigen.

Alle waren sehr traurig und schüttelten ratlos den Kopf.

»Wir haben Sie alle sehr ins Herz geschlossen, *madam*. Wir werden Sie sehr vermissen!«

Ich packte meine Habseligkeiten und ließ sie nach La Palma schicken. Dabei weinte ich unentwegt.

Das war nun also das Ende meines orientalischen Traums. Wie in Trance wandelte ich noch einmal auf den Spuren meines hiesigen Lebens, ging noch einmal über den Fischmarkt, hörte die Händler schreien, sog den Duft des Weihrauchmarkts ein und saß still am Meer.

Die großen Ozeandampfer schoben sich morgens in unseren Hafen und glitten abends wieder hinaus. Ihre Passagiere würden in Zukunft auf mich verzichten müssen.

Am Tag meiner endgültigen Abreise fuhren Karim und ich noch einmal nach Mughsayl. Von dieser malerischen Landschaft wollte ich mich verabschieden. Ernst saßen wir an dem kleinen Tisch mit Blick übers Meer. Ein kühler Wind wehte über die Dachterrasse des Restaurants. Karim versuchte, meine Hand zu nehmen: »Geh nicht weg von mir, *Habibi*. Ich brauche dich. Ich habe dich immer gebraucht.«

Ich zuckte zurück.

»Ich kann nicht, Karim. Es ist zu viel passiert. Es ist nicht mehr rückgängig zu machen.«

Innerlich schrie alles in mir: Ich will bleiben! Ich gehöre hierher! Lass mich wieder deine Frau sein, *Hayati!* Ich liebe dich doch!

Aber es war zu Ende. Diesmal war es wirklich zu Ende.

42

Fürth/La Palma, Winter 2002

Ende des Jahres flog ich zurück in meine alte Welt. Ich besuchte meine Mutter in Deutschland und auch Diana, die inzwischen ein Kind erwartete. Beide waren fassungslos über das, was Karim mir angetan hatte.

Mutter weinte bitterlich über diese Demütigung. »Ich will diesen Mann nie mehr in meinem Haus haben!«

Diana mit ihrem runden Bauch drückte mir tröstend den Arm: »Der ist doch total bescheuert, der Idiot! Wirklich, Mami, ich habe ihn gemocht, aber jetzt ist er völlig durchgedreht. Vergiss ihn, Mami, du bist viel zu schade für ihn!«

Wenigstens würde ich jetzt mein Enkelkind aufwachsen sehen, dachte ich halb getröstet. Allah hat es so gewollt. Fast empfand ich Dankbarkeit. Vielleicht hatte Allah mich vor MIR SELBST beschützt? Vielleicht war es wirklich völlig unmöglich, die westliche und die islamische Welt durch eine Liebesheirat zu vereinen? Vielleicht mussten einfach noch mal tausend Jahre ins Land gehen, bis unsere Lebensweisen kompatibel waren? Dies war jedenfalls Dianas Denkansatz gewesen.

Als ich einige Wochen später auf La Palma ankam, musste ich feststellen, dass mein Platz im Musikstudio meines Bruders längst anderweitig besetzt war.

»Die Frau ist zuverlässig und hat sich gut eingearbeitet«, sagte Martin achselzuckend. »Was, wenn ich sie jetzt rausschmeiße, und du gehst auf einmal wieder zu deinem Karim zurück?«

Stumm schüttelte ich den Kopf. Ich würde nicht mehr zurückgehen. Aber ich hatte auch nicht das Recht, die neue Mitarbeiterin um ihren Arbeitsplatz zu bringen.

Da sie auch meine Wohnräume bezogen hatte, blieb mir nichts anderes übrig, als mir wie eine stinknormale Touristin eine kleine Ferienwohnung zu mieten.

»Sie verlangen sechs Monatsmieten im Voraus«, teilte ich Martin mit kläglicher Stimme mit.

»Dann lass sie dir von deinem Mann schicken! Schließlich muss er für dich sorgen wie für seine anderen Ehefrauen auch!« Martin war zwar prinzipiell sehr großzügig, aber aus dieser Verpflichtung wollte er seinen Schwager keinesfalls entlassen.

Tatsächlich schickte Karim anstandslos die Kaution und richtete auch noch einen Dauerauftrag für die Miete für mich ein. Er stand absolut und in letzter Konsequenz zu seinen Ehepflichten. Trotzdem beschämte es mich, von ihm Geld annehmen zu müssen.

Ich war von einem Ozean ausgespuckt und an den nächsten gespült worden wie ein Stück Treibholz. Dort das sanfte Glitzern des Arabischen Meeres und hier der aufgewühlte kühle Atlantik, in dem kreischende Mädchen auf aufblasbaren Bananen durch die Gischt sausten. Ich staunte, musste mich erst langsam wieder an solche Anblicke gewöhnen.

Ich war wieder zurück in meiner alten Welt – doch was sollte ich jetzt anfangen?

Martin hatte eine Bekannte namens Ingrid, die geführte Wanderungen auf La Palma anbot. Sie suchte noch eine zweite Wanderführerin.

»Das wär doch was für dich, Nadia? Du bist doch so naturverbunden, und mit Touristen kannst du auch umgehen!«

Ja. Das war vielleicht etwas.

Ich verabredete mich mit ihr, und sie bestellte mich gleich in ein abgelegenes Tal.

Mit mir waren vierzehn wanderfreudige Touristen einge-
troffen.

»Na, dann mal los!« Ingrid gab mir die Hand. »Hast du eine
gute Kondition, Nadia?«

»Ich denke schon.« Natürlich hatte ich in den Jahren im
Oman keinen Sport mehr getrieben. Karim fand das einfach zu
unschicklich. Aber ich war doch halbwegs schlank geblieben,
hatte immer auf mich geachtet. Schon Karim zuliebe.

Jetzt trug ich eine blau-weiß karierte Baumwollbluse und
wadenlange Shorts. Um den Kopf hatte ich mir ein rotes Tuch
gebunden. Schüchtern trottete ich hinter der Wandergruppe
her, froh, nicht im Mittelpunkt zu stehen.

Es war herrlich, die Insel auf einsamen Pfaden zu erkunden.
Nie hätte ich gedacht, hier eine so wunderschöne Kulisse vor-
zufinden. Irgendwann machten wir Rast und genossen das über-
wältigende Panorama.

»Diese oft sehr schmalen Wanderpfade waren früher die
einzigen Verbindungswege zwischen den weit verstreuten Dör-
fern«, erklärte Ingrid, und ich schrieb Wort für Wort mit. Das
würde ja in Zukunft mein Text sein.

»Es wurde gehandelt und gefeilscht, und die Bewohner trugen ihre Waren auf dem Rücken von Tal zu Tal. Die Fischer
brachten ihren Fang bis in die entlegensten Bergdörfer in
mehr als tausend Meter Höhe und nahmen auf dem Rückweg
Kartoffeln und Rüben in ihren Holzkiepen mit ins Tal. Es war
keinesfalls ungefährlich. Wer dazu noch schwer beladen war,
drohte oft das Gleichgewicht zu verlieren. Manchmal stapften
Esel vorweg, aber die meisten Menschen mussten ihre Last allein schleppen. Viele Männer ließen sich auch auf Lastwagen
zu den Bananenplantagen fahren, um dort monatelang zu arbeiten. Ihren Verdienst schickten sie dann ihren Frauen und
Kindern.«

Das hier tat mir gut, ich bekam den Kopf frei und ließ die

bittersüßen Erinnerungen an mein geliebtes Weihrauchland und meine große Liebe Karim hinter mir. Trotzdem wollte ich oft Hals über Kopf zu ihm zurückkehren. Besonders wenn ich die glücklichen Paare erlebte, die mit uns auf Wandertour waren. Dann fühlte ich mich unheimlich einsam. Immer wieder führte ich mir seine Missetaten vor Augen, aus reinem Selbstschutz. Aber es gab Momente, in denen die Erinnerungen verblassten. In denen der Schmerz nachließ – wie bei einer Wunde, die langsam heilt.

Emsig lernte ich abends in meiner Ferienwohnung die Geschichte der Insel. Anfangs hatte ich immer meine Zettelchen auf den Wanderungen dabei, nicht nur um meinen Gästen Informationen zukommen zu lassen und ihre Fragen zu beantworten, sondern auch um mich nicht zu verlaufen.

Auf La Palma kann das Wetter blitzschnell umschlagen. Eben noch blauer Himmel und kein Wölkchen am Firmament, können sich in den nächsten Minuten schon schwarze Wolken am Himmel auftürmen, als hätte Gott – oder Allah – seine Hand im Spiel. Dann ziehen riesige Nebelschwaden wie Unheil bringende Gespenster vorbei, die Temperaturen sinken um zwanzig Grad, es beginnt zu stürmen und zu tröpfeln, und der unvorbereitete Wanderer steht buchstäblich im Regen. Man möchte auf die Arche Noah fliehen, so unheimlich und gespenstisch ist so ein Naturschauspiel.

»Diese Wetterphänomene sind nicht zu unterschätzen, und der ortsunkundige Wanderer kann sich schnell verlaufen«, warnte ich, bevor ich meine erste Gruppe entließ. Danach gab mir Ingrid herzlich die Hand: »Du hast dich gut geschlagen, Nadia. Du hast den Job.«

So vergingen zwei Jahre, und aus der blassen, schüchternen Nadia, die kaum wagte, den Blick zu heben, und sich sündig fühlte, wenn sie mit Männern sprach, wurde nach und nach wieder die alte, selbstbewusste Nadia: Endlich ruhte ich wieder in mir, zuckte nicht mehr schuldbewusst zusammen, wenn ich laut lachte oder meine Knie zu sehen waren. Ich hörte wieder auf meine innere Stimme und nicht auf die Stimme Allahs. Ich übernahm wieder Eigenverantwortung.

Es gab sehr nette Begegnungen mit Urlaubern. Ich ließ mich auch wieder auf einen Drink einladen oder auf ein Abendessen in einem der schönen Strandhotels. Ich schloss Freundschaften mit Inselbewohnern, die wie ich Aussteiger waren, und bummelte ohne schlechtes Gewissen über die Strandpromenade, schleckte Eis und kaufte mir zur Krönung meiner Rückkehr zu mir selbst einen Bikini.

Martin wurde sechzig und feierte eine Riesenparty mit seinen Künstlern und Kunden.

Diana besuchte uns mit ihrer Kleinen, einem entzückenden Mädchen namens Klara.

Auch meine Mutter wagte auf ihre alten Tage den Flug nach La Palma.

Wir verbrachten wunderschöne sorglose Stunden am Strand. Das Kind krabbelte vergnügt zwischen uns durch den Sand. Mit seinem flatternden bunten Mützchen sah es aus wie ein Marienkäfer. Dankbar lehnte ich mich zurück. Ich sah meine geliebte Tochter, braun gebrannt und entspannt. Ich sah Mutters faltiges, aber gütiges Gesicht. Und ich sah meinen Bruder Martin mit einem Bier in der Hand auf dem Liegestuhl sitzen. Endlich hörte ich auch wieder mich selbst laut und fröhlich lachen.

Die Blicke meiner Liebsten ruhten zufrieden auf mir. Sie mussten gar nichts sagen, ihre Augen sagten genug: »Willkommen zurück im Leben, Nadia. Wir hatten dich fast schon verloren.«

»Ingrid?« Mein Blick war auf den Terminkalender gerichtet. »Übernimmst du morgen die Frühwanderung? Ich habe nämlich einen Arzttermin.«

»Hoffentlich nichts Schlimmes?«, rief Ingrid aus dem Nebenzimmer.

»Die übliche Frauenarztkontrolle. Ich kann's auch verschieben, hab sowieso keine große Lust auf die Mammografie. Die quetschen dir den Busen zu einem Pfannkuchen zusammen, und ich hab schon mal mehr gelacht!«

Auf einmal bedeutete mir Ingrid zu schweigen. Hinter mir räusperte sich jemand. Baritonal.

O Gott, ein Mann. Und ich quatschte hier übers Busenquetschen. Mir schoss die Röte ins Gesicht.

»Nadia!«

Diese Stimme. Dieser Geruch. Ein Zittern erfasste mich. Ich wirbelte herum.

Vor mir stand ein Mann. Er hatte mich schon eine ganze Weile beobachtet, während ich die Pläne für nächste Woche mit Ingrid besprach. Das war kein Wandervogel im klein karierten Hemd mit Rucksack.

Sondern ein Mann in Anzug und Krawatte, den ich nur allzu gut kannte.

Sein Haar war weiß geworden. Auch wenn er erst Anfang fünfzig war, war er sichtlich gealtert. Aber immer noch ein überaus attraktiver Mann, der noch dazu nach wie vor MEIN Mann war.

»Nadia, *Habibi!* Wie schön, dich zu sehen!« Formvollendet gab er mir die Hand und verbeugte sich vor mir.

Ich wollte im Boden versinken. Und gleichzeitig in seinen Armen. Karim!

Er schaute mich an, und mir stockte der Atem. Mit offenem Mund starrte ich ihn an. Das musste eine Fata Morgana sein.

»Karim! Was machst du denn hier!?«

»Ich möchte meine Frau abholen.« Er beugte sich vor, und die rehbraunen Sprenkel in seinen Augen tanzten.

Na, der hatte Nerven! Ich war doch keine Masochistin.

»Das kommt jetzt aber ein bisschen unvorbereitet«, krächzte ich und fasste mir an den Hals.

»Du weißt, dass ich Überraschungen liebe, *Habibi!*« Er gluckste und freute sich diebisch.

»Und die ist mir wohl gelungen. «

Plötzlich wünschte ich, ich wäre doch beim Arzt. Weit weg jedenfalls.

»Ingrid, ich … Ähm, wir gehen mal einen Kaffee trinken, ja?«

Schon schob mich Karim liebevoll aus dem Büro. Und unter seiner Hand, die auf meinem Rücken lag, drohte ich erneut dahinzuschmelzen.

»Du trägst kein Kopftuch«, stellte Karim fest.

Doch statt ihm ins Gesicht zu springen, stotterte ich verlegen: »Ähm … Nein. Weißt du, hier ist das nicht – üblich. Es würde lächerlich aussehen. Ich …«

»Du brauchst dich nicht zu rechtfertigen, *Habibi.* Du siehst wunderhübsch aus. Dein Haar ist gewachsen. Und du bist braun gebrannt.« Seine Hand spielte mit meinen Locken. Karim sah mich an, als wollte er mich mit seinen Blicken ausziehen.

Plötzlich fühlte ich mich wieder nackt! Ihm schutzlos ausgeliefert. Reflexartig hielt ich mein Strickjäckchen über der Brust zusammen.

»Was willst du, Karim? Wie kommst du hierher?«

»Ich wollte meine Frau sehen. Du fehlst mir. Ich habe Neuigkeiten, *Habibi.* Und die möchte ich dir gern persönlich überbringen.«

Ich konnte meine Tasse kaum halten vor lauter Nervosität.

Nein. Bloß nicht weichklopfen lassen. Nicht noch einmal! Niemals. Keine Chance.

Ich hatte mein in Trümmern liegendes Leben mühsam wiederaufgebaut. Er würde keine Macht mehr darüber gewinnen.

Von mir aus konnte er fünf Frauen heiraten oder zehn, das war mir völlig egal.

Ich sah nach wie vor den Gegner in ihm, in einem Kampf, den ich nur gewinnen konnte, wenn ich nicht mehr nach seinen Spielregeln spielte. Und ich wusste, dass man seinen Heimvorteil nutzen muss, damit der Gegner ins Hintertreffen gerät.

»Wie geht es dir, Nadia?«

»Es geht mir gut, Karim. Ich habe hier einen Job und Freunde gefunden, mich prima eingelebt.« Plötzlicher Schüttelfrost ließ meine Zähne aufeinanderschlagen.

Warum liebte ich diesen Kerl immer noch so? Er hatte eine so magische Ausstrahlung auf mich, dass mein mühsam aufgebautes Selbstbewusstsein wieder zu bröckeln begann.

Karim lächelte mich unentwegt an. Verliebt wie eh und je.

»*Habibi,* ich habe einen Fehler gemacht! Ich brauche dich. Es hat sich viel verändert.«

Nein. Das interessiert mich nicht, Karim. Sag es erst gar nicht. Es hat keinen Zweck.

»Nämlich …?« Ich verschwand fast in meiner Kaffeetasse. Über den Rand starrte ich ihn verwirrt an. War das krankhaft? Hatte ich diese Abhängigkeit von ihm immer noch nicht überwunden?

Karim lehnte sich zurück und schwieg einen Augenblick. Je länger ich ihn anstarrte, desto mehr Macht schien er über mich zu gewinnen.

»Wie geht es Dings … ähm … Halima?«, rang ich mir von den Lippen.

»Meine dritte Frau ist in ein anderes Emirat gegangen und hat sich dort selbstständig gemacht.«

Er sah mich lange an. »Sie ist weg, Nadia.«

Ich schluckte.

»Du hast Milchschaum im Mundwinkel, Nadia.«

Ich leckte ihn ab.

»Und ich bin vorübergehend ins Dubaier Büro von Sheikh Rashid gewechselt.«

»Ach.«

Er war nicht mehr in unserem gemeinsamen Domizil? Er hatte es ohne mich dort nicht ausgehalten? Ich musterte ihn prüfend wie ein seltenes Insekt.

Er lehnte sich zurück. Schien die Überraschung zu genießen.

»*Habibi,* ich habe, seit ich aus Salalah weg bin, nur Stress mit Halima!«

»Das tut mir leid«, stotterte ich halbherzig.

»Sie ist eifersüchtig und rechthaberisch, ständig will sie im Mittelpunkt stehen!«

YES! Ich ballte die Faust unter dem Tisch. Und machte ein neutrales bis mitleidiges Gesicht.

»Immer soll alles nach ihrem Willen gehen! Sie ist so dominant!«

»Du Armer.« Mühsam verkniff ich mir ein triumphierendes Grinsen.

»Nadia!« Er nahm meine Hände und zog sie an seine Brust. »Sie kontrolliert mein Handy!«

Recht geschah es ihm! Von mir aus sollte sie seine Unterhosen kontrollieren.

»Was soll ich nur machen, Nadia?« Karim schenkte mir den flehentlichsten aller Rehblicke. »Ich fühle mich so einsam und allein!«

»Aber wieso bist du nicht mehr in Salalah?« Hatte der Sheikh ihn gefeuert? Wegen seines unmoralischen Lebenswandels? »Nadia, was soll ich noch in Salalah! Die Leute haben Angst vor Terroranschlägen und fahren immer seltener in islamische Länder. Ich bin aus dem Tourismus-Segment zurück in den Import-Export-Bereich gewechselt.« Er seufzte. »Ach, Nadia. Ich muss jetzt ganz von vorn anfangen.«

Ich schluckte. »Ja. Mach das. Ich hab es schließlich auch geschafft.« So! Bloß nicht weich werden. Auch wenn er mir schon wieder so leidtat! Und er war mit seiner Überzeugungsarbeit noch lange nicht fertig. Sein Bariton umschmeichelte mich: »Ich habe kein richtiges Zuhause mehr und merke erst jetzt, wie sehr du mir fehlst …«

Er sah mir in die Augen, dass ich unter dem Tisch versinken wollte.

»Ich bin einsam, *Habibi*. Bitte, komm zu mir zurück, ich werde dich verwöhnen und lieben wie nie zuvor! Nadia, ich brauche dich. Für einen Neuanfang. Wir könnten zusammen ins Emirat Sharjah gehen.«

Mein Herz raste. Eine ungeheure Sehnsucht erfasste mich, lang aufgestaute Gefühle brachen sich erneut Bahn. Er war frei? Er wollte ein neues Leben anfangen? Und zwar mit mir?!

Ich biss mir auf die Unterlippe. Schon sah ich mich wieder Seite an Seite mit ihm im Büro arbeiten, mit ihm zusammenleben, abends gemütlich essen und anschließend am Meer spazieren gehen. Endlich hätte ich ihn ganz für mich allein. Für immer.

Mein Gesicht muss Bände gesprochen haben, denn Karim spürte, wie sehr ich mich immer noch zu ihm hingezogen fühlte. Zu ihm und dem Orient. Wie sehr hatte ich das Leben dort mit ihm vermisst!

»Nadia, *Habibi*. Ich liebe dich! Ich liebe NUR dich!«

Ich schluckte. »Karim, bitte, ich versuche, hier glücklich zu werden …«

Er ließ meine Hände nicht los, drückte sie nach wie vor an seine Brust. Ich fühlte, wie auch sein Herz heftig pochte. Karim ließ nicht locker.

»Du gehörst zu mir. Du bist meine Frau. Wir sind verheiratet, *Habibi,* hast du das vergessen?«

»Nein, Karim, ich …« Die Wahrheit war, dass ich verzweifelt versuchte, mich gegen seinen Zauber zu wappnen.

»Nadia, ich brauche dich! Ich liebe dich! Es ist nicht gut, dass du hier in Europa lebst, so weit von mir entfernt, ohne meinen Schutz. Allah sieht das nicht gern.«

In mir rebellierte alles. Bitte, geh weg, geh sofort weg, flehte mein Verstand. Ich brauche deinen Schutz nicht. Bring mich nicht schon wieder um meinen mühsam erkämpften Seelenfrieden. Es hat so lange wehgetan, so lange! Ich hab mich so nach dir gesehnt, die klaffende Wunde, die du hinterlassen hast, hat so lange geblutet, aber jetzt heilt sie gerade langsam zu. Bitte, geh weg.

Er beugte sich vor und hob mein Kinn, zwang mich, ihm in die Augen zu sehen. Ich schaffte es nicht, seinem Blick auszuweichen.

»Nadia, du lebst Tausende Kilometer von mir entfernt, das ist *haram!* Du willst das doch auch nicht! Du gehörst doch zu mir! Gleichzeitig gehst du mit fremden Männern wandern. Das passt doch alles nicht zusammen.«

Warum brachte er mich so aus der Fassung? Warum ließ ich das überhaupt zu? Ich räusperte mir einen Riesenkloß von der Kehle und klammerte mich an meine Kaffeetasse.

»Ich mache Ausflüge mit Touristen, das ist rein beruflich …« Wieso entschuldigte ich mich schon wieder? Ich konnte lachen, scherzen und wandern, mit wem ich wollte!

»Karim, denk nicht mal daran. Ich gehe bestimmt nicht mit dir nach Sharjah.«

Er verlegte sich aufs Betteln. Er kannte meinen Fürsorgetrieb.

»Ich bin einsam, *Habibi.* Ich brauche dich. Bitte, lass mich erneut für dich sorgen.«

Ich sehnte mich danach, mich einfach wieder fallen lassen zu können. Abends nicht in eine leere Wohnung zurückkehren zu müssen. »Du bist die einzige Frau die ich je geliebt habe. Komm mit mir. Bitte, *Habibi*.«

»Karim, ich …« Mein Mund klappte auf und wieder zu. Wie ein hypnotisiertes Kaninchen starrte ich auf seine Lippen. Wieder sah ich seinen schönen Körper vor mir, glaubte, seine Küsse, seine zärtlichen Hände zu spüren. Die Sehnsucht überrollte mich wie eine warme Welle. Ihn noch einmal haben, in seinen Armen liegen, mit ihm aufwachen dürfen, und das Tag für Tag?

Mit seinem Handrücken fuhr er mir ganz sanft über die Wange. Wie elektrisiert zuckte ich zusammen. Er sah mich dermaßen verliebt und hoffnungsvoll an, dass sich alles drehte.

Er küsste meine Finger, jeden einzeln. Nein! Nein! Nein!

»Du hast mir sehr wehgetan, Karim. Unser Leben ist nicht kompatibel. Schon bald werden wir uns wieder gegenseitig zerfleischen …«

»Schweig, Nadia. Es wird alles ganz anders werden. Neu und aufregend! Gib uns noch eine Chance!«

»Du weißt nicht, wie viel ich geweint habe, Karim! Ich will das nie wieder …«

Er legte einen Finger auf meine Lippen.

»Nadia, ich will dich alle Tränen vergessen lassen. Ich werde dich glücklich machen wie nie zuvor. Vertrau mir, Nadia, es ist Allahs Wille, dass wir zusammen alt werden. Nur du und ich. Wir gehören zusammen, *Habibi*. Und das weißt du auch.«

Alt werden. Ja. Das stand uns bevor. Gemeinsam mit ihm erschien es mir nicht halb so schlimm wie allein auf La Palma. Auch wenn ich Martin und meine Freunde hatte: Karim LIEBTE ich. Immer noch. Ich würde mich um ihn kümmern bis zu seinem letzten Atemzug.

Ich war unfähig, klar zu denken. Unfähig, etwas zu sagen. Spürte nur seine Hand auf meinen Lippen.

Karim redete leise weiter. Ich sah uns wieder gemeinsam am Strand sitzen, Schulter an Schulter. Gemeinsam beten. Lachen.

Essen. Ich wollte wieder von ihm gefüttert werden. Zum Zeichen, dass er immer für mich sorgen würde. Ich dachte an die Zärtlichkeiten, die wir ausgetauscht hatten – Zärtlichkeiten, die er jetzt nur noch mit mir teilen würde, wie er mir gerade versprach.

»*Habibi*, du bist immer noch meine Frau. Ich habe bereits alles veranlasst. Vertrau mir, ich werde dich glücklich machen.«

»Karim, ich habe Angst, wieder enttäuscht zu werden.«

»Das musst du nicht, Nadia. Nächste Woche fliegen wir gemeinsam nach Dubai. Von dort aus fahren wir nach Sharjah und fangen ein ganz neues Leben an.«

43

Dubai, Januar 2005

Der Flieger setzte sanft auf. Draußen flirrte der Wüstensand. Ein vertrauter Duft nach Weihrauch empfing mich, den ich sehnsüchtig einsog. Wieder durchfuhr mich dieses verheißungsvolle Kribbeln und innere Jubeln, das ich spürte, sobald ich im Orient war. Selig vor Verzückung folgte ich Karim, der den Mietwagen entgegennahm. Wir waren unterwegs ins Emirat Sharjah, das ich noch nicht kannte. Wir wollten ja ganz neu anfangen.

Orientalische Musik kam aus dem Radio und verdrängte die Angst vor dem Unbekannten. War ich wahnsinnig? Hatte ich es tatsächlich noch einmal gewagt? Auf La Palma hatte ich mein Auskommen gehabt. Karim hatte mir monatlich einen großzügigen Betrag überwiesen, und mit den Wanderungen hatte ich mir ein gutes Zubrot verdient. Auch Martin hatte mich immer wieder für Events eingesetzt. Ich hatte Freunde gewonnen und die Insel ins Herz geschlossen. Das alles hatte ich wirklich einfach so über Bord geworfen?

Zweifel und Vorfreude wechselten sich ab. Und doch war ich ein bisschen stolz auf mich. Wer traut sich denn mit Mitte fünfzig, noch einmal neu anzufangen? Mit diesem Mann an meiner Seite konnte mir nichts passieren! Er hatte mir eine Woche lang beteuert, wie wunderschön unsere Zweisamkeit in Zukunft sein würde!

Natürlich hatte er Verpflichtungen seinen anderen Familien

gegenüber. Aber lieben tat er nur mich. Ich sah ihn von der Seite an.

Karim drückte sanft meine Hand und legte sie auf sein Knie. Er hatte sich direkt nach der Landung umgezogen und trug wieder die weiße *dishdasha*, die ihn in meinen Augen von einem normalen Mann in einen orientalischen Prinzen verwandelte.

Genau wie früher, dachte ich. Als wäre ich nie fort gewesen.

Ich hatte mich bereits bei der Zwischenlandung in Kuwait wieder in die bodenlange Abaya und das Kopftuch gehüllt, und es fühlte sich an wie eine Heimkehr.

Schweigend fuhren wir über die schnurgerade Piste. Ab und zu summte Karim die Radiomusik mit. Ich liebte seinen warmen Bariton! Während der gemeinsamen Woche auf La Palma hatte ich ihn noch nicht wieder erhört. Er sollte ruhig noch eine Weile um mich kämpfen.

Im achten Stock des Hotels, das er für diese erste Nacht gebucht hatte, verschwand ich verlegen wie eine Zwanzigjährige im Bad. Erst mal duschen!

Plötzlich stand Karim hinter mir. Er drehte das Wasser ab und zog mich an sich.

»Nadia, *Habibi*, ich habe immer nur dich begehrt …« Er küsste meinen nassen Nacken und schob meine Haare zur Seite. Schon stand ich lichterloh in Flammen.

»Karim, ich …« Ich wollte mich ihm entwinden, aber er legte ein flauschiges Handtuch schützend um meine Schultern und drehte mich zu sich herum. Bevor ich weiter protestieren konnte, hatte er schon seine warmen, weichen Lippen auf meine gedrückt. Ich konnte ihm nicht widerstehen und erwiderte seinen Kuss, erst zaghaft, dann immer leidenschaftlicher. Seufzend genoss ich seine Berührungen, fühlte mich schön und begehrt. Er nahm mich einfach in die Arme und trug mich zum Bett.

Die Klimaanlage surrte leise.

»*Habibi*, ich habe so viel an dir gutzumachen. Vertrau mir, lass dich fallen …«

Gott, was liebte ich diesen Mann! Er hatte mir so gefehlt.

Seit fast drei Jahren hatte ich nicht mehr … Es war ein süßer Rausch, der mich fliegen ließ. Wieder musste ich vor Überwältigung weinen, und Karim küsste mir die Tränen ab.

Glückstrunken schlief ich an ihn gekuschelt ein. Ich war wieder beim Mann meiner Träume, im Land meiner Träume, und alles würde gut werden.

Am nächsten Morgen erwachte ich wie Scarlett O'Hara nach der berühmten Liebesnacht mit Rhett Butler, ein siegessicheres Lächeln im Gesicht. Ich hatte ihn zurückgewonnen! Er gehörte mir! Genüsslich reckte und streckte ich mich und wollte die ganze Welt umarmen.

Karim hatte bereits ein arabisches Frühstück bestellt und öffnete gut gelaunt die Tür, um den Servierwagen entgegenzunehmen: pürierte Kichererbsen mit Sesammus, Hummus genannt, weißer Käse – *labneh* –, Spiegeleier, Tee und frisches, duftendes Fladenbrot!

Wie ein Vögelchen fütterte er mich mit den Fingern. Selig leckte ich ihm die Finger ab. Gott, wie hatte ich je ohne diesen Mann leben können? Die prickelnde Leidenschaft zwischen uns war, wie Karim aufgewühlt betonte, ein Gottesgeschenk.

Am nächsten Tag ging die Fahrt weiter.

»Was wollen wir denn hier, Karim?« Verwirrt klammerte ich mich an den Autositz.

»Wir suchen eine Wohnung für dich, *Habibi*.«

»Für mich?« Schon wurde ich hellhörig.

»Für uns. Für uns natürlich.«

Er lenkte seinen Leihwagen durch grässliche Hochhausschluchten, die den Himmel fast ausradierten. Es war ein einziges Stop-and-go, es war die Hölle!

Karim legte den zweiten Gang ein, musste aber sofort wieder bremsen. Ein Eselskarren hatte sich ihm ihn den Weg geschoben. Ansonsten stand hier Limousine an Limousine, verspiegelte Luxuskarossen aller Art wälzten sich Stoßstange an Stoßstange im Schneckentempo vorwärts. Es wurde ununterbrochen gehupt.

»Dieses Emirat Sharjah ist scheußlich, Karim! Es gefällt mir nicht!« Bedrückt spähte ich aus dem Autofenster. Dieses Emirat bestand eigentlich nur aus lieblos in die Gegend gestellten Wolkenkratzern und Großbaustellen. Baukräne durchsetzten das Stadtbild und erinnerten an Kraken, die ihre langen Arme nach den unschuldigen Arbeitern ausstreckten, die hier auf Riesenbaustellen herumwuselten wie die Ameisen.

»Das sind alles Gastarbeiter aus Indien, Pakistan oder anderen Entwicklungsländern.«

Die Bauarbeiter lebten unter menschenunwürdigen Bedingungen, zusammengepfercht in Containern, und führten ein Sklavenleben, um ein paar Dirham an ihre Familien zu schicken.

»Was wollen wir denn hier?«, hörte ich mich wiederholt quengeln. »Karim!«

Ich sehnte mich nach Salalah zurück. In unser liebevoll eingerichtetes Haus. Aber wir wollten ja neu anfangen.

»Die Wohnung hier ist ganz in der Nähe von …«

Er biss sich auf die Lippen und wechselte fluchend die Spur.

»Von WEM, Karim?!«

»Du weißt, dass ich mich um sie kümmern muss.«

»Redest du etwa von NUMMER DREI?«

Plötzlich wurde mir siedend heiß. Er hatte mich schon wieder eingewickelt!

»Sie lebt und arbeitet hier, und ihre Kinder gehen in Ajman zur Schule. Das ist ein Emirat ganz in der Nähe. Mach mir jetzt keinen Ärger, *Habibi*.«

Das konnte doch nicht wahr sein! Er hatte doch von einem wunderschönen Neuanfang nur mit mir gesprochen!

»Karim! Ich dachte, ihr seid getrennt?!« Ich wollte auf ihn einschlagen, aus dem Auto springen, wegrennen, aber wohin?

»Nadia, ich bitte dich. Behalt die Nerven! Ich kann sie nicht völlig im Stich lassen. Wir schaffen das zusammen.«

»Du hast mich unter Vorspiegelung falscher Tatsachen hierhergelockt?« Ich rang nach Luft. »Du hast mich angelogen, Karim!!«

»Nadia, bitte mäßige dich. Du kennst unsere Regeln. Sie hat sich hier selbstständig gemacht. Als Frau kann sie viele geschäftliche Dinge nicht allein regeln. Da ist es nur selbstverständlich, dass ich ab und zu bei ihr nach dem Rechten schaue.«

»Ab und zu, Karim?«

»Nadia, bitte, leg jetzt nicht jedes Wort auf die Goldwaage!«

Mein Magen zog sich schmerzhaft zusammen. Sollte ich es gleich am ersten Tag, nach dieser ersten Liebesnacht, wieder auf einen Streit ankommen lassen? Er hätte mich doch nie abgeholt, wenn er mich nicht aufrichtig lieben würde! Das hatte er mir inzwischen oft genug gesagt.

Abwarten und Tee trinken. Nichts wird so heiß gegessen, wie es gekocht wird.

Also tief durchatmen, Nadia! Ich war Mitte fünfzig und übte mich in Gelassenheit.

Die Wohnung, die er für mich vorgesehen hatte, lag im zweiten Stock eines unscheinbaren Hochhauses. Wenn man das Fenster öffnete, konnte man die Klimaanlage des Nachbarn anfassen. Ein einziger Albtraum. Weit und breit kein Grün, kein Himmel oder Meer.

Ich witterte förmlich IHRE Nähe. Und mir wurde schlecht dabei.

»Karim, hier werde ich nicht wohnen.«

»Dir wird nichts anderes übrig bleiben.«

Panik ergriff von mir Besitz. Ich war ihm schon wieder in die Falle gegangen! Aber nach La Palma konnte ich jetzt endgültig nicht mehr zurück – nicht nach meinem mehr als überstürzten, backfischartigen Abgang.

Martin hatte sich nur an den Kopf gefasst: »Du folgst diesem Menschen, der dich so enttäuscht hat, ein drittes Mal? Nadia, ich kapier es einfach nicht!«

Ich hatte ihn flehentlich angeschaut: »Er ist meine große Liebe, Martin. Ich kann ohne ihn nicht leben. Er ist wieder frei für mich!«

»Du musst wissen, was du tust«, hatte er nur gesagt. Und war dann in sein Studio gestapft und hatte die Tür hinter sich zugemacht.

Ich riss mich zusammen. Ich war doch eine gestandene Frau! Ich würde das letzte Drittel meines Lebens in Würde und Selbstbestimmtheit verbringen! MIT meiner großen Liebe. Im Land meiner Träume. Dazu brauchte es nur ein bisschen Fingerspitzengefühl und Diplomatie.

Ich verlegte mich aufs Betteln. Karim war jemand, der total zumachte, wenn ich als Frau sachlich mit ihm diskutieren wollte. Doch kindliches Betteln erweichte sein Herz sofort. Damit gab ich ihm das Gefühl, ein männlicher Entscheider zu sein.

»*Hayati*, warum fahren wir nicht nach Ajman? Du sagst doch, dass es ganz in der Nähe ist! Weißt du noch, wie wir deinen Bruder Amir dort besucht haben? Das hat mir gut gefallen! Es ist doch nicht weit oder?«

Karim war hin- und hergerissen. Einerseits hätte er mich gern in der Nähe seiner Dritten geparkt. Andererseits wusste er, dass er seines Lebens nicht mehr froh würde, wenn er mich hier einpferchte. Deshalb ließ er sich auf meinen Vorschlag ein. Er setzte den Blinker, wechselte die Spur und fuhr auf die Autobahn.

»Oh, danke, *Hayati,* du bist der Allerbeste!« Zärtlich legte ich die Hand auf sein Bein.

Okay. Ich wusste jetzt, wie man ihn nehmen musste. Niemals Kritik üben, ihn niemals direkt zur Rede stellen. Immer nur schmeicheln, betteln, locken und anschließend dankbar sein. Hatte er mich hergelockt, obwohl mit seiner Dritten noch was lief? Das konnte ich mir nicht vorstellen. Nein, er musste sich rein geschäftlich um sie kümmern. Ich wusste ja aus eigener Erfahrung, dass sich eine anständige Frau hierzulande nicht allein mit Männern abgeben durfte. Auch wenn ich Halima für alles andere als anständig hielt: Das würde ich akzeptieren müssen. Und damit würde ich zur Not leben können.

Schweigend fuhren wir eine knappe Stunde über die vierspurige Straße, die sich in der Hitze zu verflüssigen schien. Rechts und links verwehter Dünensand. Ab und zu eine Kamelherde, die gemächlich dahintrottete.

Endlich tauchten in der Ferne die flimmernden Umrisse gläserner Hochhäuser auf.

Das Emirat Ajman hatte sich sehr zu seinem Vorteil verändert.

»Sieh nur, *Hayati,* die Strandpromenade ist eine prächtige Flaniermeile geworden!«

Ich verrenkte mir neugierig den Hals.

»Damals standen auch diese weißen Prachtbauten noch nicht.«

»Karim, bitte halt an!«

»Was?«

»Schau, das riesige Plakat da! Das heißt doch ›Zu vermieten‹, oder nicht?«

Riesige rote arabische Schriftzeichen wiesen auf ein freies Apartment hin. Es lag direkt gegenüber der Strandpromenade. Palmen wiegten sich im Wind. Familien schlenderten über die Prachtmeile oder saßen picknickend auf dem gepflegten Grüngürtel. Kinder spielten Fußball im Sand oder tummelten sich an Spielgeräten.

Karim schüttelte den Kopf. »Das wird teuer sein …«

»Karim, bitte! Wenn ich bei dir bleiben soll, möchte ich hier leben und nicht in der Nähe von – IHR.«

Widerwillig parkte Karim den Wagen und wählte die Nummer, die auf dem Plakat stand.

Ein bärtiger Palästinenser mit Turban, Pluderhose und langem weißem Hemd erschien und zeigte uns die Wohnung, die im zwölften Stock lag.

Im Gegensatz zu dem Mauseloch in Sharjah war es ein geräumiges, freundliches Apartment, lichtdurchflutet und mit moderner Klimaanlage. Die Küche war hell und komplett eingerichtet, und das Schlafzimmer hatte einen Balkon mit Meerblick. Es duftete nach Farbe. Der Wohnzimmerbalkon ging ebenfalls zum Meer raus, und eine sanfte Brise wehte zu uns herüber. Ich sah mich hier schon gemütlich im Schatten sitzen und im Schutz meiner Pflanzen lesen.

Die beiden Männer kamen ins Gespräch. Dass Karims Vorfahren auch aus Palästina stammten, hatte unser Vermieter gleich am Akzent erkannt. Temperamentvoll plauderten die beiden, als wären sie alte Freunde. Sie lachten und klopften sich gegenseitig auf die Schulter.

»Er sagt, er hat diese Wohnung eigentlich einer reichen Russin versprochen, aber natürlich hätte er lieber einen Landsmann als Mieter. Er wohnt mit seiner Familie selbst in diesem Haus, und es gibt internationales Publikum hier, von Briten über Franzosen und Holländern bis zu …«

»Karim«, bettelte ich und zwang mich, nicht an seinem Arm zu ziehen. »Ich will alles tun, wenn du mir diese Wohnung mietest!«

Ich verstand sein Zögern – noch war er ohne festen Job, hatte drei Frauen und sechs Kinder zu ernähren, und jetzt wollte ich auch noch diese Luxuswohnung. Mein Blick hypnotisierte ihn.

Schließlich ließ Karim die Schultern sinken: »Also gut, *Habibi,* du sollst die Wohnung haben. Allah meint es wirklich gut mit dir, diese Wohnung ist für dich bestimmt.«

44

Ajman, Januar 2005

Bei Amir, Karims Bruder, wurden wir freundlich empfangen.

»Wir wohnen jetzt ganz in eurer Nähe!«, schwärmte ich.

»Das ist ja großartig, kommt herein!« Saida, Karims Schwägerin, zog mich gleich in die Küche, wo wir unsere Kopftücher ablegten, während die Brüder auf dem Wohnzimmerteppich Platz nahmen.

Vorsichtig erzählte ich, was sich in den letzten zwei Jahren in meinem Leben zugetragen hatte, und wir beide mieden das Thema »Eheschließung mit Nummer drei«.

Als das neunjährige Töchterchen Fatima hereinplatzte, platzte auch gleich eine kleine Bombe.

Sie ging mit Samira, der Tochter von Nummer drei in eine Klasse! Fröstelnd rieb ich mir die Arme. Das bedeutete, Amir und Saida hatten Kontakt zu Nummer drei. Bestimmt trafen sie sich auf Elternabenden oder so. Kam diese Halima etwa auch in dieses Haus? Zum Beispiel um Samira zu bringen und abzuholen? Hatte sie etwa von diesem Tellerchen gegessen und aus diesem Becherchen getrunken?

Wie schade! Ich hatte so gehofft, in dieser Familie so etwas wie Verbündete zu finden.

Bis lange nach Mitternacht saßen wir dennoch plaudernd zusammen. Ich ließ mir von Töchterchen Fatima die Schulhefte zeigen und bestaunte ihre selbst gemalten Bilder, bis schließlich Karim in die Küche kam: »*Habibi,* wir müssen los.«

Verliebt und voller Vorfreude auf eine weitere Liebesnacht, schaute ich meinen Mann an und stand auf. »Ja, natürlich, *Hayati*.«

Wir verabschiedeten uns wortreich und versprachen, bald wiederzukommen.

Unten im Auto schaute mich Karim betreten an und hauchte: »*Habibi*, ich muss gehen, meine andere Familie wartet.«

Blitzartig zog ich meine Hand weg, die schon auf seinem Knie gelegen hatte.

O Gott, wie elend mir zumute war!

»Karim, nein! Mir wird schlecht! Das kannst du mir nicht antun!«

Karim strich mir mit dem Finger über die Wange. »Wir wollen doch beide, dass sie wieder arbeitet und irgendwann für sich selbst sorgen kann. Also müssen wir den Schein wahren, wenigstens vorläufig. Sie ist ja eben erst hergezogen und wird beobachtet.«

Es hatte sich nichts geändert. Nicht das Geringste. Wütend riss ich mich von ihm los. »Gute Nacht.«

»Bitte, geh jetzt in dein Apartment und versuch zu schlafen. Bitte, halt zu mir, *Habibi*. Du bist die einzige Frau, der ich vertraue.«

Ich schluckte. In diesem Zusammenhang von Vertrauen zu sprechen, war schon ziemlich dreist.

Er versuchte, mich an sich zu ziehen: »*Habibi*, morgen bin ich zurück, und dann suchen wir Möbel aus, ja?«

Ich fühlte mich einfach nur müde und leer.

»Ist gut. Verstehe. Danke.«

»*Habibi*, sag nicht Danke! Es ist meine Pflicht, dir ein Heim zu geben! *Alhamdulillah* fanden wir, was dir gefällt.«

»Ja.« Steif wie ein Brett stieg ich aus.

Er hupte kurz, winkte und ließ mich im Hauseingang stehen.

Zum Glück war es nicht gefährlich. Es gab überhaupt keine Kriminalität, und Frauen wurden sehr ehrerbietig behandelt. Wenn ich, wie später noch oft, allein die mehrspurige Straße überquerte, um zum Strand und wieder zurückzugelangen, fuhren die Autos sofort langsamer, um mich hinüberzulassen. Jetzt öffnete mir ein indischer Portier dienernd die Tür und drückte den Liftknopf, ohne mich jedoch anzusehen.

»Guten Abend, *madam*. Ich wünsche Ihnen eine gute Nacht.«

Die Fahrstuhltür schloss sich hinter mir. In der Wohnung glaubte ich noch Karims Geruch wahrzunehmen. Er war jetzt unterwegs zu Nummer drei. Forderte sie immer noch ihr Eherecht? Und was war mit seinem Gerechtigkeitssinn? Wir hatten … Also würde er auch mit ihr … Nicht auszuhalten, diese Vorstellung!

Allein stand ich im Schlafzimmer und zog mich langsam aus. War es das, was ich gewollt hatte? Ich hatte mich getäuscht. Er hatte mich getäuscht. Nie würde er mir ganz allein gehören! Nie! Konnte ich damit leben? Ich warf mir mein seidenes Nachthemd über, rollte mich zwischen den kühlen Laken zusammen wie ein Embryo und starrte noch lange an die frisch getünchte Wand.

»*Habibi*, ich habe gute Nachrichten!«

Karim saß am Steuer seines Wagens und sang aus voller Kehle die arabischen Hits mit, die aus den Lautsprechern kamen. Eigentlich war es *haram*, weltliche Musik zu hören, deshalb bekam mein Mann regelmäßig einen Rappel und hörte nur noch fromme Gebete, von einem Imam vorgesungen. Aber heute hatte er weltliche Laune.

Wir kamen gerade aus dem Möbelkaufhaus und hatten den ganzen Kofferraum voller Lampen, Kommoden, Teppiche, Kissen und Bettbezüge meiner Wahl.

»Du wirst in Zukunft nicht mehr so allein sein!«

»Nein?« Ich sah ihn forschend an. Wieder bedachte er mich mit diesem »Überraschung!«-Blick, den ich schon so gut an ihm kannte. Was für ein Kaninchen zauberte er denn nun aus dem Hut?

»Hassan wird zu uns ziehen!«

»Oh.« Ich schluckte. Hassan war damals in Amsterdam geblieben und von westlichen Einflüssen »verdorben« worden, wie Karim sich ausdrückte. Aber siehe da: Vor einiger Zeit hatte sich der jetzt Sechsundzwanzigjährige – *Alhamdulillah* – auf seine alten Tugenden besonnen, in den Schoß der Familie zurückgefunden und war bei DER DRITTEN eingezogen.

Hier war man sich aber auf die Nerven gegangen, Hassan hatte sich den Spielregeln der Neuen nicht beugen wollen und war auch mit seinen jüngeren »Geschwistern«, der neunjährigen Samira und ihrem vierzehnjährigen Bruder Mehmed nicht ausgekommen. Die Dritte wollte ihn nicht mehr. Jetzt gab es mich ja wieder. Um dem geballten Elend ein Ende zu setzen, entschied mein weiser Mann Karim das einzig Richtige: Hassan sollte zu uns ziehen. Aha, dachte ich. Doch so merkwürdig das auch klingt – ich freute mich.

In Amsterdam hatten wir uns damals eigentlich ganz gut zusammengerauft – von seinen Ausflügen ins verbotene Sexualleben mal abgesehen. Und Karim hatte ja recht: Ich wäre nicht mehr so einsam! Wenn das keine Win-win-Situation war! Denn Karim war ja nicht nur jeden zweiten Tag und jede zweite Nacht bei DER DRITTEN, sondern flog auch noch jeden Monat für eine Woche nach Jordanien zu Suleika, den Schwiegereltern und seinen drei jüngeren Kindern.

Doch wie sich herausstellte, saß Hassan, ein wütender junger Mann ohne Ausbildung, von nun an täglich bei mir vor dem Fernseher und schaute seinen Propaganda-Lieblingssender. Er schimpfte auf alles, was westlich war, auf Holland, Deutschland, aber auch auf die dekadenten Herrscher der arabischen

Staaten, die mit ihrem Geld nur so um sich warfen und die Menschenrechte mit Füßen traten.

Ständig fluteten Bilder von ermordeten Kindern und anderen Kriegsopfern den Bildschirm, gaben dem Hass neue Nahrung und sicherten den Nachschub von Gotteskämpfern.

Für mich war das unerträglich. Und obwohl ich verstehen konnte, wie schwer es für Hassan gewesen war, den Spagat zwischen Abendland und Morgenland auszuhalten, machte er es sich doch ein bisschen zu leicht, wenn er sein verkorkstes Leben ausschließlich auf die sündige westliche Welt schob.

Nur keine Verantwortung übernehmen, Hassan, dachte ich oft, wenn ich ihn wieder mit hassverzerrtem Gesicht vor dem Fernseher sah. Nur keine Fehler eingestehen. Darin bist du deinem Vater nicht unähnlich, mein Lieber. Immer sind die anderen schuld! Dabei hatten es viele andere arabische junge Männer in Europa geschafft und waren heute angesehene Rechtsanwälte, Ärzte und leitende Angestellte. Etwas, das Hassan zum großen Leidwesen seines Vaters nicht gelungen war.

Heimlich gab ich Karim eine Teilschuld daran.

Hätte er seinen Sohn damals nicht in einer Kurzschlusshandlung mit Marijke verheiratet, wäre er vielleicht weiter zur Schule gegangen und hätte das Abitur geschafft.

Seine vorsintflutlichen Moralvorstellungen hatten Hassan den Weg zu weiterführender Bildung verbaut. So sah ich das jedenfalls.

»Hassan, kommst du bitte zum Essen?«

Wochenlang war ich mit diesem Jungen allein, und das Einzige, was ich für ihn tun konnte, war, ihn mit meinen arabischen Kochkünsten zu verwöhnen.

Widerwillig stand er vom Sofa auf, schlang am Küchentisch wortlos das Essen in sich hinein, ohne den Blick von seinem Hetzsender zu lassen, um sich dann anschließend in seinem

Zimmer zu verschanzen und sich entsprechende Seiten im Internet reinzuziehen.

Wenn er mir die Fernbedienung überließ, ließ ich mich von einer beliebten Comedy-Serie berieseln, die von einem Mann handelte, der drei Frauen geheiratet hatte. Gemeinsam wohnten sie in einem großen Haus und trieben sich gegenseitig in den Wahnsinn. Aber die Frauen waren gewitzt und verbündeten sich im Lauf der Zeit miteinander. Die halbwüchsigen Kinder stellten Unfug an und gaben köstliche Sprüche von sich, über die sich die Fernsehzuschauer vor Lachen bogen! Jetzt entschloss sich der Mann gerade, noch eine vierte Frau zu heiraten. Die drei anderen legten der Neuen alle möglichen Steine in den Weg, was zum Schießen komisch war! Ich ertappte mich dabei, dass ich herzlich mitlachte.

Plötzlich hörte ich den Schlüssel im Schloss: Ah, Karim war wieder da!

Nachdem er sich umgezogen und Tee getrunken hatte, setzte er sich entspannt neben mich, legte den Arm um meine Schultern und schmunzelte ebenfalls über die Serie.

Sie hielt ihm den Spiegel vor, aber er lachte mit seinem glucksenden Bariton und gab zu, die vorherigen Folgen mit seinen anderen Frauen geschaut zu haben. Ich musste mich zwingen, nicht laut loszuschreien!

Da klingelte sein Handy. Na toll. Es war Nummer drei! Karim stand nicht auf, ging nicht in ein anderes Zimmer, nahm noch nicht mal den Arm von meinen Schultern.

Auf Arabisch gurrte er ins Telefon, dass mir richtig schlecht wurde.

»Kann sie uns nicht wenigstens an UNSEREM Tag in Ruhe lassen?«, zischte ich genervt. Ging das ganze Theater denn wieder von vorn los! Hatte sich denn gar nichts verbessert?

»Nadia, du musst das verstehen, ihr Sohn Mehmed ist jetzt in der Pubertät …«

»Und DEINER?« Ich warf die Hände in die Luft und zeigte mit dem Kinn auf Hassans verschlossene Zimmertür, hinter der ein Hassprediger kreischte.

»Wir können uns noch nicht mal mehr ungestört lieben …«

»*Habibi*, bitte. Es ist eben so wie in der Serie.« Er versuchte, der Sache etwas Komisches abzugewinnen, und sah sich möglicherweise noch als Held des Ganzen. »Ich habe eben allen gegenüber Verpflichtungen.«

»Aber jetzt ist UNSERE ZEIT!«

»Sei doch vernünftig, Nadia, du bist doch die Älteste …«

»WAS?«

»Sie haben alle noch Kinder und Sorgen, du kannst dich doch ganz auf mich konzentrieren …«

Mir blieb die Spucke weg. Dann holte ich tief Luft und schrie: »Karim, ich halte das nicht mehr aus! Warum wolltest du eigentlich, dass ich wiederkomme? Du hast doch sowieso keine Zeit für mich. Dein Leben mit den anderen nimmt dich doch total in Beschlag, und als Babysitter für Hassan musstest du mich wahrhaftig nicht aus meinem Leben reißen. Das ist nicht fair, Karim, und das weißt du auch!«

Karim zog mich an der Hand und nötigte mich, neben ihm auf dem Sofa Platz zu nehmen. Er hob mein zitterndes Kinn und zwang mich, ihm ins Gesicht zu sehen.

»Nadia. Ich spüre, wie unausgelastet du bist.«

»Ja, das bin ich! Ich darf nicht arbeiten, bin hier in der Wohnung mehr oder weniger gefangen und muss mir jetzt auch noch Tag und Nacht diesen Extremistensender reinziehen.« Inzwischen kreischte ich fast so laut wie der Prediger in Hassans Zimmer. »Mir geht es nicht gut, Karim! Ich bin unglücklich!«

»Nadia.« Sanft strich Karim mir eine Strähne aus der Stirn. »Du musst dringend etwas für deine Seele tun.«

»Ja! Bitte ändere was an diesem Leben! Ich dreh sonst noch durch!«

Tiefes Verständnis malte sich auf seinem Gesicht ab, und ich begann schon aufzuatmen, als er sagte:

»Ich werde dich in einer Koranschule anmelden. Dort wirst du inneren Frieden finden. Vertrau mir, *Habibi*. Es gibt eine gar nicht weit von hier, da sind viele ausländische Frauen, denen es genauso geht wie dir. Du bist nicht allein mit deinem Schicksal.« Er nahm meine Fingerspitzen und küsste sie. »Geduld ist eine große Tugend und wird von Allah reich belohnt!«

45

Ajman, Sommer 2005

Überrascht prallte ich zurück, als ich zum ersten Mal den komplett vergitterten dunklen Unterrichtsraum im hinteren Teil einer benachbarten Moschee betrat: Zwei Russinnen, eine Frau aus Bosnien, zwei Französinnen, eine Frau aus Zypern, vier Somalierinnen, eine Kenianerin, eine Holländerin und sogar zwei Japanerinnen saßen demutsvoll auf dem Boden, den Koran auf den Knien.

Sie fielen auf unter den alten arabischen Frauen, die hauptsächlich hier waren, um die arabische Schrift zu erlernen. Diese »Einheimischen« konnten zwar viele Koranverse auswendig, sie aber nicht lesen. Wir waren eine ziemlich bunt zusammengewürfelte Truppe aus aller Herren Länder.

Ich ertappte mich dabei, dass ich mich fragte, warum ich diese Formulierungen gewählt hatte. Warum hieß es »aller *Herren* Länder«? Gab es nicht genauso viele Frauen in diesen Ländern? Und bunt waren wir auch nicht wirklich. Eher fahl und unscheinbar in unseren Abayas.

Nun ja. Da war ich nun. Aber alles war besser, als mit Hassan allein in meinem Luxusapartment zu hocken. Vielleicht würde ich hier ja Freundinnen finden.

Mit Feuereifer stürzte ich mich auf die Koranverse, die uns eine ältere Araberin Silbe für Silbe vortrug. Wir Frauen sprachen sie artig nach, doch ich wollte sie auch hinterfragen, sie richtig verstehen!

Karim hatte mir einen Koran geschenkt, in dem die englische Übersetzung neben jedem arabischen Vers stand. Mein Blick huschte eifrig hin und her, und ich begann zu artikulieren: »*Sure hundertdrei, AL ASR, Vers eins bis vier: Im Namen Allahs, des Gnädigen, des Barmherzigen, bei der (flüchtigen) Zeit, wahrlich, der Mensch ist in einem Zustand des Verlustes. Außer denen, die glauben und gute Werke tun und einander zur Wahrheit mahnen und einander zum Ausharren mahnen.*«

Der Singsang hatte etwas Beruhigendes, wie ein Mantra. Allmählich senkte sich eine tiefe Ruhe über mich, ich hörte auf, nachzudenken, alles zu hinterfragen und innerlich aufzubegehren und begann zu begreifen: Schwestern im Islam wappnen sich am besten mit Geduld. Sie fügen sich in ihr Schicksal und legen es in die Hand von Allah.

Es ging mir gut nach diesen Stunden, nicht zuletzt weil wir Schülerinnen des Islam nach dem Unterricht noch im Schatten der Säulen im Innenhof zusammensaßen. Nach und nach erzählten einige Frauen ihre Lebensgeschichte.

Bis auf die alten Araberinnen, die hastig nach Hause geeilt waren, waren wir alle Zweit- oder Drittfrauen! Einige wollten einfach nur ein besseres Leben als in der Heimat wie die Afrikanerinnen, andere waren wie ich aus Liebe in diese Situation geraten. Wir unterhielten uns leise auf Englisch, die arabische Lehrerin stets im Blick, die uns sehr wohl beäugte.

»Ich bin so unglücklich«, vertraute ich meinen Mitschülerinnen an. Wir saßen in der Nähe des Brunnens auf einem Mäuerchen und fächelten uns kühle Luft zu. Ich sah in lauter mitfühlende Gesichter beziehungsweise Augen hinter vergitterten Stoffschlitzen und schüttete mein Herz aus. »Mein Mann hat außer mir noch zwei Frauen!«

»Oh, meiner doch auch!«

»Meiner hat noch drei!« Das war die junge Holländerin mit dem süßen Akzent.

»Geduld, Nadia, übe dich in Geduld!«

»Was ist dein Problem, Nadia?«

»Jahrelang hat seine erste Frau Suleika unseren Frieden gestört und gezielt immer dann angerufen, wenn gerade MEIN Tag war«, machte ich meinem Ärger Luft. »Und nun, Jahre später, als Frau Nummer eins endlich nach Jordanien gezogen ist und Ruhe gibt, mischt sich Nummer drei ständig in unser Leben ein! Obwohl sie angeblich getrennt sind. Ich hasse diese Frau!«

»Nadia, das darfst du nicht, das ist *haram!* Sei geduldig, wir sind alle Schwestern im Islam. Versuch, Freundschaft mit der anderen Frau zu schließen!«

»Ja, Nadia, tu das für deinen Mann, er wird glücklich sein!«

Hä, dachte ich und schaute fassungslos in die Runde. Sie kamen mir vor wie unmündige Schafe, die bäh machten und brav nickten. So wie diese Frauen würde ich nie werden, beschloss ich kämpferisch! Dabei war ich schon längst so wie sie.

Freundschaft mit Nummer drei war sicherlich das Letzte, was Karim wollte. Der hielt uns ja gezielt voneinander fern, damit wir uns NICHT anfreundeten und womöglich gegen ihn gemeinsame Sache machten wie die Frauen in der lustigen Comedy-Serie.

»Nadia, du hast es doch wunderbar!« Die junge Holländerin nahm meine Hand. Sie war bis auf einen Augenschlitz komplett verschleiert, weil ihr Mann das so von ihr verlangte. Er war ein Sheikh aus Khasab und hatte die blonde, einst lebensfrohe Annemieke aus Rotterdam im Emirat Ajman geparkt.

Sie war völlig verknallt gewesen in ihren Prinzen aus dem Morgenland – bestimmt auch in sein Geld, vermutete ich insgeheim –, um dann zu merken, dass sie die letzte von vier Frauen war. Das kleine Luxusblondchen, das sich der Sheikh als süßen Nachtisch geleistet hatte. Sie liebte ihn immer noch abgöttisch, und er bestimmte komplett ihr Leben. Er hatte sie hierhergeschickt. Damit sie den tieferen Sinn des Ganzen erkannte, Geduld und Demut lernte.

Ich schluckte. Das kam mir irgendwie bekannt vor.

»Wieso hab ich es wunderbar?«

»Deine Familie in Deutschland steht doch zu dir!«

»Ja, deine etwa nicht?«

»Sie haben sich von mir losgesagt.«

Annemieke senkte betrübt den Kopf. Sie sah aus wie eine schwarze Tulpe, die aufgehört hat zu blühen. Sie suchte in ihrer schwarzen *Chanel*-Tasche nach einem Taschentuch und zerknüllte es nervös.

»Meine Eltern haben mich vor einem Jahr hier besucht. Ich war so stolz und glücklich, ihnen mein Emirat zeigen zu können, meine tolle Villa mit den vielen Hausangestellten. Ich wollte ihnen wunderschöne Tage bereiten, sie mit meinem Chauffeur überall herumfahren und ihnen den Islam erklären. Das ist eine schöne, friedliche Religion mit weisen Regeln! Früher in Amsterdam war ich Model und habe gekifft, hatte keinen echten Lebensinhalt und wäre bestimmt irgendwann auf die schiefe Bahn geraten. Doch da kam Hammed aus dem Orient und hat mich gerettet. Meine Eltern haben lange gebraucht, um sich zu dieser Reise durchzuringen, aber es war schließlich mein fünfundzwanzigster Geburtstag. Ich habe mir nichts sehnlicher gewünscht, als ihnen meinen Schritt zu erklären! Sie sollten sehen, dass ich es inzwischen zu etwas gebracht hatte! Dass ich mein Leben in den Griff bekommen, ihm wieder Struktur gegeben hatte.«

Sie machte eine kurze Pause, hob ihren Gesichtsschleier und trank verstohlen einen Schluck Wasser durch einen Strohhalm.

»Als ich sie am Flughafen abgeholt habe, ist ihnen dermaßen die Kinnlade runtergefallen, dass ich laut lachen musste. Sie hatten mich ja noch nie verschleiert gesehen. Und haben mich nur an der Stimme erkannt.«

»Ja, meine Mutter hat auch geschluckt«, warf ich ein. »Sie musste sich ganz schön zusammenreißen, als sie mich in Fürth mit Kopftuch und Abaya gesehen hat.«

»MEINE Eltern haben auf dem Absatz kehrtgemacht und sind gleich wieder abgeflogen«, berichtete Annemieke geknickt. »Sie haben mir noch einen Brief geschrieben, dass ich nicht mehr ihre Tochter bin! Verstehst du, Nadia? Ich kann NIE MEHR zurück!«

Ihre Augen füllten sich mit Tränen.

Ich nahm ihre Hand und drückte sie fest. Da hatte ich es ja wirklich noch gut. Meine liebe Mutter, mein Bruder und meine Tochter würden immer zu mir halten, egal welchen Glauben ich annahm, welchen Mann ich heiratete und in welches Land ich auswanderte! Zweimal schon war ich zurückgekehrt, und sie hatten mich aufgenommen wie der biblische Vater den verlorenen Sohn! Sie würden es auch ein drittes Mal tun.

»Wieso lehnst du dich eigentlich so sehr gegen deinen Mann auf?«

Ratlos schauten meine Schwestern im Islam mich an.

»Er schlägt dich nicht, er sperrt dich nicht ein, er nimmt dir deinen Pass nicht weg?«

»Nein.«

»Er lässt dich gehen, wenn du willst?«

»Ja.«

»Dann hast du doch den besten Mann der Welt erwischt!«

Alle nickten im Takt. »Dir geht es doch gut, Nadia! Was willst du mehr?«

Nach einigen Wochen in der Koranschule und der Gesellschaft meiner neuen Schwestern im Islam wusste ich das selbst nicht mehr so genau.

46

Ajman, Frühling 2006

»*Habibi,* wir werden vier Tage nach Saudi-Arabien fliegen, um eine *umra* zu machen.«

»Oh, *Hayati,* das ist wunderbar!« Endlich kam ich mal hier raus! »Bitte, erklär mir noch mal genau den Unterschied zwischen *umra* und *hadsch*!«

»Die *umra* ist eine kleine Pilgerfahrt nach Mekka, die aber die *hadsch* nicht ersetzt.«

Karim blickte mich gütig an und erklärte mir wie immer geduldig die Regeln des Islam.

»Wer dazu in der Lage ist, sollte einmal im Leben eine Pilgerfahrt nach Mekka machen. Das weißt du doch, Nadia.«

»Ja, natürlich.« In mir glomm Vorfreude auf eine abenteuerliche Reise auf. Saudi-Arabien! Mekka! Das wäre einfach großartig! Dieser tiefe Glaube, der von Millionen Menschen gleichzeitig praktiziert wurde. Ich wollte mich mitreißen lassen und das einmal hautnah erleben.

»Das ist eine der fünf Säulen des Islam«, bestätigte ich. »Du hast mir oft gesagt, dass du das einmal mit mir machen möchtest.«

»*Habibi,* ich kann dich leider nicht mitnehmen.«

Ich zuckte zurück. »Warum nicht, Karim?«

Karim druckste herum, lockerte seinen Krawattenknoten und stand auf, um sich einen Tee zu holen. Eigentlich wäre es meine Aufgabe gewesen, ihm welchen zu bringen, aber ich war zu enttäuscht. Er sah milde darüber hinweg, dass ich ihn nicht bediente, doch anstatt mir meine Frage zu beantworten, setzte er sich einfach vor den Fernseher. Der gehörte inzwischen wieder uns, denn Hassan war sang- und klanglos verschwunden. Karim hatte ihm ein anderes Apartment gemietet. Der Junge hatte sich noch nicht mal von mir verabschiedet.

Wir sprachen nicht mehr darüber – weder über Hassan noch über die *umra*. Sobald ich Fragen stellte, wurde er sauer und ging mir aus dem Weg. Ich spürte, für ihn war das Thema erledigt.

»Du kannst aber zu meinem Bruder zum Essen kommen«, versuchte Karim mich aufzuheitern. »Sie freuen sich auf dich.«

Ich nickte und schluckte dankbar. Er hatte mal wieder für mich vorgesorgt. Wie lieb von ihm. Also besuchte ich Amir und Saida brav zum Abendessen.

Sie waren wie immer sehr herzlich zu mir, umarmten mich und tischten die köstlichsten Speisen auf. Wir Frauen aßen in der Küche, zusammen mit der inzwischen zehnjährigen Tochter Fatima, die ihre beste Freundin Samira zu Besuch hatte – die Tochter von Nummer drei. Die würde doch nicht gleich hier auf der Matte stehen, um sie abzuholen? Ich hatte wirklich keinerlei Bedürfnis, die Augenärztin wiederzusehen. Doch dann erfuhr ich, dass das Mädchen hier übernachtete.

»Warum schläft die hier?«

»Ihre Mutter ist verreist.«

Noch fiel bei mir der Groschen nicht, und ich griff beherzt zum Hummusschälchen.

»Ich hätte mich so gefreut, einmal mit Karim die *umra* zu machen«, sagte ich kauend. »Vor allem jetzt, wo ich dem Islam durch die Koranschule so viel näher stehe und viele Dinge endlich begreife.«

Amir und Saida wechselten betretene Blicke, lenkten das Gespräch dann aber auf ein anderes Thema.

»Er hat SIE mitgenommen«, flüsterte mir Saida später beim Geschirrspülen heimlich zu.

Ich ließ das Geschirrhandtuch sinken und starrte sie an. »Was? SIE? Warum?«

Das konnte doch nicht wahr sein! Das tat er mir nicht an! Er hatte mir versichert, ich sei die einzige Frau, die er liebte, die beiden anderen samt Kindern seien lästige Pflicht!

»Aber sie sind doch längst getrennt!«, stammelte ich fassungslos. »Die halten nur noch den Anschein aufrecht wegen der Leute!«

»Frag nicht, er soll es dir selber sagen«, flüsterte sie mit einem Seitenblick auf die beiden Mädchen, die sich kichernd die arabische Comedy-Serie im Fernsehen reinzogen. »Ich möchte mich nicht in Karims Angelegenheiten einmischen. Lass uns lieber mit den Mädchen fernsehen.«

So fand ich mich auf dem Fußboden vor der Glotze wieder. Mir war, als hätte Karim mir einen Dolch ins Herz gerammt. Mein letztes bisschen Selbstwertgefühl zerfiel genauso wie das fettige Blätterteiggebäck, mit dem wir uns vollstopften. Seit ich wieder hier war, hatte ich gefühlte fünf Kilo zugenommen. Ich würde noch wahnsinnig werden!

»Karim, du hättest zuerst mit mir die *umra* machen müssen!«

Kaum war mein Mann wieder da, stellte ich ihn stinksauer zur Rede. »Das ist nicht korrekt! Ich wäre zuerst an der Reihe gewesen!«

Inzwischen war ich tatsächlich so weit, dass ich meine Rolle als Nummer zwei akzeptierte und auf ihre als Nummer drei pochte. Ich stellte die offizielle Hierarchie nicht mal mehr infrage!

Karim zuckte nur mit den Schultern und machte sich am Kühlschrank zu schaffen. Dabei kehrte er mir den Rücken zu. Ich wollte mit den Fäusten auf ihn einschlagen, ihm richtig wehtun. Am liebsten hätte ich zu einem Nudelholz gegriffen.

»Sie hatte noch keinen Urlaub, und mit ihrem irakischen Pass kann sie nicht nach Europa einreisen. Also haben wir das Nützliche mit dem Angenehmen verbunden.«

»Das Angenehme? Ich denke, du liebst sie nicht!«

»Ich muss ein gerechter Mann sein.«

»Karim! Steht sie jetzt bei dir an erster Stelle?!«

Meine Hände krampften sich um das Geschenkpäckchen, das er mir mit großer Geste überreicht hatte.

»Nadia, wir wollten Abbitte leisten.« Karim schenkte sich Fruchtsaft ein. »Du auch, *Habibi?*«

»Nein!« Mit einer wütenden Handbewegung schob ich das Glas weg, das er mir fürsorglich hingehalten hatte.

»Wir haben Suleika und dich sehr verletzt.«

Mir blieb der Mund offen stehen. »Und da fahrt ihr nach Mekka, um es wieder auszubügeln?«

»Allah ist allverzeihend und langmütig, wenn der Gläubige ehrlich bereut.«

»Ja, was jetzt? Bereust du es? Dann sag es MIR und nicht Allah! Du bist ein Riesenidiot, Karim! Und ich eine Riesenidiotin, weil ich deinen Lügen schon wieder geglaubt habe!«

»Nadia, mäßige dich. Hast du denn in der Koranschule nichts gelernt?«

Karim deutete auf das Päckchen. Mit Augen, die aussahen, als schiene göttliches Licht aus ihnen. »Na los, *Habibi*. Pack es aus!«

Einen riesengroßen Kloß hinunterschluckend, zerriss ich mit zitternden Fingern das Geschenkpapier. Hatte SIE es eingepackt? Ich wollte es am liebsten von mir schleudern! Das Fenster öffnen und es hinauswerfen auf die mehrspurige Straße!

Aber ich sah mir dabei zu, wie ich es zögernd auspackte.

Zum Vorschein kam ein langer, bestickter Kaftan und ein Fläschchen mit Wasser.

»Das ist *zamzam,* Quellwasser aus Mekka!« Er versuchte, mich mit seiner Begeisterung anzustecken.

»Du glaubst es nicht, *Habibi,* aber die Gläubigen nehmen das heilige Wasser kanisterweise mit in ihre Heimat! Ist das nicht ein Wunder, dass dort in der kargen Wüste eine immerwährende Quelle sprudelt? Die kommt von Allah, der es gut mit uns meint und uns niemals im Stich lässt! Man muss nur glauben!«

Seine Augen leuchteten, als er mich mit ein paar Tropfen dieses kostbaren Wassers segnete.

»Los, zieh ihn an!« Karim freute sich so über seine Großzügigkeit, dass ich ihm noch nicht mal mehr böse sein konnte. In seinen Augen war keinerlei Bosheit.

»Karim, ich …« Ich schaffte es einfach nicht, diesen Kaftan anzuziehen, den mit Sicherheit SIE ausgesucht hatte! Ich legte ihn beiseite. Und stemmte die Hände in die Hüften.

»Weißt du, Karim, die heilige *umra* als Urlaub zu bezeichnen, finde ich schon irgendwie dreist …«

»Nadia, wenn du jetzt wieder anfängst, mir Vorwürfe zu machen, gehe ich auf der Stelle!«

Sein Gesicht wurde zur Maske.

»Nein, Karim, ist ja schon gut …« Zähneknirschend fügte ich mich in mein Schicksal, wie ich es in der Koranschule gelernt hatte. Dein Mann ist doch gut, hörte ich wieder meine Schwestern im Islam sagen. Er ist doch ein lieber Mann! Er schlägt dich nicht, er sperrt dich nicht ein, er sorgt für dich – er bringt dir sogar ein Geschenk mit!

Ich knallte den blöden Kittel in die Ecke.

»Lass uns an den Strand gehen und dort Picknick machen«, schlug ich um des lieben Friedens willen vor. »Ich mach Tee und etwas zu essen – ist das okay für dich, *Hayati?*«

Karims Gesicht hellte sich auf.

»So liebe ich dich, *Habibi.* Lass uns den gemeinsamen Tag ohne Streit und Stress genießen.«

47

Ajman, Frühling 2007

Die Monate vergingen, und ich kannte mich selbst nicht mehr. Mein Leben bestand nur noch aus Warten. Warten auf Karim. Und mir dabei ausmalen, was er mit den anderen beiden tat. Dabei liebte ich ihn immer noch!

Ich hatte ein gesichertes gutes Leben, musste nicht arbeiten und war bis an mein Lebensende versorgt. Ich lebte in einem wunderschönen Land mit Sonne, Strand und Meer – auch wenn ich den Strand nur verhüllt genießen durfte.

Aber Karim gehörte mir nicht mehr. Auch wenn er bei mir war, war er gedanklich bei den anderen. Ja, er kam seinen Pflichten nach und versorgte mich. Aber was war das für eine Ehe, immer mit Nummer eins und Nummer drei im Nacken? Ich war das »Sandwichkind«, das bekanntlich am meisten vernachlässigt wird. Oft ermahnte mich Karim, nicht zu vergessen, dass ich die Einzige ohne kleine Kinder sei und außerdem die Älteste. Daher hätte ich zurückzustecken.

Conny und Siglinde würden sich das bestimmt nicht bieten lassen. Komm zurück, Nadia, hörte ich sie innerlich rufen. Tu dir das nicht länger an!

Doch was hatte ich denn in Deutschland auf dem Arbeitsmarkt noch zu erwarten? Wovon sollte ich leben? Wer würde im Alter für mich sorgen? Hartz IV? Na toll! Andererseits: Selbst wenn ich nach Europa ginge, würde Karim auch weiterhin für mich sorgen müssen. Eigentlich war es seine Pflicht vor

Allah, egal, wo ich mich aufhielt. Vielleicht wäre er sogar erleichtert, wenn er mich loswürde? Meine Familie würde mich wieder aufnehmen, wenn auch kopfschüttelnd. Ich war nicht dazu verdammt, bis an mein Lebensende hier auszuharren. Ich könnte vielleicht doch noch mal auf La Palma von vorn anfangen. Bei meinem Bruder. Der würde mir immer eine Chance geben. Heiße Sehnsucht nach Diana und der kleinen Klara durchflutete mich.

Doch trotz allem war mir der Gedanke unerträglich, Karim zu verlassen. Ich liebte ihn, und nach seinen Regeln tat er sein Bestes, zerteilte sich schier, um es uns allen recht zu machen! Er steuerte noch auf einen Herzinfarkt zu, wenn ich weiter auf ihn einhackte, statt ihn zu schonen!

Heute war unser Tag, und ich freute mich schon auf meinen Mann. Doch dann rief er an: »Nadia, ich komme eine Stunde später. Ich bin noch hier bei meiner anderen Familie.«

»Okay«, sagte ich kurz angebunden.

Ich duschte, zog mich um und wartete. Tee und Gebäck standen bereit.

Als er endlich kam, hing er am Handy, schien damit regelrecht verwachsen zu sein. Ohne das Gespräch zu unterbrechen, legte er mir ein hübsch verpacktes Parfüm auf den Tisch.

Es dauerte gut zwanzig Minuten, bis ich meinen Mann begrüßen konnte.

»Karim, kannst du deine Telefonate nicht vorher erledigen? In meiner Wohnung möchte ich dich für mich haben!«

Scharf fuhr er mich an: »Nadia, sie hat Probleme mit der Tochter!«

»Hat das nicht bis morgen Zeit? Du kommst doch gerade von ihr!« Längst war meine Stimme nicht mehr leise schmeichelnd, sondern laut und beleidigt.

»Sie weiß nicht, wohin mit ihr, sie muss heute den ganzen Tag in der Klinik arbeiten!«

»Dann park sie doch bei deinem Bruder wie neulich!« Ich stieß ein schnaubendes Lachen aus. »Und wie mich, wenn es dir gerade nicht passt.«

»Amir ist nicht zu Hause. Da muss sie mich doch anrufen!«

»Nein! Muss sie nicht!« Ich schnaubte entrüstet. »DU sagst doch immer, die Probleme der anderen gehen mich nichts an! Also will ich sie auch nicht wissen!« Schmollend stand ich an der Wand und verschränkte die Arme.

»Ich tu, was ich kann«, schnauzte Karim genervt. »Und ich lass mir von dir nichts vorschreiben, nimm das endlich zur Kenntnis!«

Mir schossen Tränen in die Augen. »Karim, ich kann so nicht weiterleben …« Mein Gejammer nervte mich inzwischen schon selbst.

»Nadia, ich komme zu dir, um Frieden zu finden und mich zu erholen. Wie könnt ihr mir alle immer nur Stress machen!« Er stopfte ein Gebäckstück in sich hinein: »Eines Tages falle ich noch tot um, und dann habt ihr den Salat!«

Beschwichtigend legte ich meine Hand auf seine Schulter. »*Hayati,* lass uns den Tag ohne Streit genießen. Bitte lass uns einen Ausflug machen! Ich habe mir schon was ausgedacht …« Ich wusste, dass er meine Eigeninitiative schätzte. Wir mussten beide mal dringend hier raus! »Schau, *Hayati,* wir könnten eine Exkursion ins Landesinnere machen.«

Ich zeigte ihm die Route auf der Landkarte.

»Das ist so eine schöne Tour, die haben wir früher mal gemacht, weißt du noch?«

Das Gesicht meines Mannes hellte sich auf. »Das ist eine gute Idee, *Habibi.*«

Unternehmungslustig stand er auf: »Ich ziehe mich nur kurz um.«

Erleichtert packte ich ein paar Dinge zusammen: Picknickdecke, Saft und Tee, Knabbereien, Datteln, Oliven, Tomaten.

Heute wird ein schöner, romantischer Tag, freute ich mich. Wir werden in Ruhe über alles reden, und vielleicht kriege ich ihn sogar noch dazu, nach Einbruch der Dunkelheit an einer einsamen Stelle mit mir zu baden.

Karim kehrte aus dem Schlafzimmer zurück, entspannt in seiner *dishdasha*.

»*Habibi*, ich hab's: Wir nehmen die Kleine einfach mit!«

Meine Arme sanken kraftlos an mir herab.

»Die Kleine …?«

»Na, Halimas Tochter. Damit sind alle unsere Probleme gelöst!«

Der Ausflug verlief schweigsam und bedrückt, jedenfalls von meiner Seite. Die Kleine saß munter plaudernd auf dem Beifahrersitz. Er erklärte ihr alles auf Arabisch, und ich saß mit meinem Kopftuch und meiner Abaya hinten und verstand kein Wort.

Dabei konnte das Mädchen gar nichts dafür! Es war springlebendig und wirklich herzig, hatte durch den Tod seines Vaters und den Umzug schon genug mitgemacht. Wahrscheinlich hielt sie mich für eine Art alte Verwandte, die man eben auf so einen Ausflug mitnehmen musste.

Mit tränenverschleiertem Blick starrte ich aus dem Fenster und ließ die traumhaft schöne Landschaft an mir vorbeiziehen.

Vor mir die breiten Schultern meines Ehemannes. Wie gern hätte ich darauf eingetrommelt: Ich hatte meine Leichtigkeit und Lebensfreude verloren! Alles hatte ich ihm gegeben, nachdem er mich nach Amsterdam geholt und mein Leben auf den Kopf gestellt hatte. Zu allem war ich bereit, solange er mit mir zusammen war!

Aber auch heute war von Zweisamkeit wieder mal keine Spur.

Karim legte gut gelaunt eine Kassette mit schnulzigen Liebesliedern ein und sang laut mit. Die Kleine stimmte begeistert ein und klatschte mit den Händen den Takt. Dabei warf sie ihre langen schwarzen Locken hin und her, als wollte sie mich damit wegfegen.

Wenn Karim mit mir Auto fuhr, legte er oft Kassetten mit Koranversen ein und ließ mich mitzitieren. Eine unbändige Wut stieg in mir auf. Nur mit Rücksicht auf das Kind gelang es mir, meine Schimpfkanonaden für mich zu behalten. Warum predigte er immer, es sei nicht gut, Musik zu hören? Ich kam aus einer Musikerfamilie, war mit Musik aufgewachsen! Ich bin wie ein entwurzelter Baum, dachte ich. Ich blühe nicht mehr, und langsam verliere ich auch noch die letzten Blätter. Karim, du hast aus mir ein vertrocknetes, kahles Gestrüpp gemacht. Dabei wollten wir uns doch gegenseitig bereichern, beleben, erfrischen! Und das haben wir auch geschafft, viele Jahre lang! Warum wolltest du immer mehr? Und warum hast du mich zweimal zurückgeholt? Aus reiner Besitzgier?

Kurz vor Weihnachten rief meine Mutter an. Mit zittriger Stimme wünschte sie mir einen segensreichen vierten Advent.

»Geht es dir gut, Nadia? Bist du schon in den Weihnachtsvorbereitungen?«

»Ach, Mutter, das gibt es hier eigentlich nicht so.«

»Stimmt, wie schade!« Mutters Stimme klang bedrückt. »Weißt du noch, Nadia, wie unser ganzes Haus und der Garten geglitzert und gefunkelt haben? Du warst eine solche Meisterin im Dekorieren, dass die Leute vor unserem Zaun stehen geblieben sind. Das hat dir so schnell niemand nachgemacht in Fürth!«

»Ja, das weiß ich noch.« Ich räusperte mir einen Kloß aus der Kehle. »Hier im Einkaufszentrum Ajman bieten sie tatsächlich Weihnachtsschmuck an«, bemerkte ich heiser. »Ich bin wie eine rollige Katze um den Glitterkram herumgeschlichen, aber es ist natürlich alles Teufelswerk …«

Ich wollte sie zum Lachen bringen, aber sie lachte nicht.

»Kind, du musst dich doch deiner Traditionen nicht schämen.«

»Mein Schwager Amir, bei dem ich regelmäßig zum Essen eingeladen bin, hat einen Weihnachtsbaum in der Wohnung stehen, aber der staubt das ganze Jahr als Dekoration vor sich hin.«

»Aber, Kind, das ist doch nicht der Sinn von Weihnachten …«

»Weihnachten spielt für Karims Familie keine Rolle. Das hab ich dir doch schon erklärt, Mutter. Sie haben gerade erst wieder Ramadan gefeiert.«

»Den Fastenmonat?«

»Ja, genau.« Ich hustete verlegen. »Also, letztlich isst man mehr, als man fastet, und ich hab mal wieder drei Kilo zugenommen.«

»Spielst du denn gar nicht mehr Tennis?«

»Nein. Es ist zu heiß hier.«

»Und war Karim an Ramadan bei dir?«

»Wie immer war er bei seiner Familie in Jordanien.« Ich schluckte und schwieg.

Ich sah meine liebe Mutter ratlos den Kopf schütteln. Aber sie gab nicht auf: »Und ist Karim wenigstens an den Weihnachtsfeiertagen bei dir?«

»Heiligabend ist er bei seiner anderen Familie. Du weißt schon. Die Augenärztin. Nicht weil sie Weihnachten feiern, sondern weil er … Es ist eben ihre Zeit.«

Mir fiel auf, was für eine Zumutung dieses Gespräch für meine Mutter war. Ich blätterte in meinem Terminkalender.

»Aber am ersten Weihnachtsfeiertag ist er bei mir!«, schob ich hastig hinterher.

»Na, dann grüß mal schön«, kam es zögerlich aus dem Hörer. Sie klang irgendwie ratlos. »Und – Nadia?«

»Ja, Mutter?«

»Wenn du wieder nach Hause kommen möchtest ... Du weißt ja, dass du mit offenen Armen empfangen wirst.«

Am ersten Weihnachtsfeiertag wollte ich Karim mit offenen Armen empfangen.

Er erschien verschnupft und gereizt.

»Ich hab mir in Jordanien eine Grippe eingefangen«, schimpfte er.

»Mein armer Liebling, ich lass dir ein Bad ein ...« Viel zu einsam war ich gewesen, um ihm jetzt nicht all meine Liebe und Zuwendung zu schenken. »Wie kalt war es denn in Amman?«

»Sechs Grad!« Karim schälte sich krächzend aus seinem Rollkragenpullover. »Hast du dieses *Olbas*-Zeug da?«

»Dieses *Olbas*-Zeug« war die Geheimwaffe meiner Mutter, und bei jedem Besuch drückte sie mir verstohlen so ein Fläschchen in die Hand: »Das tut gut, Liebes, heilt alle großen und kleinen Zipperlein!«

Schon in meiner Kindheit war das Eukalyptuswässerchen der Inbegriff von Geborgenheit gewesen. Manchmal hielt ich mir das Fläschchen in einsamen Nächten wie Riechsalz unter die Nase und träumte mich in meine Kindheit zurück.

Während Karim sich ins heiße Wannenbad gleiten ließ, rieb ich ihm Kopf und Rücken mit *Olbas* ein.

»Aaah, das tut gut«, seufzte Karim unter seinem Handtuch. »Immer sag ich zu meinen Freunden: ›Meine deutsche Frau ist die Beste!‹«

Am liebsten hätte ich ihm den Kopf unter Wasser gedrückt. Musste er die anderen erwähnen? Andererseits ... Erneut schöpfte ich Hoffnung.

»Und so könnte es immer sein, *Hayati*. Schau, du kommst jetzt in ein Alter, in dem du anfälliger für Krankheiten wirst.«

Ich massierte ihm die verspannten Schultern. »Was, wenn du bei einer deiner anderen Frauen krank wirst? Und tagelang bettlägerig? Dann kann ich dich noch nicht mal besuchen.« Zärtlich kraulte ich ihm den Nacken. »Keine deiner Frauen wird dich mit *Olbas* einreiben«, scherzte ich.

»Die haben inzwischen alle *Olbas*«, kam es wohlig stöhnend unter dem Handtuch hervor.

Wie bitte? Mein Familienritual hatte bei den anderen Einzug gehalten?

»Du willst es doch auch!« Ich zog das Handtuch weg und legte ihm einem nassen Lappen aufs Gesicht.

»Was meinst du?«, röchelte er.

»Nur mit MIR leben! Wir brauchen Ruhe und Beständigkeit – jetzt wo wir uns dem Rentenalter nähern!«

Immer noch hoffte ich, er würde seine anstrengende Vielweiberei leid und sich endgültig auf mich besinnen – die Einzige, die ihn wirklich liebte!

»Nadia, wirst du dich mit den Gegebenheiten denn niemals abfinden? Das ist mein Leben, und ja, es ist kompliziert. Aber genau deshalb brauche ich dich!«

»Warum, *Hayati,* hast du diese fatale Entscheidung getroffen?«

»Halima zu heiraten?«

»Ja! Aber auch mich«, schickte ich frustriert hinterher.

Karim flüsterte fast, als er mich eindringlich ansah: »Nadia, ich empfinde sehr viel für dich …«

»Aber …?«

»Aber ich weiß auch keinen Ausweg.«

Tränen liefen mir über die Wangen.

»Du willst es also? Dich von den anderen trennen? Du willst es, ich spüre es!«

»*Habibi,* es geht nicht. Das wäre *haram,* ich kann meine anderen Frauen nicht verlassen!«

»Es ist also ein Teufelskreis …«

»Allah will es so.« Tief ergebener Seufzer.

Wieder wallte eine unbändige Wut in mir auf. Nichts gegen Allah, aber das hier war nichts als Feigheit und Bigotterie!

»DU bist für unser aller beschissenes Leben verantwortlich!«, fauchte ich. »DU hast entschieden! DU hast gehandelt! DU hast uns da alle mit reingerissen! Dein Allah kann überhaupt nichts dafür!«

Karim schloss einfach die Augen, holte tief Luft und tauchte ab.

48

»*Habibi,* bist du auch ganz sicher, dass du zurück nach Europa willst? Hast du dir das auch gut überlegt?«

Wir standen am Flughafen in Dubai und nahmen Abschied. Abschied für immer.

Wie gern hätte ich meinen Kopf in seine Halsbeuge gelegt, noch ein letztes Mal seinen geliebten Duft eingesogen und mich von ihm halten lassen. Doch Liebesbekundungen und Berührungen in der Öffentlichkeit waren selbst unter Eheleuten *haram.* Außerdem trennten wir uns gerade.

Ich schluckte. »Ja, Karim. Ich hab es mir gut überlegt. Ich hatte monatelang Zeit, mir das gut zu überlegen.«

»Nadia, ich erlaube dir zu gehen. Ich weiß jetzt, dass ich dich nicht mehr glücklich machen kann. Da du wieder bei deinem Bruder wohnen wirst, ist das moralisch zu verantworten. Er wird dich beschützen und auf dich aufpassen, das hat er mir am Telefon versprochen. Ich gebe die Verantwortung an ihn ab.« Ich schniefte. Um uns herum wuselten Europäer in Anzügen, Amerikaner in Shorts, Asiatinnen in kurzen Röcken, verschleierte Araberinnen …

Und niemanden interessierte, dass meine Welt gerade endgültig zusammenbrach. Es wurde Zeit, meine Träume, meine Hoffnungen und meine große Liebe endlich abzustreifen, wie ich gleich vor dem Einsteigen auch Abaya und Kopftuch abstreifen würde.

»Allah sei mit dir, *Habibi*. Gute Reise.« Karim drehte sich um und ging.

Ich stand da wie versteinert. Mit einem Schlag waren die dreizehn Jahre mit Karim Vergangenheit. Bitte dreh dich noch einmal um, flehte ich innerlich. Bitte wink, bitte! Wenn du das tust, liebst du mich noch.

Mit brennenden Augen sah ich meinem Mann hinterher, der eilig zu seinem Wagen ging. Doch bevor sich die Glastüren hinter ihm schlossen, drehte er sich noch einmal um und winkte. Zack! Dann waren die Türen zu. Als sie sich wieder öffneten, strömten andere Menschen hindurch, und mein Karim war weg.

Gänsehaut überzog mich. Mein Lebensinhalt war plötzlich fort! Tränenblind stolperte ich erst mal zum völlig falschen Gate. Erst als ich die vielen Inderinnen in ihren Saris sah, merkte ich, dass dieser Flug wohl nicht nach Frankfurt am Main, sondern nach Mumbai ging.

Da wollte ich auch nicht hin.

Aber wohin wollte ich dann?

Ich war inzwischen Ende fünfzig. Was sollte ich anfangen?

Weinend saß ich später im richtigen Flieger und starrte aus dem Bullauge. Unter mir verschwanden das prächtige Arabische Meer, die herrlichen Strände, das faszinierende Weihrauchland.

Und irgendwo da unten war Karim.

Wohin ging er jetzt? Zu Freunden, die ihn trösteten? Oder zu seiner Dritten, die sich heimlich ins Fäustchen lachte, weil sie nun gewonnen hatte?

Ich presste die Stirn ans kühle Fenster. Wenn ich das gewusst hätte – damals, bei unserem ersten Treffen in Jans und meiner Wohnung! Als er bei uns auf dem Sofa schlief. Als er mich nach Amsterdam bestellte, in dieses Hotel an der Autobahn. Als er mich in der Moschee heiratete, damit wir ungestraft Sex haben konnten. Als ich zu ihm nach Amsterdam zog und dort mein Leben als Zweitfrau begann. Bereit, seine Regeln zu akzeptieren. Als ich anfing, mich zu verschleiern, den Koran zu lesen, den Ramadan mitzumachen. Meine Freiheit aufgab, Schritt für Schritt. Als ich mit ihm in den Oman ging, um das Hotel in Salalah aufzubauen. Wann hatte ich es zum ersten Mal hingenommen, dass ich nicht mit fremden Männern sprechen durfte? Wann hatte ich aufgehört, eigenständige Entscheidungen zu treffen? Aber auf unserer Fahrt zum Flughafen hatte er es mit seiner samtwarmen Stimme ein letztes Mal gesagt: »Nadia. Ich liebe nur dich.«

So wie ich ihn. Ich hatte es aus Liebe getan. Aber wir waren wie die zwei Königskinder, die nicht zusammenkommen können: Das Wasser war viel zu tief. Und genau das sah ich jetzt, als ich aus dem Fenster schaute: nichts als tiefes, unergründliches blaues Meer.

Der blaue Atlantik lag aufgewühlt zu meinen Füßen. Tausend glitzernde Wellen kräuselten sich im Morgenwind, um dann an den Klippen unter unserer Terrasse zu zerschellen. Dieses Tosen begleitete mich nun schon fast ein halbes Jahr, und oft verschwammen Vergangenheit und Gegenwart miteinander.

Immer wieder sah ich mich und Karim in zärtlicher Zweisamkeit am Arabischen Meer spazieren gehen und konnte mir nichts Schöneres vorstellen, als für ihn da zu sein und ihn zu verwöhnen. Dann sah ich uns wieder streiten, weil ich mich einfach nicht mit seinen Regeln abfinden wollte.

»Nadia! Wieso sitzt du denn ganz allein auf der Terrasse?«

»Martin! Ich hab dich gar nicht kommen hören!«

»Schwesterherz, du solltest eigentlich noch gar nicht wach sein! Ich wollte dir deinen Geburtstagskuchen ans Bett bringen!«

Das lachende Gesicht meines geliebten Bruders tauchte neben

mir auf. »Aber bis ich alle achtundfünfzig Kerzen angezündet hatte, waren die ersten schon wieder aus!«

Er legte die Hände auf meine Schultern und drückte mir einen Schmatzer auf die Wange: »*Happy birthday,* kleine Schwester. Alles Gute zum Geburtstag!«

Auf einem Servierwagen schob er mir eine gigantische Torte unter die Nase. Die Kerzen flackerten bedenklich im frischen Nordwind.

»Los, ausblasen, wünsch dir was!«

Ich schloss die Augen und pustete, was meine Lunge hergab. Was ich mir insgeheim wünschte? Karim. Ohne Anhang. Für immer.

»Jetzt kann man den Kuchen leider nicht mehr essen«, flachste Martin. »Mit so viel Schwesterspucke drin!«

Lachend versetzte ich ihm einen Stoß in die Seite. »Du sollst sowieso auf deinen Cholesterinspiegel achten, Dicker!« Ich blinzelte in die Sonne: »Warst du eigentlich inzwischen beim Arzt?«

»Nee, aber ich sollte, ich weiß.« Martin steckte die Hände in die Hosentaschen und zuckte mit den Achseln. »Aber heute ist dein Geburtstag, und heute erfüllen wir dir deinen Wunsch, in den Bergen zu wandern. Morgen gehe ich zum Arzt – versprochen!«

»Wo treffen wir unsere Wanderfreunde?«

»Die warten in Santa Cruz auf uns. Sie haben dort für heute Abend einen Tisch für uns bestellt.«

»Okay!« Ich umarmte meinen Bruder. »Martin, ich danke dir für alles!«

Er schaute verlegen auf das Haus, das wir vor sechs Monaten gemeinsam gemietet hatten: »Passt schon, Schwesterherz. Ich will heute nicht wieder von deinem arabischen Spinner anfangen, aber ich bin wirklich froh, dass du da bist. Ohne dich hätte ich das nicht geschafft mit dem neuen Tonstudio.« Er lächelte und fasste sich plötzlich ans Herz. »Was tut man sich auf seine alten Tage noch an!«

»Martin? Alles klar? Ist dir nicht gut?«

»Doch, Nadia. Alles bestens. Ich komponiere, leite die Aufnahmen, und du hältst mir den Rücken frei. Wir sind wirklich ein cooles Geschwisterpaar!«

Ich nickte stolz. Ja, das war wirklich noch mal ein großer Schritt für Martin gewesen, ein viel größeres Haus zu mieten und darin ein neues Tonstudio einzurichten – diesmal als eingeschriebene GmbH. Als ich zum dritten Mal bei ihm auf der Matte stand, hatte er mir diese Aufgabe und damit wieder einen Sinn im Leben gegeben.

»Immerhin zahlt Karim meinen Teil der Miete.« Ich grinste schief und ging ins Haus, um mich für die Wanderung fertig zu machen.

Kurz darauf saß ich mit meinem Bruder im Auto.

Ich sah ihn von der Seite an. Er wirkte wirklich ein bisschen blass. Wie gut, dass ich am Steuer saß.

»Bist du sicher, dass alles mit dir in Ordnung ist?«

»Ja, natürlich. Ich fühle mich blendend.« Martin rutschte nervös auf dem Beifahrersitz hin und her, riss an seinem Hemdkragen und ließ das Fenster herunter.

»Hast du von der Geburtstagstorte genascht? Ist dir schlecht?«

»Nein, nein. Erzähl von Mutter. Du sagst, sie hat heute früh angerufen.«

»Alles wie immer. Für ihre fünfundachtzig Jahre ist sie erstaunlich fit!« Ich schaltete in den vierten Gang. »Sie will uns im Herbst besuchen! Jetzt im Hochsommer ist es hier natürlich zu heiß. Kannst du mir bitte mal die Sonnenbrille geben?«

Martin drehte sich um und wühlte in meiner auf dem Rücksitz liegenden Handtasche. Die Schweißperlen standen ihm auf der Stirn.

»Martin?!«

»Hier.« Ächzend reichte er mir die Brille. »Und wie geht es Diana, meiner Lieblingsnichte?«

»Sie hat mir natürlich auch schon gratuliert. Die süße kleine Klara würde am liebsten schon diesen Herbst zur Schule gehen, aber sie ist ja erst nächstes Jahr so weit …«

Ich schaute in den Rückspiegel und überholte einen Laster, bevor ich die Ausfahrt nahm. »Ich freu mich schon auf die Wanderung, Martin! Auf die uralten Lorbeerwälder in der verwunschenen Landschaft … Martin?«

»Du mit deiner romantischen Schwärmerei …« Martin fasste sich wieder aufs Herz.

»Sag ehrlich, Bruder: Willst du Schwäche vortäuschen, damit du nicht wandern musst?« Ich musterte ihn forschend. Wir standen gerade an einer roten Ampel. »So wie früher, Dicker? Aber da fall ich nicht mehr drauf rein!« Energisch legte ich den ersten Gang ein und bog links ab in Richtung Santa Cruz. »Wo genau warten unsere Wanderfreunde?«

Martin antwortete nicht.

Mein Gott, jetzt habe ich ihn gekränkt, dachte ich. Das fehlte mir gerade noch. Schlechte Stimmung am Wandertag.

»Martin ich hab's nicht so gemeint.« Ich tätschelte seine Hand. Sie war eiskalt und schweißnass. Plötzlich hörte ich ihn panisch nach Luft ringen.

»Martin! Verarsch mich jetzt nicht! Martin?!«

Er röchelte und lief blau an. Der spielte mir doch nichts vor?! »MARTIN!«

Seine Augen verdrehten sich. Er hatte Schaum vor dem Mund.

»Martin! Um Gottes willen …« Geschockt fuhr ich rechts ran. Hinter mir wurde unwillig gehupt. Meine Finger zitterten so sehr, dass ich den Knopf für die Warnblinkanlage gar nicht drücken konnte. »Martin!!«

Ich schüttelte ihn, doch er starrte mit verdrehten Augen ins

Leere. Ich legte meinen Kopf an seine Brust. Atmete er noch? Ich griff nach meinem Handy, doch der Akku war leer, und ich hatte mein Ladekabel zu Hause vergessen. Verzweifelt sprang ich aus dem Auto und winkte mit beiden Armen. Erst das zehnte oder zwölfte Auto hielt an.

»*Necesita usted ayuda?*«

»Ja, ich brauche Hilfe, mein Gott, sehen Sie doch nur, mein Bruder atmet nicht mehr.«

Der Mann am Steuer des blauen Kleinlasters sprang in Arbeiterkluft heraus, warf einen Blick auf Martin, der wie tot in seinem Gurt hing, und rief über sein Handy die Rettung. Während wir warteten, versuchte der Mann immer wieder, Martin zu einer Reaktion zu bewegen, und probierte es vergeblich mit einer Herzmassage.

»Oh, Gott, lieber Gott, lass Hilfe kommen! Mein Martin, das darf doch nicht wahr sein …«

Mit jaulender Sirene kam die *ambulancia* angesaust. Die Sanitäter fackelten nicht lange, hoben den bewusstlosen Martin auf ihre Trage und rasten mit Blaulicht weiter nach Santa Cruz. Wie in Trance fuhr ich hinterher.

Das hier war doch nur ein böser Traum?! Ich konnte keinen klaren Gedanken fassen.

»Karim!«, rief ich halblaut vor mich hin und sehnte mich nach seinem Trost. Panisch wartete ich vor der Notaufnahme und schließlich vor dem OP, in den man Martin eilig geschoben hatte. Ich war so unsagbar einsam!

Nur Martin war wichtig! Martin, mein einziger Halt nach der ganzen Karim-Katastrophe. Martin war ins Koma gefallen!

Nach langem Bangen kam endlich ein Arzt, ich sah ihn wie in Zeitlupe auf mich zukommen, mit ganz unscharfen Konturen. Erschöpft riss er sich seinen grünen Mundschutz vom Gesicht.

»*Señora* Schäfer?!«

»Ja?« Verängstigt starrte ich den Mann an. Auf Spanisch ratterte er wild drauflos. Das Einzige, was ich verstand, war sein bedauerndes Kopfschütteln.

»*Could you repeat that in English, please?*«

»*We couldn't save your brother who unfortunately passed away.*«

Ich starrte ihn einfach nur an. Wahrscheinlich hatte ich mich verhört.

»*No entiendo, por favor, repita?*«

Er sagte etwas mit *muerto*, doch das drang nicht wirklich bis zu mir durch.

»Er ist ...?!«

Der Arzt nickte und zog mich sanft am Arm. »Kommen Sie, *señora*. Sie können sich noch von Ihrem Bruder verabschieden.«

Verabschieden? Hieß das – er war tot? War Martin einfach so gestorben?

Willig wie ein Schaf auf dem Weg zur Schlachtbank ließ ich mich vom Arzt in einen dieser Notfallräume ziehen.

Mein Bruder lag ganz friedlich da, so als würde er schlafen. Seine Mundwinkel zeigten nach oben.

Mit zitternden Fingern fuhr ich ihm über die wächserne Stirn.

»Martin?«

Seine Augen waren geschlossen.

»Martin, du kannst mich doch jetzt nicht einfach allein lassen! Ich hab doch nur noch dich ...«

Ich brach schier zusammen. Erst hatte ich mir Karim aus dem Herzen reißen müssen und jetzt ...

»Martin, warum bist du nicht zum Arzt gegangen? Ich hab es dir doch immer wieder gesagt!« Inzwischen wurde ich von Schluchzern geschüttelt.

»Brauchen Sie ein Beruhigungsmittel, *señora?*« Der Arzt tippte sanft auf meine Schulter. »Dann müssten wir Sie aber hierbehalten, und Sie dürften nicht mehr Auto fahren.«

»Nein, ich schaff das schon.« War das meine eigene Stimme, die das heiser krächzte?

Doch ich weinte hemmungslos. Über meinen toten Bruder gebeugt, brachen die Schmerzensschreie aus mir heraus wie aus einem waidwunden Tier.

»*Señora!* Haben Sie jemanden, den Sie anrufen können? Ihren Mann vielleicht?« Er hielt mir ein Handy hin.

Mit offenem Mund starrte ich ihn an.

»Ja. Ich habe einen Mann.«

»Oh, Nadia, Liebling, das tut mir sehr leid!«

Karims samtweiche Stimme drang an mein Ohr. »Aber was ist heute schon ein Herzinfarkt! *Habibi*, die moderne Medizin hat so viele Möglichkeiten – du wirst sehen, bald ist er wieder ganz der Alte!«

»Karim, er ist tot!«, schluchzte ich.

Stille in der Leitung.

»O Gott, Liebling! Bei Allah, das ist ja entsetzlich! Nadia, *Habibi!* Es tut mir so leid! Was kann ich für dich tun?«

»Nichts, Karim. Ich wollte nur deine Stimme hören.«

»Soll ich kommen? Ich setze mich in den nächsten Flieger …«

Auch wenn die Sehnsucht noch so an mir zerrte – diesmal siegte die Vernunft. »Nein, Karim, reiß nicht noch mehr alte Wunden auf.«

»Aber ich muss mich doch um dich kümmern. Ich bin doch dein Mann …«

»Nein danke, Karim, leb wohl.«

Mit letzter Kraft legte ich auf. Der Arzt hatte sehr wohl gemerkt, dass dieses Telefonat mich nicht hatte trösten können – im Gegenteil!

»Die Schwester wird sich um Sie kümmern.« Der Arzt verabschiedete sich mit einer mitfühlenden Geste.

Ich saß auf einer Pritsche in einem Notfallzimmer und bekam eine Infusion. Apathisch starrte ich an die Wand.

Mein Handy, das man mir netterweise aufgeladen hatte, klingelte. Mechanisch hielt ich es ans Ohr.

»Nadia, wir haben gehört, was passiert ist«, prasselte es in arabisch gefärbtem Englisch auf mich ein. Es war Amir, mein Schwager.

»Liebes, wir sind alle ganz außer uns! Du Arme! Wirst du das mit der Beerdigung schaffen?«

»Ich habe keine Ahnung«, hauchte ich. »Bestimmt wird meine Tochter Diana aus Nürnberg kommen.«

»Nadia, Allah sei mit dir! Ich geb dir jetzt Saida!«

Nachdem auch Saida ihr Beileid und ihre Fassungslosigkeit bekundet hatte, raunte sie in den Hörer: »Ich weiß nicht, ob ich es dir sagen darf, aber bestimmte Umstände verlangen bestimmte Informationen: Karim ist inzwischen rechtmäßig von Dr. Halima geschieden! – Nadia, bist du noch dran?«

Ich starrte ins Leere. Karim. Geschieden. Die Dritte – Vergangenheit!

»Nadia?«

»Ja, ich bin noch dran.«

»Magst du nicht zurückkommen? Karim ist ganz allein! Er traut sich nicht, dich zu fragen … Aber du sollst wissen, dass du hier immer ein Zuhause hast. Er liebt dich, Nadia, das wollte ich dir nur sagen!«

Wortlos legte ich auf.

Nein. Das war keine Option.

Früher hätte mich die Scheidung von der Dritten zu Freudentränen hingerissen. Früher hätte ich gejubelt und Karim die Füße geküsst. Sechs lange Jahre hatte sie mein Leben zur Hölle gemacht. Doch jetzt fühlte ich – nichts.

Irgendwann ging ich wie eine aufgezogene Puppe hinaus auf den Parkplatz und suchte mein Auto. Mehrmals war ich daran vorbeigelaufen, bis ich es endlich fand.

Entgegen dem ärztlichen Rat fuhr ich mechanisch nach Hause.

Nach Hause? War das denn noch mein Zuhause? Wir hatten es zu zweit gerade so geschafft mit der Miete. Aber ohne Martins Einkünfte als Musikproduzent konnte ich dort unmöglich länger wohnen!

Wie ein Zombie ging ich durch die leeren Räume. Die Geburtstagstorte stand noch wie heute Morgen auf dem Servierwagen. Ich nahm sie und warf sie in den Mülleimer.

Mein heimlicher Wunsch beim Kerzenausblasen hatte sich in einen Fluch verwandelt.

49

Mein Bruder Martin wurde in unserer Heimatstadt Fürth begraben. Diana hatte sich sofort ins Flugzeug gesetzt und ihren geliebten Onkel heimgeholt. Er war ihr näher gestanden als der eigene Vater. Ich war handlungsunfähig und ließ mich von Diana mitziehen wie eine hölzerne Marionette.

Die einstigen Musikerfreunde meines Bruders spielten an seinem Grab von ihm komponierte Lieder, die wir alle kannten. Als er in die Grube hinuntergelassen wurde, brach meine Diana fast zusammen. Sie war mit dem zweiten Kind schwanger, und das war echt zu viel für sie. Ihr Mann Tobias, mein lieber Schwiegersohn, war mit der kleinen Klara zu Hause geblieben, damit die Fünfjährige dieses Bild des Jammers nicht sehen musste. Meine Mutter stützte und tröstete uns beide. Sie stand kerzengerade da und erlaubte sich in der Öffentlichkeit keine einzige Träne.

»Ich hätte eigentlich als Nächste gehen sollen«, sagte sie später leise, als wir in ihrer Küche zusammensaßen. »Keine Mutter sollte ihr Kind zu Grabe tragen müssen!«

Wir drei Frauen redeten die ganze Nacht. Keine von uns konnte schlafen. Wir erzählten uns Geschichten aus der Vergangenheit und weinten, bis wir keine Tränen mehr hatten. Schließlich verfrachteten wir die völlig erschöpfte Diana in Mutters Bett. Dem Ungeborenen sollte nicht geschadet werden!

»Was wirst du jetzt tun, Nadia?« Mutter schaute hohlwangig in die Spätsommernacht hinaus.

»Ich habe keine Ahnung.« Ich legte den Kopf auf die Tischplatte und weinte. »Es ist alles so hoffnungslos …«

»Kind, du darfst dich nicht hängen lassen. Sonst kommst du gar nicht mehr aus deinem Loch.«

»Oh, Mutter, ich bin so verzweifelt!« Mit tränennassem Gesicht starrte ich sie an. Sie war jetzt fünfundachtzig, aber immer noch erhoffte ich mir Hilfe, Trost und Geborgenheit von ihr.

»Ich habe Angst, Mutter, dass ich vor lauter Einsamkeit und Hilflosigkeit wieder zu Karim zurückgehe«, schniefte ich verzweifelt. »Er ist jetzt frei! Fast bin ich geneigt, es noch ein viertes Mal zu versuchen …«

Energisch stand meine Mutter auf und schüttelte den Kopf.

»Wenn du willst, Nadia, komm ich mit nach La Palma.«

»Wirklich? Das würdest du tun?« Gerührt wischte ich mir mit dem Ärmel über die Augen.

»Nadia, ich bin alt. Wenn ich noch zu etwas nutze sein kann in diesem Leben, tu ich das gern.«

»Aber ich kann die Miete nicht allein stemmen.«

»Eben. Aber zusammen mit meiner Rente …«

»Du würdest … Du würdest mit mir auf La Palma leben wollen? Oh, Mutter, das wäre wunderbar!« Weinend fiel ich ihr um den Hals, das heißt, ich musste mich bücken, um meine handtuchschmale Mutter vorsichtig zu umarmen, damit sie nicht zerbrach.

»Es ist doch egal, wo ich sterbe.« Sanft entwand sie sich meiner Umarmung und ging zu ihrem Küchenschrank, wo sie ein Sparbuch aus der Suppenschüssel nahm. »Schau, Kind. Das müsste reichen. Wir beide schaffen das schon!«

»Und Diana?«

»Kann uns jederzeit mit den Kindern besuchen. Sie findet auch, dass ich mit meinen alten Knochen in sonnige Gefilde soll.«

Da war er. Mein Hoffnungsschimmer. Mein Leben hatte wieder einen Sinn. Endlich würde ich das tun, was ich während meiner Zeit mit Karim versäumt hatte: mich um meine Mutter kümmern. Ihr das Alter schön gestalten. Ihr die Liebe zurückgeben, die sie mir stets geschenkt hatte. Ich würde sie herumfahren, mit ihr auf der Strandpromenade spazieren gehen, sie bekochen und eines Tages pflegen.

Gegen Ende Oktober packten wir ihren Hausrat zusammen, um ihr gesamtes Hab und Gut nach La Palma zu verschiffen.

Es war merkwürdig, aber diese Aufgabe lenkte mich von meinem bohrenden Schmerz ab.

Ich meldete Mutter behördlich ab und suchte einen Mieter für ihre nette Seniorenwohnung am Park. Sie verabschiedete sich herzlich von ihren Nachbarinnen, mit denen sie ein gutes Verhältnis gehabt hatte.

»Ich sterbe im ewigen Frühling«, scherzte Mutter bei ihrem letzten Kaffeekränzchen. »Wer kann das schon von sich behaupten?«

»Mutter, du stirbst noch lange nicht.«

»Nein, Kind, mach dir keine Sorgen. Unkraut vergeht nicht!«

Drei Tage vor unserem geplanten Abflug besuchte ich noch einmal meine Freundinnen Conny und Siglinde, die natürlich auch auf Martins Beerdigung gewesen waren.

Dann fuhr ich ein letztes Mal zu meiner Diana, die in wenigen Wochen ihr Kind erwartete. Ihr Mann Tobias hatte eine gut dotierte Stelle in Amsterdam angenommen – ausgerechnet in Amsterdam! –, und die junge Familie wollte so bald wie möglich dorthin übersiedeln.

»Und dann bekommst du ein Brüderchen, Klara!« Ich schmuste mit meiner entzückenden Enkelin und begutachtete die Laterne, die sie im Kindergarten für den Martinsumzug gebastelt hatte.

»Die ist für Onkel Martin«, sagte sie mit großen dunklen Kulleraugen. Sie war der festen Überzeugung, dass dieser Feiertag nur ihrem geliebten Onkel galt. »Der ist jetzt im Himmel, nicht wahr, Omi?«

»Ja, der ist jetzt im Himmel.«

»Kann er mich da sehen, wenn ich mit seiner Laterne durch die Straßen gehe?«

»Ja, Liebling. Er kann dich sehen. Und er freut sich über die vielen Lichter.«

»Kann er mich auch in Holland sehen?«

»Natürlich. Er kann dich immer und überall sehen, und er passt auf dich auf.«

»Verstehen die im Himmel auch Holländisch?«

»O ja. Die im Himmel verstehen alle Sprachen.«

»Auch Arabisch?«

»Auch Arabisch.«

»Heißt der liebe Gott dann Allah?«

»Ja, genau. Wie schlau du bist!« Ich drückte das goldige Mädchen an mich, und Diana und ich mussten uns ein Lachen verbeißen.

Das Telefon klingelte. Diana erhob sich mühsam und ging abnehmen.

»Und sieht der Onkel Martin auch mein Brüderchen in Mamis Bauch?«

»Ja, Süße. Das sieht er strampeln, schau so …« Ich strampelte wie ein Hund auf dem Rücken, und Klara lachte mit ihren süßen Milchzähnchen.

»Diana? DIANA! WAS IST?!«

Diana stand leichenblass in der Tür, den Hörer in der Hand. Ich sprang auf, das Enkelkind an mich gedrückt.

»Liebes! Ist dir nicht gut, hast du Wehen?!«

Diana starrte mich an, machte den Mund auf und klappte ihn wieder zu.

»Nicht vor dem Kind.«

Ich folgte ihr in die Küche, wo sie kraftlos auf einen Stuhl sank.

»Mami, du musst jetzt ganz stark sein: Omi ist tot.«

Es war, als hätte jemand meine Wurzeln endgültig gekappt, mir den Boden unter den Füßen weggezogen. Wie in Trance lief ich durch die Straßen von Fürth.

Mein letzter Anlaufpunkt, die gemütliche kleine Wohnung meiner Mutter, existierte nicht mehr. Weg, einfach weg!

Gleich nach der Beerdigung meiner tapferen Mutter zog die hochschwangere Diana mit Tobias und Klara nach Amsterdam.

Kurz hatte ich überlegt, mitzugehen, aber ich wollte ihnen nicht zur Last fallen. »Jung und Alt gehören nicht zusammen«, hatte schon meine Mutter gesagt.

Daher flog ich kurz vor Weihnachten wieder nach La Palma. Allein. Das Haus musste ja ausgeräumt werden.

Schon am Flughafen hätte ich schreien mögen. Immer hatte mein Bruder winkend und lachend am Ausgang gestanden, die Arme weit ausgebreitet. Und ich hatte mich selig hineinfallen lassen. Wir hatten zusammengehalten wie Pech und Schwefel, und er hatte mir so viel Halt gegeben in letzter Zeit! Was hatte er mich zum Lachen gebracht über meine eigene Dummheit, gleich zweimal reumütig zu Karim zurückzukehren!

Emotional durchgeschüttelt, saß ich hinter einem fremden Taxifahrer auf der Rückbank.

Das Haus war dunkel, kalt und leer. Kein Martin sagte fröhlich: »Jetzt lass uns erst mal einen Kaffee trinken, Schwesterlein.« Zum Kaffee gab es natürlich immer seinen geliebten Kuchen, und meine Ankunft war jedes Mal ein legitimer Grund für eine kleine Kaloriensünde gewesen.

Mein Koffer hallte auf den kalten Fliesen wider, sonst war nichts zu hören.

Unendliche Traurigkeit überkam mich. Die Einsamkeit nagte an mir wie eine heimtückische Krankheit.

Irgendwie schaffte ich es, meinen Koffer nach oben zu wuchten und mich aufs klamme Bett zu legen. Mir graute vor dem nächsten Tag – so sonnig und warm er auch werden würde. Was würde er bringen außer Einsamkeit?

Auch in den Emiraten war ich oft einsam gewesen, aber irgendwann war immer Karim zu mir gekommen. Jetzt hatte ich NIEMANDEN mehr!

Niemand wird sich um dich kümmern, wenn du alt und krank bist, dachte ich. Niemanden wird es scheren, wenn du eines Tages nicht mehr aufstehst. Wenn du aufhörst, zu essen und zu trinken – wer soll das schon merken?

Plötzlich fiel mir der Konfirmandenspruch wieder ein, den Diana sich ausgesucht hatte. Auch bei ihrer Hochzeit hatte sie ihn vorgelesen: »*Nun aber bleibt Glaube, Hoffnung, Liebe, diese drei; aber die Liebe ist die größte unter ihnen.*«

Ich hörte, wie Dianas klare Stimme diesen Vers aus dem Paulusbrief an die Korinther zitierte.

Mein Glaube war zerstört. Sure vier, Vers vier hatte mir jedes Vertrauen in eine höhere Macht genommen.

Damit war auch die Liebe zerstört. Oder? Liebte ich Karim noch? Ja!

Die Hoffnung stirbt zuletzt.

Karim! Er hatte sich scheiden lassen von Nummer drei! Er war wieder frei für mich!

Wie ein hilfloses Neugeborenes hob ich mit aller Kraft den Kopf und lauschte in die Stille. Warum sollte ich hier allein verenden? Es gab doch einen Menschen, der mich liebte! Der auf mich wartete! Mit ihm war das Leben bunt und schön!

Karim war mein Tor zur Welt. Karim war Wärme und Liebe. Geborgenheit und Sicherheit. Karim war – die Zukunft.

In diesem Moment begann eine Blaumeise ganz zart zu

zwitschern. Als hätte Allah extra für mich eine kleine Hoffnungsmelodie angestimmt.

Hoffnung und Liebe! Die waren mir noch geblieben! Ich durfte sie nicht verlieren.

Wenn Karim mich noch wollte, konnte alles gut werden. Wir beide liebten uns noch! Wir hatten so harmonische, glückliche Momente miteinander gehabt und herrliche Reisen gemacht. Wir hatten uns nie miteinander gelangweilt. Wir hatten uns leidenschaftlich geliebt. Wir brauchten einander. Er fehlte mir. Ich wollte für ihn sorgen, ihn verwöhnen, es ihm schön machen. Er verwöhnte mich doch auch so gern!

Ein winziges Grinsen stahl sich auf mein Gesicht. Jede Ehe hat mal Tiefen. Aber die waren jetzt vorbei! Die anderen Frauen waren doch Vergangenheit! Ich war als Siegerin aus diesem Drama hervorgegangen. Er wollte MICH. Wir hatten noch eine Zukunft. Diese Erkenntnis traf mich wie ein Blitz.

Natürlich! Aber es war an MIR, zu handeln! Diesmal musste ICH den ersten Schritt tun!

Ich schloss die Augen und sah ihn vor mir, meinen geliebten Mann. Mein Herz zog sich sehnsüchtig zusammen. Ich gehörte zu ihm! Allah hatte das so entschieden!

Ich würde zu ihm zurückgehen. Ein letztes Mal. Diesmal für immer.

Mit diesem tröstlichen Vorsatz schlief ich ein. Ich klammerte mich an diesen Strohhalm, der, wie ich glaubte, in eine glückliche Zukunft wies.

50

Ajman, Januar 2009

»Nadia! *Alhamdulillah* bist du wieder da! Karim wäre fast eingegangen ohne dich!«

Amir und Saida zogen mich voller Mitgefühl in ihre Wohnung. »Er war so in Sorge um dich, du hast deine Liebsten verloren – gut, dass du ihn gleich angerufen hast! Wir lieben dich
alle, du gehörst zu uns, dein Zuhause ist hier, Nadia!«

Vor einem Jahr war ich gegangen – ein Jahr, das einfach nur
traurig gewesen war. Und jetzt hatte mich das Schicksal wieder
zu Karim gespült wie ein Stück Treibholz.

Nein, machte ich mir Mut. Diesmal war es ganz allein mein
Entschluss. Ich war aus freien Stücken zurückgekommen. Weil
ich zu Karim gehörte!

Hastig setzte ich ein tapferes Lächeln auf und folgte meiner
Schwägerin in die Küche.

Saida hatte aufgekocht, dass sich die Tische bogen. Es duftete nach allen Köstlichkeiten des Orients. Ich schloss die
Augen und saugte die unverwechselbaren Düfte ein. Ein tiefes
Gefühl von Dankbarkeit durchflutete mich. Obwohl ich Karim
dreimal verlassen hatte, öffneten sie mir wieder die Tür. Familie! Heimkommen! Ich war dort, wo ich hingehörte.

»Was kann ich tun, Saida?« Schon griff ich nach einer
Schürze – eine automatische Geste, die mir sofort Halt gab.

Das turbulente Leben dieser Familie umfing mich wie eine
warme Decke.

Fatima, die Tochter der beiden, sah mich verlegen an, als sie aus ihrem Zimmer kam, und ich stellte erleichtert fest, dass ihre Freundin Samira, die Tochter von Nummer drei, nicht zugegen war.

»Sie sind nach Dubai gezogen!« Meine Schwägerin konnte es kaum erwarten, mir die Neuigkeiten zu erzählen. Sie nahm meine Hand und stellte besorgt fest, wie dünn ich geworden sei und dass sie diesen Zustand sofort ändern wolle. Dann drückte sie mich auf die Küchenbank und breitete ein kopiertes Dokument vor mir aus: »Das ist die Scheidungsurkunde, Nadia! Du darfst es niemandem sagen, aber ich habe sie heimlich kopiert, damit du es schwarz auf weiß siehst! Die beiden sind rechtskräftig geschieden!«

»Wieso hast du die Scheidungsurkunde?« Ich zog fragend die Augenbrauen hoch.

»Weil Karim einen Zeugen brauchte! Amir! Pssst!« Sie legte einen Finger auf die Lippen und sah mich vielsagend an, als hätte sie heimlich den Weihnachtsmann beobachtet. »Männer brauchen zwei Zeugen, Frauen müssen vier Zeugen beibringen, wenn sie sich scheiden lassen wollen«, erklärte mir Saida mit wichtiger Miene.

Wieso mussten Frauen doppelt so viele Zeugen beibringen wie Männer? Weil sie nur halb so glaubwürdig waren? Ein altvertrautes Unwohlsein breitete sich in mir aus. Ich wollte ja hier leben, ich wollte Teil dieser Familie sein, aber ihre Regeln waren gewöhnungsbedürftig, um nicht zu sagen – abenteuerlich.

»Ich kann das nicht lesen.« Natürlich waren es arabische Buchstaben, in einer besonders verschnörkelten Schrift.

»Schau, hier!« Saida zeigte mit dem Finger darauf. »Das hier ist das amtliche Siegel, und hier stehen die Namen: Dr. Halima und Karim …«

Das Kind beugte sich interessiert über den Tisch: »Ist Samira jetzt auch von mir geschieden?«

»Süße, halt den Schnabel, das hier ist Frauensache, das dürfen die Männer nie erfahren!«

Liebevoll schubste Saida ihre Tochter weg.

Schon früh lernten die kleinen Mädchen, dass gewisse Themen in der Küche blieben – bei den Jungs war es das Wohnzimmer. Auf diese Weise erfuhren doch immer alle alles. Dankbar lächelte ich meine Schwägerin an. »Sie wird also nie wieder in mein Leben pfuschen.«

»Sieht so aus, Nadia! Wir wünschen dir und Karim, dass ihr nun endlich eine ruhige, erfüllte Ehe führt! Nummer eins ist ja friedlich und gibt sich mit Karims monatlichen Jordanien-Besuchen zufrieden. Den Kindern dort geht es gut; Karim muss halt ordentlich blechen!«

Beim opulenten Essen wurde wieder viel gelacht. Tausende von Schüsselchen wurden herumgereicht: Lammspieße, Hühnchenspieße, Soßen, Reis, pikante Joghurts mit Zitronensaft und Minze, frischer Salat … Alle freuten sich aufrichtig, dass ich wieder da war!

Wie früher, dachte ich. Nur besser. Endlich kehrt Frieden ein.

Immer wieder trafen sich Karims und meine Blicke, und er nickte mir stolz und glücklich zu.

Er hatte den Schritt getan, den ich mir so sehr gewünscht hatte! Er hatte sich von Nummer drei scheiden lassen! Mit Amt und Siegel! Wie wundervoll! Und ich war durch Allahs unumstößliche Macht zu ihm zurückgekommen! Das hatte ich nicht mehr zu hoffen gewagt.

Unsere Zweisamkeit hatte allerdings einen kleinen Haken, besser gesagt zwei.

Hassan lebte wieder bei uns. Aber das war ich ja schon gewohnt.

Und Karims Mutter. Nachdem ich gegangen war und Nummer drei ebenfalls, hatte mein armer, verlassener Karim ja eine

Frau im Haus gebraucht! Nummer eins blieb standhaft in Jordanien, also musste die Oma her. Sie kochte, putzte und räumte Hassan hinterher. Vielleicht, um Karim die Einsamkeit zu nehmen, so, wie meine Mutter das auch mit mir vorgehabt hatte.

Ich konnte nichts gegen sie empfinden. Auch wenn wir nicht die gleiche Sprache sprachen – sie konnte kein Englisch und ich nach wie vor nur wenige Brocken Arabisch –, verstanden wir uns gut. Schließlich liebten wir beide denselben Mann. Und bei ihr war das wirklich okay für mich!

Oft saß meine alte, halb blinde Schwiegermutter, die als junge Frau mit den Kindern aus Palästina in den Irak geflohen war, vor dem Fernseher und zog sich arabische Schmachtfetzen aus den Sechzigerjahren rein. Dann lachte sie zahnlos und schrill, dass es ihren mächtigen Körper schüttelte. Ich hatte große Hochachtung vor ihr, denn sie hatte, ähnlich wie meine Mutter, im Krieg viel mitgemacht. Tapfer hatte sie ihre Kinder durchgebracht. Dafür durfte sie heute schmatzend und kreischend auf meinem Lieblingsplatz sitzen!

Hassan, ihr Enkel, verzog sich dann regelmäßig mit seinem Laptop in unser Schlafzimmer, denn sein Zimmer hatte er für die Oma hergeben müssen. Ich fand es nicht so prickelnd, dass der Kerl in Socken und Jogginghosen auf unserem Bett saß, aber immerhin schlief er nachts auf dem Sofa im Wohnzimmer. Es war ziemlich beengt, und ich hatte Mühe, die nicht immer ganz frisch riechenden Kleiderhaufen, Socken und Turnschuhe zu ignorieren, die meist im Wohnzimmer herumlagen. Oft genug trug ich sie mit spitzen Fingern in den Flur oder gleich in die Waschmaschine. Dann maulte Hassan, dass er seine Sachen nicht finden könne. Ich musste mich zwingen, diese spätpubertären Launen zu erdulden. Aber für Karim tat ich das gern. Aus Liebe. Ich wollte ihm unbedingt zeigen, wie bedingungslos ich zu ihm stand. Schließlich hatte er mir in früheren Jahren die Welt gezeigt: Nicht nur in Paris waren wir gewesen, sondern er hatte mich auch mit nach Jordanien genommen, in die großartige Felsenstadt Petra. Bei einer anderen Gelegenheit hatte ich mit nach Brasilien gedurft, wo wir wochenlang mit einem Jeep durchs Land gefahren waren. Auf dem Amazonas waren wir gerudert, mit richtigen Tropenhelmen auf dem Kopf, an der Copacabana entlanggeschlendert und auf dem Zuckerhut herumgeklettert. Wer solche Rosinen aus dem Kuchen des Lebens picken darf, sollte auch die Krümel nicht scheuen, dachte ich immer, wenn ich wieder zu Staubsauger und Wischmopp griff.

So spielte sich unser Zusammenleben langsam wieder ein. Anfangs kämpften wir noch um die lang vermissten Stunden der Zweisamkeit, indem wir Hassan mit der Oma spazieren schickten oder ihnen Geld für die Einkaufsmall in die Hand drückten. Dann jedoch schlich sich der Alltag von früher wieder ein.

Karim war oft und lange verreist – entweder in Jordanien, bei Suleika und den anderen Kindern, oder bei Nummer drei, für die er als Ehrenmann nach wie vor finanziell sorgte, wenn es einen Engpass gab. Außerdem kümmerte er sich bei seinen Geschäftsreisen nach Dubai um ihre Kinder Mehmed und Samira.

Wenn ich gereizt die Augenbrauen hochzog, erklärte mir Karim, warum seine Dubaireisen so wichtig seien. Für Dr. Halima galt es, eine neue Praxis dort einzurichten. Wie ich erfuhr, ordinierte sie nun in einem Kristallpalast.

Leider telefonierte Halima oft und gern mit unserer gemeinsamen Schwiegermutter. Sie stammten ja beide aus dem Irak und sprachen die gleiche Sprache. Dann kam auch immer eines der Kinder an den Apparat und wurde von seiner »Oma« heiser lachend angeschrien. Mit der Familie hatte sich die alte Dame immer gut verstanden, und es stand mir nicht zu, diese Beziehung zu zerstören. Aus Eifersucht? *No way!*

Als Nummer drei eines Tages unsere gemeinsame Schwiegermutter zu sich nach Dubai einlud, war ich erst erleichtert, denn dadurch würden sich unsere Wohnverhältnisse kurzfristig bessern. Andererseits musste ich innerlich fluchend hinnehmen, dass unser gemeinsamer Mann die gemeinsame Schwiegermutter mit dem Auto zu ihr fuhr. Und natürlich umständehalber eine Nacht blieb. Oder zwei? Ich wollte es lieber nicht so genau wissen.

Dasselbe galt ein paar Wochen später – Karim war inzwischen in Jordanien gewesen und ich mit Hassan allein – für die Rückholung der Schwiegermutter, die, gut gelaunt und erfüllt von interessanten Eindrücken, wieder bei uns Einzug hielt und den Fernseher auf volle Lautstärke stellte. Woraufhin Hassan sich erneut mit seinem Laptop in unser Bett lümmelte und die Schlafzimmertür hinter sich zuknallte.

Ja, sie alle hatten eine Daseinsberechtigung und waren von Karim abhängig. Genau wie ich.

Wieder machte ich stundenlange Strandspaziergänge und überdachte mein Leben.

Mit der Zeit wurde uns vieren das Apartment allerdings zu eng.

Ich konnte den Gestank von Hassans Socken nicht mehr ertragen, und so lieb ich die Schwiegermutter hatte, so sehr ging es mir doch auf die Nerven, dass sie achtzehn Stunden am Tag auf dem Sofa saß und sich in irrer Lautstärke von Omar Sharif beschallen ließ. Wobei sie ununterbrochen Datteln futterte und die ausgelutschten Kerne auf der Glasplatte des Wohnzimmertisches entsorgte, wo schon Hassans Pinienkernschalen lagen.

Meine Duldsamkeit war doch an ihre Grenzen gestoßen und mein Nervenkostüm noch lange nicht wieder stabil. Oft saß ich wehmütig am Fenster und dachte an meinen Bruder und meine Mama zurück. Ich hatte hier Ablenkung, aber auch Stress.

War es richtig gewesen, wieder herzukommen? Steckte ich erneut den Kopf in den Sand? Würde ich hier wirklich meine Trauer bewältigen können oder verdrängte ich sie nur? Würde es je wieder so wie früher werden mit Karim und mir?

Wir liebten uns nachts noch dann und wann. Leise und verstohlen. Denn wir waren selten ungestört.

Nachdenklich spazierte ich die Strandpromenade entlang.

Inzwischen hatte auch hier der Verkehr deutlich zugenommen. Im ehemals beschaulichen Emirat Ajman waren Autoschlangen und Hupkonzerte inzwischen an der Tagesordnung. Die Menschen hasteten in klimatisierte Einkaufscenter, in denen es vor überflüssigen Luxusgütern nur so wimmelte – genau das, was ich nie gewollt hatte.

»Bitte, Karim, lass uns Richtung Norden ziehen, wo es nicht so laut ist und wir uns eine größere Wohnung leisten können. Hassan und deine Mutter brauchen ein eigenes Zimmer! Wir brauchen mehr Zeit füreinander! Es ist so wichtig, bitte!«

Zähneknirschend machte sich mein Mann auf die Suche nach einer passenden Bleibe.

Ich war daran gewöhnt, dass er für seine Frauen und Kinder Häuser und Wohnungen suchte – trotzdem irritierte es mich, dass er wieder tage- und nächtelang wegblieb. Mal in Dubai, mal in Jordanien, mal sonst wo. Er sagte es mir nicht.

»Karim, du hast doch nicht schon wieder irgendwas am Laufen?«

»Ganz sicher nicht!« Karim versteifte sich wieder mal auf sein Recht, als Mann seiner Wege gehen zu können und niemandem Rechenschaft schuldig zu sein.

Doch irgendwann war es dann tatsächlich so weit, und wir zogen in das schöne Ras al Khaimah, im Nordwesten der Vereinigten Arabischen Emirate, unweit des Oman. Mein geliebtes Weihrauchland! Ich war ihm wieder ganz nahe! Oh, wie bitter-

süß überfielen mich die Erinnerungen an unsere hoffnungs-
vollen Anfänge! Aber jedem Anfang wohnt ein Zauber inne –
und das war unser vierter. Das Ende aller Anfänge? Oder der
Anfang vom Ende?

Unser neues kleines Einfamilienhaus hatte drei Schlafzimmer, eine Küche mit Durchreiche zum Wohnzimmer mit Ess-
bereich und einen kleinen Garten nach hinten raus. Ich richtete mal wieder alles geschmackvoll ein und besorgte für meine
beiden Mitbewohner Kopfhörer für jeweils eigene Fernseher.

Freundliche, einfache Menschen lebten hier. Sah man aus
dem Fenster, fiel der Blick auf das ursprüngliche Musandam,
die nördlichste Provinz des Sultanats Oman. Fischer und Bau-
ern lebten hier umgeben von einer bizarren Felslandschaft.

»Oh, Karim, bitte lass uns diese Berge entdecken! Wie früher,
bitte, *Hayati!*«, beeilte ich mich, den Zauber von damals wieder
heraufzubeschwören.

Karim zog die Schultern hoch: »Meinetwegen. Aber nicht
ohne meine Mutter.«

»Natürlich, Karim, das ist doch Ehrensache.«

»Und Hassan. Der Bengel muss auch mal raus. Der hat ja
schon ganz viereckige Augen.«

Ich schluckte. »Klar.«

Wollte er sonst noch jemanden aus dem Hut zaubern, der
half, unsere Ehe wiederzubeleben?

Nein. Großmutter und Enkel saßen hinten im Auto, und ich
durfte wieder vorn sitzen!

Tiefe Wadis hatten sich in die steinernen Hänge gegraben,
und kleine blaugrüne Buchten erinnerten an die Fjorde Nor-
wegens.

Dattelplantagen waren schon von Weitem zu sehen und
schienen ihren exotischen Duft bis zu uns zu verströmen.

»Oh, Karim, das ist alles so gigantisch! Ich bin so glücklich,
wieder hier zu sein …«

Verstohlen legte ich meine Hand auf sein Knie, und er lächelte unter seinem weißen Vollbart von einem Ohr zum anderen.

»Schön, dass es dir gefällt, *Habibi*. Schau, wenn es hier mal heftige Regengüsse gibt, sind sie so gewaltig, dass die Wadis zu reißenden Flüssen werden. Hier sind schon Leute ertrunken, was man sich angesichts der jetzt ausgetrockneten Flussläufe kaum vorstellen kann.«

Er reckte den Hals und sah in den Rückspiegel, um zu kontrollieren, ob auch alle seinen Vortrag mitbekommen hatten.

Doch Hassan hatte Kopfhörer auf und kaute Kaugummi, und die alte Mutter schnarchte mit offenem Mund an seiner Schulter.

»Oh, Karim, ich könnte ewig so weiterfahren …« Verliebt sah ich meinen On-Off-Gatten an. Ob es diesmal für immer war? Ich wünschte es mir so, so sehr!

»Lange war dieses Gebiet ein Militärstützpunkt und somit für Reisende Sperrgebiet. Die Straße von Hormus wird hier von den Omanis kontrolliert, ein strategisch wichtiger Punkt, denn alle Öltanker und Handelsfrachter müssen hier durch.«

Karim schaltete einen Gang rauf und gab Gas, dass es staubte.

»Oh, Karim, das ist alles so interessant, was du da sagst. Wie schade, dass ich nicht mehr als Fremdenführerin arbeiten kann!«

»Das würde ich dir auch nicht noch mal erlauben. Du hast deine Grenzen damals weit überschritten und meine Geduld überstrapaziert.«

»Natürlich, Karim. Ich habe ja mit deiner Mutter und Hassan genug zu tun.« Ich bedachte ihn mit einem versöhnlichen Lächeln und sah ihn liebevoll an.

»Sag mal, *Habibi*, dieser kleine Knubbel da, ist das ein Gerstenkorn?«

Ich presste die Lippen zusammen. Eben noch hatte ich ihn verliebt angestrahlt!

»Kann sein! Ich war verständlicherweise lang nicht mehr beim Arzt.«

Das Wort »Arzt« löste bei mir in doppelter Hinsicht Panik aus.

»Ich hab inzwischen einen Blick für so was.« Karim ließ den Jeep über kinderkopfgroße Steine und durch tiefe Furchen rumpeln. »Du solltest das weglasern lassen, Nadia.«

»Aber nicht von deiner Ex!« Empört nahm ich die Hand von seinem Knie.

»Natürlich nicht!« Karim schüttelte nur amüsiert den Kopf über meine überhitzte Reaktion. »Ich kenne hier einen guten Augenarzt. Ich mach dir einen Termin.«

Es war eine kleine Praxis, und der Augenarzt war Inder. Kaum hatte ich auf dem Behandlungsstuhl Platz genommen, sah er Karim neben mir fragend an.

»*What can I do for you?*« Dabei wackelte er freundlich mit dem Kopf.

»Also ich habe hier …«, ich zeigte auf meinen kleinen Knubbel, »… schon lange so eine Rötung am Auge. Manchmal spüre ich auch so ein unangenehmes Kratzen.«

Der Inder sah fragend zwischen Karim und mir hin und her.

»Nadia«, sagte Karim streng. »Bitte sag mir dein Problem, dann kann ich es dem Arzt sagen.«

Mit weit aufgerissenen Augen starrte ich zwischen beiden hin und her.

Jetzt reichte es mir aber!

»Ich kann doch selbst mit dem Arzt reden«, schimpfte ich. »Wie bescheuert ist das denn? Er hört doch sowieso, was ich dir sage! Er steht doch direkt neben uns!«

»Eine Frau geht nicht allein zum Arzt, und sie spricht nicht mit ihm, niemals!« Karim sah mich tadelnd an. »Fangen wir jetzt wieder von vorne an, Nadia?«

»Aber bei Nummer drei hätte ich frei sprechen können?«

»Selbstverständlich. Sie ist eine Frau. Aber du wolltest ja nicht zu ihr.«

»Aber er ist doch kein Gynäkologe«, zischte ich genervt.

»Auch nicht, wenn er nur Augenarzt ist! So, und jetzt überlässt du mir das Wort und hältst den Mund.«

»Sie hat dort eine Rötung am Auge«, erklärte er allen Ernstes dem Inder. »Und manchmal spürt sie so ein Kratzen.«

Der Arzt nickte genauso ernsthaft und griff zum Laser.

So, Nadia, was jetzt, dachte ich, als ich verzweifelt zur Decke starrte. Noch einmal durch die Hölle gehen? Ich wollte Geborgenheit, Liebe, eine Familie. Aber ich wollte keine Marionette mehr sein!

»Bitte das Auge ganz weit aufmachen«, sagte der freundliche Inder.

»Du sollst ganz weit aufmachen«, kam es von Karim.

Ich fühlte mich wie ein heimatloses Schiff, das steuerlos über die Weltmeere treibt. Wo bitte war meine Heimat? Ich fand sie nicht mehr!

»Jetzt bitte mehrmals blinzeln.«

»Du sollst …«

»Karim, ich bin nicht taub«, sagte ich genervt. »Und auch nicht blöd!«

Der Arzt drückte Karim nach vollbrachter Tat die Rechnung in die Hand, die Karim bar bezahlte.

Ich hielt einfach nur die Schnauze. Und weil man mir für wenige Stunden eine Augenklappe verpasst hatte, konnte ich den Herrn auch kaum anschauen. Mit dem verbliebenen Auge starrte ich zu Boden. Was sollte ich auch sonst tun?

51

Ras al Khaimah, Frühling 2010

Karims Mutter hatte auf einmal beschlossen, nach Jordanien zu gehen und sich bei Frau Nummer eins einzuquartieren. Ihr Lieblingssohn Abdullah beehrte die Familie mit seinem Besuch. Er war der Drittälteste, und ihn liebte sie besonders.

Wie lange er und seine Familie bei Karims erster Familie bleiben wollten, war noch nicht klar. Bei den Arabern war es üblich, dass man mit einer Großfamilie über die andere herfiel wie ein Heuschreckenschwarm. Alle freuten sich darüber, sodass man den Belagerungszustand so lange wie möglich ausdehnte. Der Spruch »Besuch und Fisch stinken ab dem dritten Tag« war hier vollkommen unbekannt. Daher verabschiedete ich mich von meiner Schwiegermutter und sie sich von mir, als gäbe es kein Morgen. Als ich sie küsste und umarmte, spürte ich irgendwie, dass ich sie nie wiedersehen würde. Sie verstarb kurz darauf in den Armen ihres Sohnes Abdullah, so, wie sie es sich gewünscht hatte.

Noch ein Trauerfall! Ich war geschockt. Karim flog natürlich gleich nach Jordanien. Und blieb. Und blieb.

Hassan und ich vertrieben uns mehr schlecht als recht die Zeit in unserem Häuschen in Ras al Khaimah.

Zum Glück hatte ich inzwischen einen eigenen Fernseher und genehmigte mir gern die berühmte Comedy-Serie mit den vier Ehefrauen. Dass mir das Lachen darüber schon bald im Hals stecken bleiben sollte, konnte ich damals noch nicht ahnen.

Nun war Karim schon seit vier Wochen durchgehend in Jordanien, und ich schlenderte mit Hassan gelangweilt den Strand entlang. Der haderte mit sich, dass er nicht genug Zeit mit der Oma verbracht und ihr nie richtig zugehört hatte. Erst durch mich erfuhr er von ihrer Flucht und ihrem bewegten, entbehrungsreichen Leben.

Auf dem nett angelegten Grüngürtel gab es nachmittags immer ein paar Jugendliche, die Fußball spielten. Und auch die Angestellten der umliegenden Hotels gönnten sich bei Einbruch der Dunkelheit ihren täglichen Spaziergang. Einige wenige verhüllte Frauen saßen im Kreis ihrer Familie auf dem Rasen, bewegten sich jedoch nicht.

Ich war die einzige Frau, die es wagte, an diesem Strand spazieren zu gehen.

Die Männer reagierten unterschiedlich darauf: Manche wandten entsetzt den Blick ab, andere sahen durch mich hindurch, als wäre ich Luft, und ich musste ihnen ausweichen, um nicht angerempelt zu werden. Wieder andere begafften mich dermaßen unverschämt, als wäre ich käuflich. Die pure Sünde kam ihnen dreist in aller Öffentlichkeit entgegen! Dabei war ich in voller Montur. Dann war es an mir, den Blick zu senken und hastig weiterzugehen.

Aber heute hatte ich immerhin Hassan dabei. »Weißt du, Hassan, wenn deine Großmutter und meine Mutter sich gekannt hätten, hätten sie sich bestimmt eine Menge zu erzählen gehabt. Beide haben Krieg und Vertreibung erlebt, und …«

Hassan kickte verdrossen einen Stein vor sich her. Sicher kam ihm das blöd vor, mit mir hier herumlatschen und sich uralte Geschichten über längst verstorbene Frauen anhören zu müssen. Ich wechselte geschickt das Thema.

»Was meinst du, Hassan, wann wird dein Vater uns wieder beehren? Wir müssen die Hecke im Garten verdichten, und du brauchst neue Klamotten …«

Hassan hatte die Schultern hochgezogen und die Hände in die Hosentaschen gesteckt.

»Er hat in Jordanien wieder geheiratet. Das kann also noch eine Weile dauern.«

Abrupt blieb ich stehen. »Wie? Er hat seine erste Frau wieder geheiratet? Aber die SIND doch noch verheiratet, oder hab ich da was durcheinandergebracht?«

Saida hatte mir erklärt, dass Karim seine dritte Frau nur dann wieder heiraten könne, wenn sie vorher einen anderen Mann heirate und sich dann wieder von ihm scheiden lasse. Ich stieg da kaum noch durch. Die Regeln Allahs waren unergründlich.

Hassan verzog das Gesicht.

»Er hat eine Libanesin geheiratet. Eine ganz junge, die da in dem Hotel arbeitet, wo er immer wohnt, wenn er Mama und meine Geschwister besucht.«

»Moment! Er wohnt nicht bei seiner Familie?«

»Nee, da ist es ihm jetzt zu voll. Er wohnt im Hotel.«

Ein schriller Alarmton dröhnte in meinen Ohren, und meine Atmung setzte aus.

»Nein, Hassan, nein. Das kann doch nicht stimmen.«

»Doch, Nadia. Er konnte einfach nicht die Finger vom Zimmermädchen lassen. Da muss er sie natürlich heiraten, damit es nicht *haram* ist.« Hassan schaute sich um, ob uns auch niemand zuhörte. »Wenn er selbst zu feige ist, es dir zu sagen, dann sag ich es dir eben: Mein Vater ist nichts als ein armseliger Straßenköter, der an jeder läufigen Hündin schnuppert.«

»Hassan!«, schrie ich aufgebracht. »Ich verbiete dir, so über deinen Vater zu reden!«

Er zuckte nur mit den Schultern und kickte den Stein ins Meer. »Ist doch wahr!«

Ich taumelte zur Mauer, die die Strandpromenade säumte,

und sank darauf wie ein nasser Sack. Ich wäre sonst in Ohnmacht gefallen. Ich rang nach Luft. »Hassan!«, japste ich hilflos. »Ich sterbe!«

Erschrocken sprang Hassan herbei und fächelte mir Luft zu. Brennend heiße, alles verzehrende Luft. Nie würde ich wieder durchatmen können! In meinen Schläfen pochte es, und wieder ertönte dieses Pfeifen in meinem Ohr. Düsenjäger? Panzer? Meine Welt ging unter!

Das hatte Karim mir nicht angetan! Nein! Das war einfach undenkbar!!

»Wasser!«, röchelte ich.

Hassan rannte zu einem der Strandcafés, vor denen ausschließlich Männer in weißen *dishdashas* auf Plastikstühlen saßen und Shisha rauchten, und brachte mir eine Plastikflasche.

»Entschuldige, aber ich dachte, du ahnst es längst.«

»Hassan, ich …« Er half mir beim Trinken, doch die Hälfte des kostbaren Nasses tropfte mir auf den schwarzen langen Mantel.

»Hassan, ich wusste von nichts!« Und wünschte, ich hätte es nie erfahren!

Eigentlich hätte es mir klar sein müssen, dachte ich gequält. Ich kannte Karim doch inzwischen. Wie einfältig war ich eigentlich? Wie naiv und blind? Ich hätte mich ohrfeigen können und schämte mich.

Natürlich! Er schlief in Jordanien nicht mehr mit seiner Frau, sondern mit dem Zimmermädchen! Und hatte es »anstandshalber« geheiratet! Alles andere wäre ja *haram* gewesen! Er war schließlich ein Ehrenmann! Würgend spuckte ich Wasser in den Sand, das sofort versickerte.

Ich stieß ein angewidertes Lachen aus, das fast noch mehr meiner eigenen Dummheit galt als seiner Doppelmoral. Trauer, Einsamkeit und Existenzangst hatten mir einfach das Hirn vernebelt. Ich hatte es alles gar nicht so genau wissen wollen. Weil ich sonst wahnsinnig geworden wäre. Einen Karim ändert man nicht. Da kann man noch so liebevoll und treusorgend sein. Noch so geduldig und großherzig. Ein Karim darf lügen und betrügen. Weil es der Koran erlaubt. Ich schlug mir mit der Hand gegen die Stirn und schrie immer wieder: »Wie konnte ich nur so dumm sein!«

Hassan schaute peinlich berührt woandershin. Diese Irre kannte er nicht.

Vielleicht hätte ich mich jahrelang weiterbelügen können. Aber mit dieser hässlichen Wahrheit konnte ich nicht leben.

Wie lange wir da saßen, weiß ich nicht mehr. Es dauerte, bis die Konsequenzen dieses grausamen Verrats wirklich bis zu mir durchdrangen. Was es tatsächlich bedeutete, dass Karim eine vierte Frau geheiratet hatte. Obwohl ich ihn so liebte.

Tagelang saß ich apathisch vor dem Fernseher und ließ mich von den Schmachtfetzen berieseln, die meine Schwiegermutter immer geschaut hatte. Verständlicherweise fand ich die Comedy-Serie über die vier Ehefrauen gar nicht mehr lustig. Ich nahm nichts mehr richtig wahr. Aber es war ohnehin eine Scheinwelt – auf dem Bildschirm, aber auch im richtigen Leben: Ich hatte eine »Familie«, war aber im Grunde allein und würde es auch bleiben. Wenn es um Punkt sechs Uhr dunkel wurde, machte ich kein Licht an. Das passte nur zu dem tiefen, dunklen Loch, in das ich gefallen war.

Viel zu schnell hatte ich mich in Karims Arme zurückgeflüchtet! Nur um wieder in seinem vorsintflutlichen Glaubenssystem gefangen zu sein.

Hassan war es inzwischen megapeinlich, dass ich es auf diese Weise erfahren hatte. Die meiste Zeit trieb er sich am Strand herum. Bestimmt hatte er seinen Vater angerufen und ihm erzählt, dass ich alles wusste. Bestimmt hatte Karim ihn dafür verflucht.

Allein, verbittert und unendlich einsam saß ich auf dem Sofa und wartete.

Wartete auf Karim.

52

Ich hatte meine Koffer schon fertig gepackt und einige Kartons mit meinen letzten Habseligkeiten standen neben der Tür, als Karim nach Hause kam.

Blitzschnell erfasste er die Situation.

»Nadia, *salam aleikum*. Es ist mein Recht, eine vierte Frau zu heiraten.«

»Natürlich, Karim. Bist du so lieb und bringst mich zum Flughafen?«

Kurz war er irritiert, dann schaute er auf die Uhr.

»Gut, Nadia. Dann kann ich in Dubai gleich noch bei Halimas Praxis vorbeischauen und ein paar geschäftliche Dinge mit ihr regeln.«

Ohne mit der Wimper zu zucken, verstaute er meine Koffer und Kartons in seinem Wagen. Hassan sprang in Socken herbei und half ihm schweigend.

Mein Herz war tot. Es klopfte noch nicht mal mehr, als ich von Hassan Abschied nahm.

Er umarmte mich fest. Bestimmt war er mir böse, dass ich ihn verließ. Aber ich war ja nun mal nicht mit Hassan verheiratet, sondern mit Karim. Und auch das nicht mehr lange.

»Karim, ich möchte die Scheidung.«

Wir saßen im Auto und hatten bis dahin kein weiteres Wort mehr gesprochen. Karim wandte mir erstmals sein Gesicht zu.

»Nadia, ich habe im Flugzeug von Amman hierher *talaq* gesagt.«

»Ja? Und?«

»Nur wenn ein Mann dreimal das Wort *talaq* ausspricht, ist er vor Allah geschieden.«

»Das versteh ich nicht … Du brauchtest doch auch von Nummer drei eine rechtskräftige Scheidungsurkunde?«

»Der Sinn dieser Regelung ist der, dass ein Ehemann dieses Wort nicht unbedacht in den Mund nimmt: Erst nach dem dritten *talaq* ist die Scheidung nach den Gesetzen der Scharia gültig.«

»Meinetwegen.« Ich schaute aus dem Fenster. »Du hast mich also nun zum ersten Mal verstoßen?«

»Ja, Nadia. Denn du willst meine Rechte als Ehemann nicht anerkennen. Ich habe mich wirklich lange bemüht mit dir, aber nun gebe ich auf.«

Mein Kopf zuckte zur Seite, als hätte er mich geohrfeigt. ER hatte sich mit MIR bemüht! Ach, so war das! Wenn es nicht so unglaublich wehgetan hätte, wäre ich in hysterisches Gelächter ausgebrochen! Ich hätte ihm noch gern viele Fragen gestellt: Warum er mich auf einmal aufgab. Wo ich doch nicht mal mehr einen Bruder hatte, bei dem ich leben konnte. Das war doch gegen seine Benimmregeln. Hahaha! Karim und Benimm!

Und wie das mit der rechtmäßigen Scheidung vor Allah sein würde. ER musste dreimal das Wort *talaq* aussprechen, und ich? Brauchte ich vier Zeugen? Und woher sollte ich die nehmen?

Oder sollten wir anstandshalber – anstandshalber! – auf dem Papier verheiratet bleiben, damit ich sicher sein konnte, dass er weiter zu meinem Lebensunterhalt beitrug? Schließlich war er ja ein Ehrenmann.

Es war so absurd und so bizarr, dass mir buchstäblich die Spucke wegblieb.

Mir fiel der berühmte Spruch eines italienischen Fußballtrainers wieder ein: Ich habe fertig.

Ja, das traf es.

Ich hatte fertig. Und er ja auch. Dass er es auf einmal so kampflos hinnahm, hätte ich nicht gedacht. Vielleicht war es der Schock, dass ich schon auf gepackten Koffern saß. Vielleicht schämte er sich auch einfach nur in Grund und Boden, dass er meine Liebe so verraten hatte. Mit einem libanesischen Zimmermädchen, das er einfach nur guten Gewissens vögeln wollte.

Schweigend fuhren wir nach Dubai. Es war noch ganz früh am Morgen, denn Karim war mitten in der Nacht nach Hause gekommen. Plötzlich stand vor uns eine undurchdringliche Nebelwand, wie ich sie noch nie erlebt hatte. Wir rauschten hinein und sahen auf einmal keine zwei Meter weit!

Karim stieß einige arabische Verwünschungen aus und fuhr nur noch Schritttempo.

»Das hab ich hier noch nie erlebt«, murmelte er. »Es ist, als wollte Allah uns aufhalten!«

Vielleicht will er dir endlich eine reinhauen, dachte ich. Vorsichtig hielt Karim den Wagen in der Straßenmitte, um nicht im Wüstensand zu landen.

Wir waren in einer gespenstischen, gefährlichen Situation.

Wären wir jetzt in einen entgegenkommenden Laster gekracht oder in eine Kamelherde gerast, wäre mir das alles vollkommen egal gewesen. Mein Leben konnte gut und gern an dieser Stelle enden. Merkwürdigerweise empfand ich die Vorstellung als tröstlich, an Karims Seite zu sterben. Doch nach etwa zwanzig Minuten lichtete sich die Nebeldecke genauso schnell, wie sie gekommen war, und strahlend blauer Himmel empfing uns, einhergehend mit einer grellen Morgensonne. Blinzelnd klappten wir die Sonnenblenden runter und setzten uns die Sonnenbrillen auf.

Ich unterließ es, Karims Brille liebevoll an meiner Abaya zu putzen. Auch meine Hand landete nicht mehr auf seinem Knie.

Es war alles gesagt und getan. Wir hatten fertig.

Ein blaues Autobahnschild verkündete, dass Dubai nicht mehr weit war. Karim kannte diese Strecke wie seine Westentasche. Der Kristallpalast wartete.

Am Flughafen schritten wir sogleich zur Tat. Karim kaufte mir ein One-way-Ticket. Ich reichte ihm schweigend meinen Pass. Karim hätte ihn mir niemals weggenommen und mich gezwungen, bei ihm zu bleiben. Mein Gepäck gab er beim Sondergepäckschalter ab und zahlte anstandslos die Gebühren.

»Nadia, wir haben noch etwas Zeit.«

»Was ist mit den Scheidungspapieren? Ich möchte das schriftlich haben!«

»Ich werde sie dir zu gegebener Zeit zukommen lassen. Für das Gericht brauche ich zwei Zeugen.«

»Und ich? Brauche ich vier?«

»Nein. Die hättest du ja gar nicht. In deiner Situation drückt Allah ein Auge zu.«

Ich starrte ihn von der Seite an. Die Regeln waren und blieben für Karim recht flexibel.

Er kaufte uns einen erfrischenden Fruchtcocktail und führte mich zu einer Sitzgruppe. Stumm saugten wir an unseren Strohhalmen: Frische Limonade mit Minze, eiskalt und köstlich!

Wir genossen es einfach, ein allerletztes Mal einträchtig zusammenzusitzen und auf den vorbeiziehenden Menschenstrom zu schauen.

Dann wurde meine Maschine aufgerufen. Wir standen auf.

»Leb wohl, *Habibi*. Pass auf dich auf.«

»Bitte denk an die Scheidungspapiere.«

»Nadia, eine Scheidung ist wirklich *haram* und nur der allerletzte Ausweg. Erlaube, dass ich dich weiterhin finanziell unterstütze. Vor dem Gesetz der Scharia bist du immer noch meine Frau.«

Blitzten da Tränen in seinen Augen?

Plötzlich zog er mich an sich und drückte mir einen letzten Kuss auf die Lippen. Er schmeckte feucht und salzig.

»Karim, ich dachte, das schickt sich nicht …«

Aber da hatte er sich schon umgedreht und war gegangen. Das war mein endgültiger Abschied von der arabischen Welt.

53

La Palma 2017

Zipp, zipp, zipp, trällert irgendwo ein Vögelchen, das mich wach rüttelt und ins Hier und Jetzt zurückholt, auf meine geliebte Insel La Palma. Die Wellen rauschen und brechen sich an den Klippen. Weiße Gischt zerplatzt zu Millionen kleiner Bläschen, bis sich die nächste Woge auftürmt.

Gedankenverloren schaue ich von meinem Tagebuch auf und spähe zu den Strandkiefern hinüber. Da! Da sitzt das putzige Ding in einem rot leuchtenden Hibiskusbusch vor dunkelblauem Himmel und putzt sich voller Hingabe das Gefieder.

Jetzt flattert ein Artgenosse dazu und trippelt auf einem schmalen Ast hin und her, wohl, um seine Liebste zu umwerben. Er spreizt sein Gefieder, plustert sich auf und singt das schönste Liebeslied. Vielleicht auf Arabisch? Das Weibchen lauscht verzückt.

Ich stehe auf und stecke das Tagebuch in meinen Rucksack.

»Komm, Klitschko!«

Ein kleiner Hund ist mir zugelaufen und hat sich gekonnt in mein Leben geschlichen. Waren es seine treuen Hundeaugen mit den rehbraunen Sprenkeln darin, die mein Herz erweicht haben? Das arme Tier stand an einem stürmischen Tag völlig durchnässt vor der Tür und sah mich so Hilfe suchend an, dass ich es in mein Leben ließ. Ich rubbelte es mit einem alten Handtuch trocken, legte eine Wolldecke in den Flur meiner kleinen Ferienwohnung, brachte Futter und Wasser in zwei kleinen

Plastikschüsseln und beobachtete die struppige Promenaden-mischung mit den kurzen Beinchen und der spitzen Schnauze.

Der Hund legte sich sofort artig auf die Decke und linste so treuherzig unter seinem Fell hervor, dass mein Herz dahin-schmolz wie Butter in der Sonne.

Es dauerte nicht lange, und mein neuer Lebensgefährte schlief in meinem Bett. Erst hielt er respektvollen Abstand, aber nach und nach robbte er sich immer näher an mich heran, und nun lege ich nachts den Arm um den kleinen warmen Körper und spüre seine Nähe. Dieses schwarze Fellknäuel gibt mir sehr viel Liebe.

Sein Kopf liegt auf meinem Bauch, und ich wage nicht, mich zu bewegen, aus Angst, er könnte vom Bett springen und das Weite suchen.

Klitschko kann nicht sprechen, aber dafür lügt er mich auch nie an.

Klitschko begleitet mich regelmäßig auf Spaziergänge am Strand. Dann werfe ich ihm einen Ball, tolle mit ihm herum, und er springt kläffend in die Wellen und bellt alles weg, was mir zu nahe kommt.

Abends vor dem Fernseher kuschle ich voller Hingabe mit dem in die Jahre gekommenen Macho und halte ihn auch manchmal fest, wenn er fliehen will.

Aber er hat alles brav über sich ergehen lassen, was notwen-dig war – eine schöne warme Dusche vor dem Arztbesuch, am Tag der Kastration. Dieser Eingriff war wichtig, weil er jeder läufigen Hündin hinterhergerannt ist – ein echter Straßenhund halt, der für jeden Spaß zu haben ist. Er kennt keine Regeln und wenn, dann macht er sie sich so, wie es ihm gefällt.

Nach diesem Motto lebe heute auch ich – mit mir im Reinen auf meiner wunderschönen Insel La Palma.

Doch eines weiß ich ganz sicher: Liebevoll habe ich ihn ver-sorgt, und er spürte, er muss keine Angst haben, die Kastration tut auch gar nicht weh. Ich denke, er hat das erste Mal ein richtig gutes Zuhause mit liebevoller Zuwendung gefunden. Dieser kleine Schlingel weiß genau, wie er zu seinen Streicheleinheiten kommt.

Bei der Tierärztin sah ich einen Spruch über der Tür hängen: *Seitdem ich die Menschen kenne, liebe ich die Tiere!*

Da ist was Wahres dran, das könnte mein Lebensmotto sein. Ich mache keine Pläne mehr. Doch. Vielleicht einen.

Irgendwann werde ich das wunderschöne Land aus *Tausendundeiner Nacht,* das bittersüße Weihrauchland, meinen Oman, noch einmal besuchen.

Inshallah!

Nachwort der Protagonistin

Das Ganze ist wirklich genauso passiert wie beschrieben! Erst wollte ich meine Geschichte selbst aufschreiben, um mich davon zu befreien.

Dann nahmen mich Freunde im März 2015 mit zur ZDF-Aufzeichnung der Sendung *Fernsehgarten*, die von Andrea Kiewel moderiert wurde.

Dort trat auch Hera Lind auf, die einige Bücher vorstellte. Was mich aufhorchen ließ: Sie schreibt Bücher nach wahren Geschichten, und ihre Tatsachenromane sind so erfolgreich, dass sie wochenlang auf der SPIEGEL-Bestsellerliste stehen! Meine Freunde ermutigten mich, ihr meine Geschichte zu schicken.

Kaum war ich wieder zu Hause, habe ich mich gleich an den PC gesetzt und meine Erinnerungen niedergeschrieben. Man sagte mir, ich solle sie an den Diana Verlag schicken, Frau Lind würde sich bei Gefallen bei mir melden. Und tatsächlich – nach acht Wochen rief sie mich an und schlug vor, dass wir uns kennenlernen sollten!

Im Januar 2016 kam sie dann gemeinsam mit ihrem Mann erneut nach La Palma. Strahlend lief sie am verabredeten Treffpunkt auf mich zu, und wir umarmten uns zur Begrüßung. Das Eis war sofort gebrochen! Gleich darauf stiegen wir in unsere Autos und fuhren durch das herrliche Tal der Mandelblüte. Ich zeigte ihr und ihrem Mann meine Lieblingsorte auf

La Palma, die Wanderwege, Martins ehemaliges Haus, das nun leider leer steht, und auch den Strand, wo ich so oft sitze und an mein Leben im Oman denke.

Frau Lind fragte mich, ob es wirklich stimme, dass ich Karim im Oktober 1995 kennengelernt und ihn schon im November geheiratet hätte.

»Ja!«, habe ich keck geantwortet, »so etwas Abgefahrenes ist nicht nur Promis vorbehalten!«

Karim musste so handeln, denn sonst hätten wir keine sexuelle Beziehung eingehen können. Ich habe ihm vertraut, und verliebt, wie ich war, vom Fleck weg geheiratet. Von da an hat er liebevoll und zuverlässig für mich gesorgt – wie für seine anderen Frauen auch. Für westliche Ohren klingt das komisch, aber eigentlich ist es nur konsequent, bis zum Lebensende für eine Frau zu sorgen, die man mal geliebt hat.

Frau Lind stellte tausend Fragen, und ich versuchte, alle zu beantworten. Ja, es ist für eine westlich geprägte, emanzipierte Frau nicht leicht, meine Geschichte zu verstehen. Die muslimische Welt ist ganz anders, man kann sie nicht mit unserer vergleichen!

Später in meiner Wohnung suchte ich sämtliche Fotos und Hotelprospekte von Salalah heraus und war so aufgeregt, dass ich ganz vergaß, meinen Gästen etwas anzubieten.

Mensch, wie peinlich! Ich, die geborene Gastgeberin, versagte völlig vor lauter Erzählen und Erklären. Frau Lind gestand mir später, sie habe ihrem Mann gesagt, es gebe bestimmt ein tolles arabisches Essen, und er solle bloß nicht vorher frühstücken. Um siebzehn Uhr knurrte ihr Magen so laut, dass die beiden sich hastig verabschiedeten. Das verzeihe ich mir nie! Aber das Treffen war sehr aufschlussreich für beide Parteien, und wir beschlossen, gemeinsam das Buch zu machen.

Frau Lind schickte mir jeden Tag ein neues Kapitel, und ich machte Änderungsvorschläge. Über manches haben wir lange diskutiert. Auch die Lektorin Britta Hansen hatte noch viele kritische Fragen, aber so entstand ein wunderbares Buch! Beim Lesen habe ich Rotz und Wasser geheult, denn erst jetzt wurde mir richtig bewusst, wie sehr ich mich in der Ehe mit Karim verleugnet habe. Wo ich doch vorher eine so selbstständige, selbstbestimmte Frau gewesen bin!

Mir ist es wichtig, die friedliche, familiäre Seite des Islam zu zeigen. Ich kenne keine Gewalt. Nie habe ich Familien getroffen, wo Gewalt im Spiel war. Ja, die Männer sind das unangefochtene Oberhaupt der Familie, und was sie entscheiden, ist Gesetz. Aber sie übernehmen auch zu hundert Prozent die Fürsorge für alle, die ihnen anvertraut sind. Ich klage nicht den Islam an – im Gegenteil! Ich fühlte mich wohl und geborgen in der muslimischen Gesellschaft, von allen geschätzt. Ich liebte die arabische Kultur, die herzlichen Menschen und das wunderbare Essen. Ich konnte nur nicht auf Dauer das Schattenwesen sein, zu dem mein Mann mich nach und nach degradiert hatte, und ich konnte meinen Mann nicht dauerhaft teilen. Mit Karim schreibe ich mir ab und zu E-Mails, hauptsächlich wenn Kosten für meine kleine Mietwohnung oder mein kleines Auto anfallen. Dann überweist er mir immer sofort anstandslos die Summe, um die ich ihn bitte. Darüber hinaus bekomme ich eine kleine Rente aus meiner früheren Tätigkeit in der Modebranche. Ich komme also gut über die Runden.

Von Karims privater Situation weiß ich nichts, sie ist kein Bestandteil unserer Kommunikation mehr. Ob er verheiratet ist und mit wem, geht mich nichts mehr an.

Als er erfuhr, dass unsere Geschichte zu einem Tatsachenroman verarbeitet wird, hat er sich sehr mit mir gefreut.

Nicht einen Augenblick habe ich Karim gegenüber echten Hass verspürt. Wut ja, Ohnmacht und Enttäuschung darüber, belogen worden zu sein.

Die Sure vier, Vers vier*, hat letztlich über unsere Liebe gewonnen.

Heute lebe ich auf La Palma und habe meinen Frieden gefunden. Was ich erleben durfte, ist sicherlich einzigartig. Und auch, wenn der Preis am Ende zu hoch war, möchte ich diese wunderbare Zeit im Orient nicht missen. Nicht einen einzigen Tag. Ich habe die große Liebe erfahren, für die man buchstäblich bis ans Ende der Welt geht. Davon zehre ich bis heute.

Vieles hat sich getan in Salalah: In Reisebüros spricht man von der »Schweiz des Orients«, ein neuer Markt hat sich aufgetan. Und das habe ich schon vor zwanzig Jahren so gesehen, nur dass mir das damals niemand geglaubt hat! Inzwischen schaue ich frohgemut in die Zukunft. Unser gemeinsames Buch hat mir sehr viel Lebensmut zurückgegeben und mich neue Kraft schöpfen lassen. Der Winter, in dem es entstand, ist zu einem neuen Frühling für mich geworden.

Nadia Schäfer im Januar 2017, von der Insel des ewigen Frühlings

---

* Sämtliche Koranzitate stammen aus: Hazrat Mirza Tahir Ahmad (Hrsg.), *Der Heilige Qur-ân,* Arabisch und Deutsch, 5. überarbeitete Auflage 1989, Ahmadiyya Muslim Jamaat in der Bundesrepublik Deutschland und der Schweiz

Nachwort der Autorin

Nadias Geschichte hat mich auf Anhieb fasziniert. Ihre Aufzeichnungen, die mir als Grundlage für diesen Tatsachenroman dienten, waren wunderschön geschrieben, und besonders die Schilderungen der Landschaften im Oman und auf La Palma waren so perfekt, dass ich Passagen zitieren musste. Auch ihre Gefühle und innere Zerrissenheit konnte ich oft nicht besser schildern. Allerdings habe ich ihr noch eine Menge kämpferische Sätze in den Mund gelegt! Wenn man diesen Mann nicht persönlich kennt, möchte man ihn pausenlos schütteln – wenigstens mit Worten. Aber sie hat ihn geliebt. Und dieses Gefühl kann ich nachvollziehen. Deshalb habe ich mich auch so zu dieser Geschichte hingezogen gefühlt.

Ich verfolge damit keineswegs die Absicht, den Islam zu kritisieren oder negativ darzustellen – im Gegenteil! Nach Bestsellern wie *Nicht ohne meine Tochter*, in dem der einst liebevolle, fürsorgliche Ehemann im Iran zum Monster wird, wollten Nadia Schäfer und ich eine muslimische Ehe schildern, die harmonisch, liebevoll und voller Leidenschaft war. Wären da nicht die anderen Ehefrauen gewesen, auf die er allerdings ein Recht hatte, würde diese Ehe bestimmt noch heute bestehen.

Mich faszinierte außerdem das orientalische Flair von *Tausendundeiner Nacht* und die tausendprozentige Liebe, die Nadia zu geben imstande war. Die bedingungslose Hingabe, der

Mut, ein vollkommen neues Leben anzufangen, die Beständigkeit ihrer Gefühle und der feste Glaube, dass diese Ehe funktionieren kann, wenn sie nur genug an sich arbeitet.

Viele von uns kennen diese Bemühungen um den Bestand der Ehe – schon um des lieben Friedens und der Kinder willen. Was Nadia Schäfer sich selbst auferlegt hat, ist fast schon übermenschlich. Der Zwiespalt zwischen ihrer einstigen Selbstständigkeit und ihrer bedingungslosen Liebe zu Karim, die schon an Selbstaufgabe grenzte, wurde zu einem immer größeren Spagat.

Vielleicht ergeht es der einen oder anderen Leserin auch so wie mir. Ich dachte manchmal: Wann wacht sie endlich auf? Warum geht sie auch noch ein drittes Mal zu ihm zurück?

Das alles fragte sie sich immer wieder selbst und wäre fast daran zerbrochen. Der Glaube versetzt nicht nur Berge, sondern errichtet auch unüberwindbare Mauern, was heute deutlicher zu spüren ist denn je.

Es gibt diese große Liebe, für die man alles stehen und liegen lässt, auch wenn Grenzen unüberwindbar scheinen. Wir alle träumen davon. Deshalb MUSSTE ich diese Geschichte schreiben! Sie legt Zeugnis davon ab, wie sehr Frauen lieben können, wie mutig wir sein können, wenn wir »den Richtigen« gefunden haben. Und welche Kräfte wir entfalten können, um unser Glück und das unserer Familie zu erhalten.

Ich bewundere Nadia Schäfer und habe einen Riesenrespekt vor ihr!

Während meiner Arbeit an diesem Tatsachenroman bin ich in den Oman geflogen und habe auch die benachbarten Emirate besucht, um mir selbst ein Bild zu machen. Ich sah diese Welt mit Nadias Augen und hatte dank ihrer Schilderungen keine Berührungsängste. Aus Respekt habe ich mich entsprechend gekleidet und mir ein Tuch um den Kopf gebunden, was mich von vielen anderen Touristen unterschied. In der Provinz

Musandam lud mich eine fremde Großfamilie, die auf dem Grüngürtel am Strand picknickte, spontan zum Essen ein, und ich genoss die Gastfreundschaft und das vielgepriesene köstliche arabische Essen. Wir lachten und radebrechten, die jungen Frauen waren bildhübsch, die Männer hielten sich respektvoll zurück, und die alte Mutter (die in meinem Alter war) warf sich ein Tuch übers Gesicht, als ich, wohlgemerkt nach höflichem Fragen, ein Abschiedsfoto machen wollte. Die Rufe des Muezzins verzauberten mich ebenso wie die samtweiche Luft, das Rauschen des Meeres und die tiefe Frömmigkeit der Menschen. Immer besser konnte ich Nadia verstehen, die dieses Land und dieses Leben geliebt hat.

Beim Schreiben haben auch mich der Orient und seine manchmal rätselhaften Lebensregeln tief in seinen Bann gezogen. Ich hoffe, auch Sie konnten richtig eintauchen in diese wahre Lebensgeschichte voller Liebe und Leidenschaft und hatten viele spannende, kurzweilige Lesestunden.

Wenn Sie, liebe Leserin, auch von einer außergewöhnlichen Geschichte berichten können, die Sie vielleicht schon aufgeschrieben haben, schicken Sie bitte Ihren Vorschlag per E-Mail an hera.lind@diana-verlag.de (bitte noch nicht Ihr vollständiges Manuskript, denn Letzteres wird später ohnehin per Post, ausgedruckt und im Schnellhefter, benötigt – ich lese die Einsendungen meist auf Reisen und nicht am Computer). Bitte gedulden Sie sich, ich lese alle Geschichten selbst und schreibe auch bei einer Absage zurück. Vielleicht springt ja auch bei Ihrer Geschichte der berühmte Funke über, und ich rufe Sie an!

Hera Lind, Salzburg im Januar 2017

Drei ganz normale Kinder,
doch nichts ist so, wie es scheint

Der neue Tatsachenroman von Hera Lind
über eine verhängnisvolle Entscheidung – Spannung pur!

ISBN 978-3-453-29187-4
Auch als E-Book erhältlich

Über den Roman

Juliane Bressin hat sich eine fast perfekte Welt geschaffen: treuer Mann, zwei wohlerzogene Kinder, Vollwertkost, Biomüll, Bullerbü. Warum also nicht »drei ganz normale Kinder« aufnehmen, die übergangsweise eine Pflegefamilie suchen? Doch bald nach Ankunft der Kinder stürzt Julianes hellblauer Himmel ein. Was haben die kleinen Wesen mit thailändischen Wurzeln erlebt? Woran ist der Vater gestorben und warum liegt die Mutter im Koma? Hüten sie ein dunkles Geheimnis? Schon nach wenigen Monaten steht Juliane mit ihrer eigenen Familie an einem Abgrund ...

1

Nebenan öffnete sich das Garagentor. Die kleinen Öhrchen von unserer temperamentvollen Zwergschnauzerdame schossen elektrisiert in die Höhe. Das schwarze Wollknäuel stürzte sich wie ein Wurfgeschoss vom Sofa und kläffte begeistert die Haustür an, während das rotierende Schwänzchen die Schirme im Schirmständer aus dem Gleichgewicht brachte.

Die schweren Schritte Jonathans, der den Großeinkauf ins Haus schleppte, brachten das helle Wohnzimmerparkett zum Zittern. Dazu das Gepolter von Tim und Lilli, das die Wände zum Wackeln brachte. Vorbei war es mit der seligen Ruhe. Seufzend ließ ich die Samstagszeitung aufgeschlagen auf dem Sofa liegen und rappelte mich auf, um meine Lieben zu begrüßen.

Was ich da gerade gelesen hatte, hatte mich tief berührt. Ich musste minutenlang auf die Anzeige gestarrt und darüber Zeit und Raum vergessen haben.

Okay. Showtime und Action. Ich atmete einmal tief durch und riss die Haustür auf. »Hallo, ihr Mäuse! War es schön bei den Pfadfindern?«

»Wir haben gelernt, wie man Feuer macht!« Tim stürmte an mir vorbei zum Gästeklo. Sein elfjähriges Bubengesicht wies Rußspuren auf, seine Augen leuchteten vor Begeisterung und Stolz. »Aber ich hab mich nicht getraut, in den Wald zu kacken, dabei musste ich schon die ganze Zeit so dringend!«

»Tim!« Ich verbiss mir ein lautes Lachen. »Wir kennen doch andere Wörter dafür!«

»Meine Notdurft verrichten«, verbesserte er sich mit den gestelzten Worten, die ich ihm offensichtlich einmal irgendwann beigebracht haben musste, während er die Tür zuschlug und hektisch verriegelte.

»Lass mich mal vorbei, Schatz.« Mein Hüne von Mann schleppte zwei Mineralwasserkisten in die Küche und ließ noch eine Großpackung Toilettenpapier, die er unters Kinn geklemmt hatte, vor die Klotür fallen. Jon hätte aus einem Cowboyfilm entsprungen sein können: groß, zupackend, verdammt gut aussehend und sexy. Flanellhemd, Jeans, Boots, Dreitagebart und Grübchen am Kinn. Statt eines Cowboyhuts trug er allerdings einen lässigen Männerdutt, und statt Pferd hatte er unsere Familienkutsche in der Garage geparkt.

Grinsend drückte er mir einen stacheligen Kuss auf die Lippen und klopfte lässig an die Klotür.

»Großer? Hier draußen liegt Nachschub!«

»Lass mich! Ich muss mich konzentrieren!«

»Aber hinterher Hände waschen!«

»Abziehen, Klodeckel zu, Hände waschen, lüften«, hallte es genervt durch die Tür.

»Juliane, hilfst du mir mal eben?« Jon war schon wieder auf dem Weg in die Garage, umkläfft von Socke, die ihm mit spitzen Welpenzähnchen an den Schuhbändern nagte. »Im Auto sind noch ein Karton Milch und die üblichen Kleinigkeiten.«

»Das kann ich doch machen!« Meine neunjährige Lilli rannte hilfsbereit hinter ihm her und versuchte tatsächlich, mit ihrer zierlichen Figur den Karton aus dem Kofferraum unseres Vans zu wuchten.

Ich schlüpfte in die Clogs, die vor unserer Haustür standen, und half meiner eifrigen Tochter, während Socke inzwischen kampfeslustig das liebevoll bereitgestellte Klopapier zerbiss und mit der daraus resultierenden Papierflut kämpfte.

»Kinder, ihr macht mich fertig!« Ich nahm Lilli den Karton ab. »Lilli, gib mir das und kümmre dich lieber um den Hund.«

Sofort trippelte das liebe Kind davon. Meine Kinder gehorchten mir aufs Wort. Der Hund weniger, der Mann gar nicht.

»Socke!« Lilli pulte durchgespeichelte Papierballen aus dem Hundemäulchen.

Wie ein Storch im Salat balancierte ich mit der Großpackung Milchtüten über das Knäuel hinweg und nahm die feuchten Fetzen aus der Hand meiner Tochter entgegen.

»Danke, Lilli. Du bist ein gutes Kind.«

»Jeden Tag eine gute Tat«, trumpfte Lilli auf. »Das lernen wir bei den Pfadfindern!«

Dann kletterte sie auf einen Hocker und wusch sich brav die Hände. Verzückt sah ich das eifrige Mädchen von der Seite an und hoffte, sie würde immer so bleiben. Niemals sollte aus ihr ein widerborstiges Pubertier werden, niemals! Dafür hatten Jon und ich uns aber auch unendlich viel Mühe mit der Erziehung gegeben. Schließlich waren wir beide als Sozialpädagogen vom Fach.

»Boah, Mama, das riecht ja super, was brutzelt denn da im Ofen?«

»Ich hab mich mal wieder an einem Gemüseauflauf versucht!« Schmunzelnd räumte ich die Einkäufe in den Kühlschrank und schubste die Tür mit der Schulter zu.

Im Werbespot wäre jetzt das gute Gewissen weich gespült ins Bild geflogen und hätte mit sanfter Stimme meine hausfraulichen Qualitäten gelobt. Doch die Realität war noch besser: Mein Kind flog mir begeistert um den Hals.

»Oh, Mama, du bist die Beste! Den mit meinem Lieblingskäse?«

»Und frischen Kräutern. Ich war heute Morgen noch auf dem Wochenmarkt.«

Lilli hüpfte erfreut vom Hocker. »Darf ich dann den Salat anrichten?«

»Du darfst mir helfen, Lilli. – Tim, hast du die Hände gewaschen?« Mein Sohn war von seiner geschäftlichen Besprechung zurückgekehrt.

»Aye, aye, Sir. – Boah, sieht das lecker aus!«

»Dein Lieblingsessen, Tim: überbackene Auberginen mit Tomaten, die auf der Zunge zergehen.«

»Geil!«

»Tim!«

»Sorry. Ich meine natürlich: köstlich!« Er grinste. »Sind das Biotomaten?«

»He, nicht mit den Fingern in die Salatschüssel greifen!«

Unter Geplauder und dem glücklichen Gebell unseres überdrehten Hundeviehs richteten wir den Salat an und holten die Teller aus dem Schrank. Ich musste kurz innehalten und meine geliebte Bande bewundern. Ich liebte alle drei so sehr, dass ich mich manchmal in den Arm kneifen musste. Alles war perfekt! Unser kleines Reihenhäuschen am Rande des Kölner Stadtwalds in der stillgelegten Spielstraße, unsere nette Nachbarschaft in den identischen Reihenhäusern mit den gepflegten kleinen Vorgärten – mit unserer wunderbaren Familie hätten wir jederzeit Werbung für eine Lebensversicherung machen können. Auch beruflich lief alles rund: Jon war seit Kurzem Pflegedienstleiter in der Uniklinik, worauf wir alle mächtig stolz waren, und ich arbeitete von montags bis freitags halbtags in einer Kita. Unsere Kinder waren gute Schüler, aber was noch viel wichtiger war: gute kleine Menschen. Sie waren sportlich, spielten verschiedene Instrumente und engagierten sich sozial wie zum Beispiel samstagvormittags bei den Pfadfindern. Sie standen in der Straßenbahn für ältere Leute auf, hielten uns die Tür auf und sagten »Bitte« und »Danke«. Sie grüßten höflich und gehorchten uns meistens. Jon und ich waren moderne Vorzeigeeltern. Und liebten uns immer noch wie am ersten Tag voller Achtung und Wertschätzung. Wenn ich darüber nachdachte, dass ich früher seine Chefin gewesen war und er mein vier Jahre jüngerer Zivildienstleistender, entrang sich mir immer noch ein Grinsen. Erst war ich ja wahnsinnig in meinen Psychologieprofessor Fausto verliebt gewesen, einen distinguierten Signore italienischer Abstammung, der heute ein angesehener Psychiater in leitender Stelle an der Neuroklinik war. Aber als damals der blonde lässige Jonathan in mein Leben schneite, war der Professor nur noch Schnee von gestern. Noch immer war Jon mein Traummann: ein Künstlertyp mit handwerklichem Geschick.

»Was willst du mit der Taucherbrille, Tim?«

»Zwiebeln schneiden.« Den Sinn fürs Praktische hatte er von seinem Vater geerbt.

»Aber Vorsicht, Großer. Du brauchst deine Finger noch.«

»Ja, zum Gitarrespielen! Darf der Gregor heute Nachmittag zum Üben kommen? Wir wollen eine Band gründen!«

»Geht klar, Sohn. Wenn es nicht zu laut wird.«

»Und die Jasmin zu mir?«, sagte Lilli flehend. »Wir wollen ein großes Puzzle legen und sind auch ganz leise!«

Jon und ich wechselten zärtliche Blicke. Dann hätten wir ja mal wieder ein Stündchen Zeit für Zweisamkeit!

Als ich merkte, wie mir die Röte der Vorfreude in die Wangen schoss, bückte ich mich schnell nach dem Ofen.

»Lass mich das machen, Juliane.«

Die Adern in Jons durchtrainierten Armen traten hervor, als er mir die schwere Auflaufform mit seinen Topfhandschuhen abnahm. »Vorsicht, heiß!«

Er wuchtete den goldkross überbackenen Auflauf auf die Anrichteplatte.

Ich klatschte in die Hände.

»Kinder, Servietten fehlen noch, und Gläser! Und stell die frischen Blumen in die Mitte, Lilli!«

Endlich saßen wir am runden Esszimmertisch in der sonnendurchfluteten Wohnküche mit Blick auf unsere kleine Terrasse.

Der Frühling hielt schon Einzug, die Birken wiegten sich sanft im Wind, und mein Arrangement aus gelben und roten Tulpen bog sich anmutig. Die schräg stehende Sonne tauchte unsere ockerfarbenen Wände mit den Kinderfotos in ein warmes Licht: Tim und Lilli als rundliche Babys in den Armen ihrer Paten, als niedliche Kleinkinder mit gleichaltrigen Nachbarskindern im Sandkasten, mit den ersten Fortbewegungsmitteln wie Roller oder Dreirad auf der Straße, später beim Wandern, beim Zelten, bei der ersten längeren Radtour. Aus den rundlichen Kleinkindern waren schlanke Schulkinder geworden. Und es würden noch viele Fotos dazukommen.

Jon und die Kinder ließen es sich schmecken.

»Hast du da was in der Zeitung eingekringelt?« Tim verrenkte sich neugierig den Hals. »Sind das die Kleinanzeigen? Wollen wir was kaufen?«

»Bitte nicht mit vollem Mund, mein Herz.« Ich wischte mir die Mundwinkel mit der Serviette ab und hoffte, wie immer ein gutes Vorbild abzugeben.

»Und wo haben wir die Ellbogen?«, fragte Jon gütlich mahnend.

»Nein, kaufen eigentlich nicht, aber vielleicht … nehmen.« Ich schob den Teller von mir. »Aber das ist ein unausgegorener Gedanke.«

»Nehmen? Was kann man denn einfach so nehmen?« Lilli schaute mich mit ihren wachen hellblauen Augen an.

»Übernehmen.« Ich legte das Besteck weg. »Ich weiß nicht. Ich sollte noch nicht davon sprechen.«

»Wieso isst du denn nicht weiter, Mama?« Lillis Augen ruhten besorgt auf mir. Keine meiner Gefühlsregungen war ihr je entgangen. »Schmeckt's dir nicht?«

Ich fühlte mich ertappt, nahm einen Schluck Wasser und rückte schließlich mit der Sprache heraus.

»Also, da in der Zeitung, da steht was, das ist mir fast ein bisschen auf den Magen geschlagen.« Entgegen meiner eigenen Regeln spielte ich nervös mit dem Glas.

»Was ist denn passiert?« Tim griff hungrig nach meinem Teller und machte sich über die Reste her.

»Erzähl doch!«, drängte er kauend.

»Juliane, was ist los mit dir?« Jon sah mich besorgt an. »Irgendetwas bedrückt dich doch.«

»Los, Mama! Du sagst doch selbst immer, wir haben keine Geheimnisse voreinander!« Tim starrte mich neugierig an.

»Ja, ganz demokratisch wird immer alles besprochen!« Lilli wies mit der Gabel auf mich. »Das ist unsere goldene Familienregel.«

»Fräulein Altklug, da hast du recht. Aber es ist wahrscheinlich ohnehin nichts für uns.«

»Sondern? Für wen denn dann?« Das war wieder typisch für Jon, der unsere Familie mit Leitsprüchen wie »Wer denn sonst, wenn nicht wir?« und »Wenn nicht jetzt, wann dann?!« geprägt hatte. Er war eben ein Anpacker und kein Sprücheklopfer, und genau das liebte ich so an ihm.

»Also, da steht …« Ich setzte die Lesebrille auf und griff nach der Tageszeitung. »Da steht, dass drei Geschwisterkinder eine Pflegefamilie suchen.«

So. Nun war es raus. Das war es, was mich seit Stunden beschäftigte: Wir hatten so viel Glück gehabt. Sollten wir unser Glück nicht teilen? Schon allein, um den Kindern zu zeigen, dass es nicht alle so gut hatten wie wir?

Die drei sahen mich mit offenem Mund an. »Und das sind

wir?!« Lilli machte eine ausholende Geste, die uns alle mitein-
bezog, wobei sie ihrem Glas gefährlich nahe kam.

»Nein, Lilli, so schnell schießen die Preußen nicht.« Ich
brachte ihr Getränk in Sicherheit.

»Wieso die Preußen? Welche Preußen denn?!«

»Das sagt man so.«

»Ja, und was ist jetzt mit den Geschwisterkindern?« Tim
musterte mich prüfend.

»Keine Ahnung, hier steht …« Meine Brille war ganz be-
schlagen vor lauter Aufregung, und ich putzte sie umständlich
mit der Tischdecke.

»Darf ich, Mama?«

»Ja bitte, Tim. Lies du vor.«

»Freier Jugendhilfeträger sucht pädagogische Fachkräfte,
ein familiäres Angebot für die Aufnahme von drei Geschwisterkindern in den eigenen Haushalt«, trug Tim fließend vor.
»Wir bieten fachgerechte Begleitung und finanzielle Unterstützung. Bewerbung an Frau Nölle, Sonnenschein-Stiftung,
Telefon…«

Jon verschränkte die Arme vor der Brust und lehnte sich in
seinem Stuhl zurück. Abwartend sah er mich an. »Du fühlst
dich angesprochen.«

»Ja, irgendwie schon, aber …«, in einer Übersprunghand-
lung spielte ich verlegen mit dem Salzstreuer. »Unser Häuschen ist viel zu klein.«

Mein Blick fiel auf unser handtuchgroßes Rasenstück.

»Und wenn wir nur eines nehmen?«, piepste Lilli kühn.

»Bist du bescheuert? Das sind drei Geschwister!« Tim zeigte
ihr einen Vogel.

»Tim, bitte. Sprich nicht so mit deiner Schwester.«

»Nein, er hat recht.« Lilli klang plötzlich ganz erwachsen.
»Das war eine bescheuerte Schnapsidee.« Sie stach in eine liegen gebliebene Tomate und steckte sie sich in den Mund.

Jon und ich wechselten einen gerührten Blick. »Das war eine Idee, wenn auch keine gute. Trotzdem darf doch jeder hier am Tisch sagen, was er denkt.«

»Wie alt die wohl sind?« Tim wedelte mit der Zeitung. »Ist da vielleicht ein Junge in meinem Alter dabei?«

»Und ein Mädchen in meinem?« Lillis braune Augen wurden immer runder.

»Das steht leider nicht dabei.« Bedauernd verzog ich das Gesicht.

»Die Frage ist aber doch erst mal, WARUM die drei eine Pflegefamilie suchen. Was ist da bei denen passiert?«, überlegte Jon laut.

»Haben die denn keine eigene Mama?« Der Gedanke schien Lilli unvorstellbar.

»Vielleicht ist die gestorben!«, mutmaßte Tim.

»Und der ihr Vater?«

»Deren Vater heißt das.«

»Kinder, wir wissen es nicht!« Ich schob den Stuhl zurück und nahm die Teller an mich. »Wer möchte Nachtisch?«

»Was gibt's denn?«

»Zitronen-Quarkspeise!«

Während des Desserts bestürmten uns die Kinder mit Fragen.

»Und wo sind die jetzt?«

»Na, vermutlich in dieser Sonnenschein-Stiftung. Keine Ahnung, vielleicht so eine Art Kinderheim.«

»Und wer kümmert sich da um die?«

»Irgendwelche Mitarbeiter, vermutlich. Vielleicht diese Frau Nölle.«

»Aber die hat doch keiner lieb?!«

Lillis Kulleraugen durchbohrten mein Herz.

»Ich weiß es nicht, Schatz. Bestimmt hat die jemand lieb.«

»Vielleicht haben sie noch irgendwo Verwandte, die sich um sie kümmern könnten?« Jon reichte mir das Besteck.

»Aber dann stünde das doch nicht in der Zeitung, dass die eine Pflegefamilie suchen.«

Tim war schon immer ein messerscharfer Denker gewesen.

»Also, Mama. Ruf doch da an!« Tim sprang auf und riss das Telefon aus der Ladestelle.

»Hier. Wie Papa immer sagt: am besten gleich. Dann hast du's hinter dir.«

»Kinder, wir haben überhaupt noch nicht nachgedacht«, protestierte ich schwach.

»Was gibt's denn da noch nachzudenken?« Jon hob fragend die Augenbrauen. »Drei Kinder brauchen Hilfe. Stell dir mal vor, Juliane, es wären UNSERE Kinder, die plötzlich ohne Eltern dastehen, und es würde keine Sau interessieren!«

»Aber ich bin doch nicht gleichgültig, ganz im Gegenteil.« Ich blies mir eine widerspenstige Strähne aus der Stirn. »Mama. Hier.« Tim hatte bereits gewählt und hielt mir den Hörer hin.

Plötzlich raste mein Herz, und meine Zunge klebte am Gaumen. Angestarrt von drei, nein vier Augenpaaren, denn Socke musterte mich genauso prüfend wie meine Familie, hatte ich plötzlich einen dicken Kloß im Hals. Was, wenn sich da jetzt jemand meldete?

Doch tief in mir wusste ich bereits, dass sich unser Leben von nun an für immer ändern sollte.

2

»Nölle.«

Jetzt gab es kein Zurück mehr. Metallisch schepperte ihr Name durch die Leitung. Sie klang nicht gerade weichherzig, diese Dame von der Sonnenschein-Stiftung. Eher so, als fühlte sie sich ziemlich gestört an diesem Samstagnachmittag. Ich schluckte.

»Stell auf laut!«, bedeutete mir Jon, und mit zitternden Fingern drückte ich die Lautsprechertaste.

»Ja, ähm, also guten Tag, Frau Nölle, mein Name ist Juliane Bressin, ich rufe aus Köln-Lindenthal an, meine Familie sitzt hier und hört mit, es geht um die heutige Anzeige im Kölner Stadtanzeiger …« Ich musste mich räuspern, und Jon schenkte mir fürsorglich Wasser aus der Karaffe nach.

»Ja?!«, schepperte es knapp zurück.

»Ja. Ähm. Also …« Ich riss mir den Pulloverkragen vom Hals, der plötzlich so eng saß, als wollte er mir die Luft abschnüren. »Wir würden gern einfach mal unverbindlich wissen, um was für Kinder es sich handelt, also wie alt sie sind, und ob es Jungen oder Mädchen sind und warum sie eine Pflegefamilie suchen.«

»Wir sind hier keine unverbindliche Auskunftsstelle.«

»Nein, ähm, natürlich nicht.« Ich blies mir die lästigen Haare aus dem Gesicht. »Vielleicht erzähle ich erst mal was über uns …« Ich nahm einen Schluck Wasser. »Ich weiß nicht,

ob wir überhaupt dafür infrage kommen, aber ich bin Sozial-
pädagogin und arbeite in einer Kita, mein Mann ist Pflegedienstleiter, wir wohnen in einem kleinen Reihenhäuschen am
Stadtwald und haben zwei Kinder, einen Jungen mit elf Jahren
und ein Mädchen, sie ist neun.«

»Und einen Hund«, rief Lilli. »Der ist eins!«

»Ja. Und einen Hund. Der ist aber sehr kinderlieb. – Hallo?!«

Atemlos presste ich mein Ohr an den Hörer. War die Frau
noch da?

Die Frau schien zu überlegen, ob wir einer Antwort würdig
waren. Vielleicht hatten schon den ganzen Tag Leute angerufen, und keiner hatte es ernst gemeint. Deshalb war sie bestimmt so genervt und irgendwie … misstrauisch.

Sie seufzte. »Die zu vermittelnden Pflegekinder sind jetzt
sechs, zehn und zwölf Jahre alt.«

»Das ist ja wunderbar«, entfuhr es mir, und ich lachte ein
bisschen zu nervös. »Ich meine, was hätten wir bloß mit Kleinkindern angefangen, aber so passen sie ja genau zu unserem
Nachwuchs!«

»Ja!«, jubelte Lilli. Tim wurde rot und schluckte. »Frag, ob
ein Junge dabei ist!«, raunte er rau.

»Ist ein Junge dabei?«

»Ich höre schon, dass Sie sich soufflieren lassen. Ja, es ist ein
Junge dabei. Das mittlere Kind.«

Tim unterdrückte einen Freudenschrei.

Jon nickte mir aufmunternd zu.

Sollte es tatsächlich so sein? Waren diese Kinder für uns gemacht? Oder umgekehrt, waren wir für sie gemacht? Ich um-
klammerte den Hörer. »Das wäre ideal.«

»Theoretisch ja«, kam es ohne eine Spur von Freude zurück.

»Und praktisch … nein?«

»Kommt ganz darauf an.«

»Worauf kommt es an, Frau Nölle?«

»Die Kinder sind thailändischer Abstammung.«

»Ja, aber das ist doch … kein Gegenargument. Also, das ist uns doch ganz egal!«

»Da denken aber nicht alle so.«

»Deswegen sind Sie auch so … vorsichtig, das kann ich verstehen. Aber wir sind doch keine … Also ich meine, Kinder sind Kinder, egal woher sie stammen, aber bitte erzählen Sie doch mehr über sie!« Inzwischen hatten wir uns alle vier bei den Händen gefasst und lauschten mit offenem Mund auf Frau Nölles Worte.

»Ihr Vater ist schon seit sechs Jahren tot. Er hatte einen Autounfall.«

»Um Gottes willen!«

»Ja, er hatte wohl ein Alkoholproblem. Aber so genau wissen wir das nicht.«

Ich schluckte trocken. Die armen Kinder.

»Und die Mutter hatte vor ein paar Monaten einen hämorrhagischen Hirninfarkt.«

»Bitte was, nicht so schnell … Einen was?«

»Eine Hirnblutung. Sie ist ins Koma gefallen und wird jetzt in einem Pflegeheim betreut.«

Mein Herz klopfte wild. »Koma heißt … Wacht sie irgendwann wieder auf?«

»Wahrscheinlich nicht. Ihr Gehirn ist jedenfalls irreversibel geschädigt, so oder so.«

»Aber das ist ja ganz entsetzlich! Das heißt, die Kinder stehen völlig alleine da.«

»So sieht es aus.«

Jon, die Kinder und ich wechselten entsetzte Blicke. Tim und Lilli waren ganz weiß um die Nase. Ich holte tief Luft und stellte die nächste Frage.

Selmas langer Weg in die Freiheit

Hera Lind, *Die Frau, die frei sein wollte*
ISBN 978-3-453-35928-4 · Auch als E-Book
Erscheint im Dezember 2018

Selma kommt 1965 als Gastarbeiterkind aus der Türkei nach
Deutschland. Nach der Trennung ihrer Eltern lebt sie bei der
Mutter, die der Siebzehnjährigen erlaubt, sich offiziell mit ihrer
großen Liebe Ismet zu verloben. Niemand ahnt, dass Orhan längst
bei dem Vater um Selmas Hand angehalten hat. Als sie dem fast
unbekannten Mann begegnet, wird ihr Leben zum Alptraum. Selma
verliert ihre Ehre und ihre Freiheit, und das Glück mit Ismet zerplatzt für immer. Sie gehört nun Orhans Familie. Jahre vergehen,
bis Selma aufbegehrt ...

Leseprobe unter diana-verlag.de
Besuchen Sie uns auch auf herzenszeilen.de

DIANA